短編工場

集英社文庫編集部 編

集英社文庫

短編工場

目次

かみさまの娘

桜木紫乃

桜木紫乃（さくらぎ・しの）

一九六五年北海道生まれ。二〇〇二年「雪虫」でオール讀物新人賞を受賞。〇七年、受賞作を収めた短編集『氷平線』でデビュー。一二年『ラブレス』が直木賞候補となる。その他の著書に『風葬』『凍原』『恋肌』『硝子の葦』『ワン・モア』『起終点駅（ターミナル）』などがある。

母のミヨ子が死んだという報《しら》せが入ったのは、新しくオープンするモデルハウス事業に向けての打ち合わせの最中だった。自宅の電話から携帯に転送されてきたのが二日前の昼時のこと。掛けてきた相手は、ミヨ子の家の隣に住んでいる者だと名乗った。

奈津子は高校卒業後すぐにハウスメーカーの事務員として就職した。コーディネーターの資格を取ってインテリア担当になってから五年が経《た》つ。現場でもやっと意見が通るようになってきた矢先だった。

かなしみよりも休暇の問題が先に脳裏をよぎったことに対して、奈津子が自分を責めるということはなかった。帯広へ移り住んでから十年のあいだ、母のミヨ子とは一度も会わずに過ごしてきた。特急で一時間半という場所に住みながら、死に目に会えなかったことに対する特別な思いはなかった。

奈津子は報せを受けてすぐ、モデルハウスのプラン三件を一晩ほとんど寝ずに仕上げた。担当者への申し送りには「二日後には戻ります」と記した。

釧路《くしろ》の街は全体がうっすらとかすんでいた。海霧が漂い始める春から夏のあいだ、道東の海岸部では肌寒い曇り空の日々が続く。列車から降り立ち十年ぶりに見た駅前通りは道行く人もまばらだった。

ミヨ子からはこの十年、生活保護を受けたいという短い手紙と書類が届いたほかなんの連絡もなかった。奈津子の方も書類に必要事項を書き込んで、手紙も添えずに返送した。一度だけ結婚したというハガキを送ったことがあったが、余白を埋めるためにやたらと大きな文字で書いたことを覚えている。

ミヨ子は街はずれにある市営住宅を与えられていた。通夜の席で聞いた話によれば、倒れた日の朝まで自分の食事を作っていたらしい。鍋を焼き焦がすにおいを不審に思った隣人が台所で倒れているミヨ子を発見した。そのあと搬送先の病院で意識不明のまま静かに息を引き取ったという。

うなじが痺《しび》れ後頭部が重くなるまで空を仰いでいた。煙が薄い色から濃い色へと変化し、再び少しずつ薄くなった。母の死をさほどかなしんでいないことを責める気持ちには、少しずつ時間をかけて重い蓋をしようと決めた。

十八歳で家を出る日も、二十三歳で結婚するときも、ひとことでも母に相談するということはなかった。

自分の母親が近所で「かみさま」と呼ばれていることを知ったのは、奈津子が小学校に上がる頃《ころ》のことだ。アパートは列車が通る度にぐらぐらと揺れる線路近くにあった。ミヨ子と奈津子はそこにふたりきりで暮らしていた。父親がいない理由をミヨ子に訊《たず》ねたことはない。生活のためとはいえ、霊能者のふりをするミヨ子に対する憎しみは、無関心を装うことで伝えてきた。

当時六畳二間のアパートには人を見おろすように置かれた二メートル幅の仏壇があった。仏壇の前には入れ替わり立ち替わり相談客がやってきた。みな、ミヨ子の読経をありがたく聞いていた。今となっては果たしてそれが本当に御経だったのかどうかも疑わしい。

ミヨ子は読経が済むと、ゆっくりとした仕草で仏壇に背を向け「お告げ」と称して客にもっともらしい説教をする。ときに相談者たちは、ミヨ子の強い口調に気圧《けお》され手を合わせた。

ミヨ子は罵倒《ばとう》に近い言葉を並べたあと、差し出されるのし袋を恥ずかし気もなく受け取る。躊躇《ちゆうちよ》のない表情や指先には品のかけらも見えなかった。

奈津子が成長するにつれ、母と子の確執は一層強くなった。ミヨ子は娘に邪険にされても「かみさま」を辞めなかった。もっぱらふたりのあいだの会話らしい会話は、学校で必要な費用のことに限られていた。

奈津子は、母の勘はせいぜい常人の範囲内で、周囲が騒ぐほどのものではなかったと思っている。相談者と母との芝居がかったやり取りを耳にするたびに、どうして人はこんな胡散臭《うさんくさ》い言葉にころりと欺《だま》されてしまうのかと首をひねった。

奈津子が中学を終える頃のことだった。街で小学生の兄弟が二人とも失踪するという事件が起こり、テレビ局があおってミヨ子に霊視の真似事をさせたことがある。「雪の日に消えた幼い兄弟は今どこに」というタイトルがテレビ画面に流れ、およそ十分間、捜索番組でミヨ子が大写しになった。

ミヨ子は「大型トラックと広い道路が見える。トラックの助手席に兄弟がいる」と言った。たったそれだけで翌日からアパートの前に相談者が列を作った。

しかしそれも、兄弟が自宅横に積み上げられた雪山の中から変わり果てた姿で発見されるまでのわずか十日ばかりのことだった。

以後、ミヨ子の元に相談者が訪れることはなくなった。たまに心配した知人がやって来たが、もう誰も金の入ったのし袋を置いていくことはなかった。

奈津子はミヨ子を毒のある言葉で責め続け、奨学金で高校を卒業した。インテリアコーディネーターの資格を取るために通った夜間講習で知り合った孝一と一緒になったが、その結婚もそろそろ終わりに近づいている。

営業社員の孝一には転勤がある。昨年四月、ステップアップに繋《つな》がる大きな仕事を任されていたことを理由に、奈津子は夫の転勤先について行かなかった。特別な諍《いさか》いがあったわけではない。諍いがないことが却《かえ》ってふたりの溝を深めた。

「札幌についてくる気、ないだろ」

「うん。悪いけど」

以降、二か月に一度帰ってきては少しずつ、孝一は季節の衣類やこまごまとした身の回りのものを運び出した。そして一年もする頃、2LDKの賃貸マンションには奈津子のものしかなくなった。

孝一の印象が変化したことに、別居してから半年ほどで気づいた。服装や髪型を気に掛けてくれる存在が彼のそばにあることを、不愉快に思うことはなかった。

ミヨ子が死んだと告げるために掛けた電話では、強がりではなくごく自然に来なくてもいいという言葉が出た。孝一も静かにそうさせてもらうと返した。売り言葉買い言葉というささくれだったものではなく、ささやかな言葉のやり取りによって、ふたりは夫婦をやめる準備を終えた。出会ったときに感じた相性の良さは、別れの場面でも同じだった。

ミヨ子の葬儀は町民会館の二十畳の会議室で行われ、つきあいがあったという老人たちが数人焼香にやってきた。

葬儀会社の社員は表情を変えずにすべての式次第を滞りなく進行してくれた。奈津子のすることは、引き伸ばしすぎてぼやけた遺影の前で、少ない参列者に頭を下げることだけだった。火葬場にきても涙がこぼれることはなかった。

「奈津子ちゃん」

振り向くと礼服を着た長身の男が奈津子の数歩後ろに立っていた。葬儀会場で見た顔ではない。自分を奈津子ちゃんと呼ぶ同年代の男に心当たりはなかった。

百八十センチはありそうな、細身の体にぴたりと合った礼服を着ていた。男は軽く奈津子を見おろすくらいまで近づきお悔やみを言った。

「豊です、鳴海豊《なるみゆたか》。中学のときしばらくおばさんにお世話になっていました」

鳴海豊の懐かしげな表情はすぐに困惑と照れに変わった。目の前の男がひとつ年上の少年へと繋がる。

豊は中学二年からまったく周囲とコミュニケーションを取らなくなり、医者に診せてもどこも悪いところはないと言われていた。引きこもりのような生活が一年続き、たまりかねた母親に引きずられるようにしてミヨ子のところにやってきたのだった。

奈津子は今も、豊の症状が改善したのはミヨ子の霊感のお陰だとは思っていない。実の母親には触れることのできない少年の内部に、他人であるミヨ子が運良く潜り込めただけなのだ。霊能者とまつり上げられてはいても、ミヨ子のやっていたことは威圧的なカウンセリングだった。

奈津子にとって相談者は、胡散臭い恫喝《どうかつ》と罵倒にころりと欺される哀れな人々でしかなかった。それは豊においても変わりない。

気の弱そうな豊の母はミヨ子を「かみさま」と呼び、豊を連れて三日に一度はやって来た。二か月ほどで少年らしい表情と健康さを取り戻した豊は、学校へも通い始め、その後も下校時にたびたびミヨ子のところに寄るようになった。ぼんやりした記憶をたどると、週に一度は来ていた気がする。

自意識過剰な少女期のことだ。きっかけひとつで恋にすり替わる芽もあったかもしれない。しかし豊がミヨ子の「客」という事実は、ふくらみそうになった奈津子の気持ちをあっさりと打ち消した。

「思いだしてもらえたかい」

心配げに首を傾《かし》げる豊に、ええ、と短く返事をした。

奈津子は焼き場の煙突を振り返った。煙は先ほどよりずっと細くなっている。焼き上がりが近いのだろう。

「会社の日程用ボードに、おばさんの名前を見つけたんです。御崎《みさき》という名字はそう多くないですから」

礼服が身についているのは、彼が葬儀会社の人間だからだった。ならば死ぬ前のミヨ子の生活状況も葬儀の様子ですべてわかっているだろう。火葬場に奈津子ひとりしかいないわけを説明することもない。

よどみなく答える豊のきりりとした真一文字の眉の下には、まっすぐで誠実そうな瞳が光っている。細い鼻梁《びりょう》やまっすぐな眉、少し反り気味の唇が記憶に重なった。

「ごめんなさい気づかなくて」

ご用意できました、という声が建物のほうから聞こえた。

奈津子は豊と連れだって屋内に戻った。用意されていた箸を受け取る。職員によって並べ直されたミヨ子の骨を促されるまま拾い始めた。台の上には、触れるとカサカサと音を立てそうな骨しかなかった。骨以外のものは集められたあとらしい。骨はまだ熱を放っていた。豊はうつむいたまま奈津子から箸を受け取った。

ミヨ子が入れ替わり立ち替わり訪れる相談者に向かって言っていた「ご浄土」などないことは、本人が一番良く知っていただろう。みすぼらしく閉じたミヨ子の一生に向かって、奈津子は大きなためいきをひとつついた。

葬儀の支払いを終えたあとはミヨ子の住んでいた市営住宅へ行かなくてはいけなかった。家財道具の処分が残っている。歩いて十分もかからぬ場所だと聞かされてはいたが、胸に真新しい骨箱を抱えて曇り空の下を歩くのも面倒だった。

タクシーを呼ぼうと思い立ち玄関脇にある事務室から電話帳を借りた。ぱらぱらと一センチほどの厚さの電話帳をめくっていると、ひと気のなくなった玄関に風が入り込んだ。入口の前に現れた豊が軽く右手をあげた。

「送ります」

奈津子は電話帳を閉じた。

白いセダンの助手席に乗って住所を告げる。ものの三分もしないうちに目的地に着いた。くすんだ赤いトタン屋根。二戸続きの平屋が十棟ずつ縦に五列建ち並んでいた。家々の外壁は、もう元の色がどんなだったか想像もできないほど剝がれ落ち汚れている。母が晩年を過ごし死を迎えた部屋へひとりで行かねばならなかった。生きていれば来ることもなかったと思うとなぜか足がすくんだ。

豊がもう少し話したいんですけど、と言った。

「助かります。正直言うとひとりで行く勇気がないんです。少し怖くて」

「そんなことを言ったらおばさんが悲しみますよ。片づけものがあるんでしょう。気にせずなんでも言いつけてください」

奈津子に連絡をくれた隣家の老婆から鍵を受け取った。玄関はガラスのはめ込まれた引き戸になっているが、大人がその気で戸枠を持ち上げたら、そのままレールから外れてしまいそうだ。すきま風を防ぐためなのか、引き戸の下半分には内側から段ボールが貼られている。

コンクリートがひび割れた三和土《たたき》の端に、履き古したあずき色のサンダルが一足あった。奈津子はまずそこで一度呼吸を整えた。無人の家でミヨ子の気配を探してしまわぬよう、気持ちを奮い立たせビーズ暖簾《のれん》をくぐる。

六畳二間に幅一メートルほどの簡易キッチンがある。やけに天井が低かった。奈津子が高校を卒業するまで暮らしたアパートと変わらぬ間取りだ。

ぐるりと見まわしてみるが、生前の趣味を思わせるような手芸品や小物なども見あたらない。ミヨ子がここで何をしていたのかを窺《うかが》わせるものはほとんどなかった。もともと部屋を飾る趣味というのもなかったし、趣味を持つ金銭的余裕などあったためしもない。冷蔵庫や炊飯器といった最小限の家電と、梁《はり》に吊《つる》された毛玉だらけの黒いニットの上着、隅に積まれた布団くらいしか目に入るものはない。

ワンドアの冷蔵庫の上に、三合炊きの炊飯器があった。開けてみると炊きあがった飯がしゃもじを入れられることもないまま黄色く変色していた。

小型テレビの手前に小さな座布団大のカーペットのすり切れがあった。奈津子は窓際の、この家でいちばん明るい場所にミヨ子の遺骨を置いた。

豊は鴨居の下から覗《のぞ》き込むようにして窓の外を眺めている。

すすけた窓ガラスから入る明かりはわずかで部屋全体が薄暗い。奈津子はこの気詰まりから逃げるように、台所で目に付いた食器や調味料容《い》れをスーパーのレジ袋に入れ始めた。

襖《ふすま》を開け放した柱に壁掛けのダイヤル式電話が取り付けてあった。電話機から十センチほど上に、変色したハガキが一枚画鋲《がびょう》で留められている。五年前に奈津子が出したものだった。

味気ない官製ハガキよりもはるかに素っ気ない文面をなぞってみる。とても娘が母親に宛《あ》てた便りとは思えなかった。

『前略　結婚したので引っ越しました。別姓なので名前は変わりません。とりあえず報告まで。連絡先は左記の通り』

電話番号の個所が赤鉛筆で囲んである。このハガキが役に立ったのは、隣人がミヨ子の死を報せる一度きりだった。

妻子ある男との短い関係が二度続き、すっかり恋愛への期待が失われたところに出会ったのが孝一だった。

奈津子は画鋲を取り、はがきをバッグに放り込んだ。唯一の救いは結婚生活についてこれみよがしに書《か》き綴《つづ》っていなかったことだ。

玄関で引き戸の音がした。

「ごめんくださいよ」

隣家の老婆の後ろに、無表情の老婆が三人並んでいた。この界隈《かいわい》では家財道具の形見分けの習慣があるという。後ろで肩を寄せ合っている三人はみな、同じ角度に腰が曲がっている。

上がって好きなものを持って行ってくれるよう頼んだ。

老婆たちは遠慮がちに入ってきたものの、約束した物のところへ迷いなく歩み寄った。そして頼りない手つきで小型テレビやテレビの裏にあったパイプ椅子、台所ではホーローの鍋、部屋の中央にある灯油ストーブの上のやかんまで、いそいそと持ちだし始めた。豊は窓のそばに立ったまま、邪魔にならぬよう身を縮めながら右によけたり左によけたりしている。ワンドアの古びた冷蔵庫の前で隣家の老婆がかがみ込んだ。奈津子は急いでコンセントを抜き、中にあった小鉢や缶ビールを取り出す。豊が礼服の上着を脱ぎ、ひょいと小さな冷蔵庫を持ち上げた。

「行き先の戸だけ開けてください。ほかの物も順番に運びますから、おひとりずつまとめておいてください」

三十分もしないうちに、ミヨ子の部屋はがらんとした空き部屋になった。さすがに布団を持って行く者はいなかった。

残ったものといえば、冷蔵庫の中に入っていたビールが二缶と、干からびた煮豆やラップのかかった漬け物の小鉢、少ない衣類と一組の寝具だけであった。

ポケットからだした白いハンカチで手を拭く豊に、奈津子はビールを一缶手渡した。

「これは母からのお礼です」

豊は缶ビールを受け取ると、タブを開け勢いよく喉に流し込んだ。台所のシンクに腰をもたせかけ、奈津子も缶ビールを傾ける。窓の近くに白い布に包まれたミヨ子の遺骨があった。

「冷蔵庫を届けたお婆さんの家には炊飯器が三つありました。もしかしたら家財道具の多さは長生きの証《あかし》なのかもしれませんよ」

奈津子は、それもかなしいわねという言葉をのみ込んだ。

「あぁ、あれが無かったんだ」

「なんですか」

「仏壇。あのやたらと大きな商売道具。覚えているでしょう」

偶然とはぴったりの連続だったミヨ子の十数年が、一気に消え去ったときのことを思いだす。どんどん客が減り、やがて誰もこないことに気づいたときミヨ子はどんな顔をしていただろう。過去を記憶の底をさらうようにすくい上げる。

「そういえば霊視が外れてすっかり世間に相手にされなくなったとき、あの人なんだか楽しそうだったな。わたしは恥ずかしいのと悔しいのとで、とにかく早く家をでることばかり考えていたけど」

「人はそのときどきに見たいものしか見えないんです」

豊と奈津子は台所の狭い板の間に膝を立てて腰を下ろした。数日間の疲れが体中になだれ込んでくる。しくしくと首のつけ根が痛み始めた。

「あなたは母が霊能者だって信じてたわけよね」

「奈津子さんは信じてないんですか」

「どうせ商売でしょう」

豊がビールの缶を床に置いた。飲み干したのか軽い音がする。彼が車でやってきていることをすっかり忘れていた。奈津子の缶ビールは既にぬるくなり苦みが増していた。今さら詫《わ》びるのもおかしい。

ふと孝一のことを思いだした。母親の葬儀をひとりで出す妻を夫は一体どんな風に感じているのだろう。そもそもこんな葬儀を誰が想像するだろう。飲んだビールが胃から喉にこみ上げてくる。

「心細くありませんか」

豊の声が右の肩先から降ってくる。彼の顔を見上げた。

「どうして」

「ここで一晩となると、僕でも少しひるんでしまう気がして」

奈津子は自分でも驚くほど素直に頷《うなず》いた。

「今あなたに気持ちを読まれたような気がして、一瞬焦った」

あなた結婚は？　と問うと、豊は心もち首を前に垂らし横に振った。

「こうして母の遺骨を前にしても、反省とかかなしいとかいった感情がないの。複雑と言えば恰好《かっこう》はいいけど、それともなんだか違う気がする。二十八にもなってなにも学んでないのね」

「奈津子さんが今日みたいにひとりでかなしめないとき、僕は必ず駆けつけます」

豊が冗談とは思えないほど真面目な口調で言ったので、口を開けたまま肩口から彼の顔を見上げた。豊はまっすぐに遺骨を見ている。向かいの家の側にある電信柱で、外灯が数回点滅してようやく点《つ》いた。窓の外から部屋の中へ、白茶けた明かりがこぼれてくる。豊の瞳が青白い頰と額の真ん中でつやつや光っていた。奈津子は肩を揺らして笑った。

「安いお葬式だったのにずいぶんサービスがいいんだね」

品のないことを言っているのはわかっていた。そうとでも言わなければざわつく気持ちとの折り合いがつきそうもない。立ち上がらねば、立って部屋の明かりを点けなければ。気持ちは蛍光灯のスイッチに向かって手を伸ばしているのだが、体が動かない。

「僕は葬儀屋でもなんでも、奈津子さんが望むものになれますから」

たちの悪い冗談だ。いっときの心細さと引き替えに彼を信じてしまった自分が、どうしようもなく愚かに思えてくる。

「誰もあなたを愚かだとは思いません」

タイミングがいいとか親切などという感想が根本から間違っていたような気がして、

奈津子は強くビール缶を握りしめた。

「奈津子さんに借りっぱなしになっていた本があるんです。覚えていますか」

意識を別のことに集中させようと懸命になった。豊は構わず語り続けた。

「カミュの『異邦人』です。僕が普通に学校へ通えるようになってもまだおばさんのところに行っていたのは、正直あなたに会いたい気持ちのほうが強かったんだ。薄い本一冊だけど、催促のないことを幸いに結局自分のものにしてしまいました」

ミヨ子を訪ねてくる客が玄関の戸口に並んでいた頃のことだ。確かに豊に本を貸した記憶がある。隣の部屋で待っていなさいと言われた豊が、奈津子の机のそばに正座していた。普段は愛想のひとつも言わない奈津子も、自分のすぐ隣で息を殺して正座する少年を無視する気にはなれなかった。

「これけっこう面白かったの。良かったらどうぞ。私、母親のお葬式でわざとらしくかなしめない主人公の気持ちがなんとなくわかるの」

隣の部屋では読経のあとミヨ子が強い調子で訪問客を叱咤《しった》し、そのあとすぐに優しくなだめ、金を受け取っていた。何度もくり返される隣部屋の光景は、直接目にしなくてもすべて映像になって奈津子の脳裏に浮かんできた。

「あの人が死んだら私もこの本の主人公と同じことをすると思う。心も痛めずに自分が気持ちいいことをするの。母親が死んだこと以外、いつもと変わらない一日を過ごすの」

手や膝が震え始めていた。

「あなたはなんで母のところに通っていたの」

「他人の考えていることが直接頭に入ってきて精神的に大変になってきたので、シャッターを閉める方法を習いに」

ミヨ子がなぜ幼い兄弟のことを当てられなかったのかわからなくなった。

「おばさんの能力は、はっきり聞こえたり見えたりするというものじゃなかったんです。なんとなくそんな気がするっていうこと、あるでしょう。それがとても強かったんです。人って、思っていることを当てられるとそれだけで萎縮したり納得したりするんです。多少の誤差は、びっくりした拍子に相談者が勝手に修正してしまうんだ。言葉は悪いけど、コツはそこにつけ込むタイミングを外さないってことなんです」

豊は、ミヨ子のことを人の思考とものごとの流れにとても敏感な人だったと言った。顔を見れば相手がどんな態度を望んでいるのかが解るのだという。ミヨ子のところにやってくるのは、叱って欲しい人やただ聞いて欲しいと思う者がほとんどだったとも言った。力を疑う人間などはそこのところをちょっと指摘すれば、すぐにぐらりと傾いてしまうらしい。

「でもいくら勘が強いところで、自分を頼ってこない人を救うことはできないんですよ。今日ここにいることは、僕があの本を借りたときから決めていたことなんです。無意識にでも支えを求めるときじゃないと誰もあなたを救えないから。でもこのことを言わずに一緒に居ると、僕はあなたにいつか嫌われてしまうんです。おばさんのように。そんなことは嫌なんですよ」

ミヨ子が受け取っていた金が相談者自身の望んだ対価だというのならそれでもいい。過ぎてしまった遠い昔のことにはいくらでも美しい理由をつけられる。ただより怖いものはないというのが人々の本音なら、そういったやりとりも必要なことなのだろう。

「私、今自分がさみしいのか不安なのか、かなしいのかもわからない」

「こんなとき、はっきりとした自覚があることは稀《まれ》なんです。逆を言うと、ちゃんとかなしいと思えるなら、まだひとりで立ち直れるんです。そこにはほんの少しの客観性があるんですよ。今の奈津子さんにはそれがないんです」

意識せず深いためいきが漏れた。

「なぜそこまではっきりと言い切れるの」

「期待する先が無くなってしまったことを認められれば、すっきりとかなしめるはずです」

「へんな理屈」

ミヨ子に期待したことなどあったろうかと思いながら、両脚を板の間の向こうに投げだした。そしておぼろげな記憶の断片をつなぎ合わせて、薄い文庫本の表紙に描かれていたパリの路地を思い浮かべた。細い路地の向こう側に小さな青空のある油彩画の表紙ではなかったか。

「今日あなたを呼んだのは私だっていうの」

窓の下に白い布に包んだままの箱がぼんやりと浮き上がっている。

『異邦人』の主人公ムルソーは、母親の葬儀の翌日に海で泳いだ。そしてその夜マリィと寝た。葬儀の当日に豊と抱き合うというのはどうだろう。翌日ではなく当日というだけで、物語の中の不条理を超えられるような気がしてくる。

豊の首に両腕を回した。肩口に吐息がかかり喉に彼の体温を感じた。濡れたように光る瞳に視線を合わせる。

「母が死んだことは、そんなにわたしを傷めつけるかな」

豊は両手で奈津子の顔を挟み込むと、ゆっくりと唇をふさいだ。少しもかなしくなかった。肌を滑る指先によって夫を思いだすこともなかった。理屈を脱いだあとはただ、豊の身体の奥に落ちてゆくことだけを考えていた。

——まだ、かなしくない。かなしくない。

厚い雲が頭の中いっぱいに広がり、意識はすべて明るくも暗くもない薄灰色に塗り込められた。

奈津子の下腹部から胸奥めがけて彼の意識が一気に流れ込む。閉じたまぶたの裏にぽんやりとたたずんでいる人影が見えた。欲望の極みで聞いた豊の声は嗚咽《おえつ》に似ていた。

——無理にかなしがる必要は、ない。

散り散りになりそうな快楽をかき集める。一度、強く彼の名を呼んだ。少女の頃からくすぶらせていた欲望が果てた。

ミヨ子は死んだ。欲望も肉体も失って、もう憎むこともできない存在になった。奈津子はやっと母の死を現実として識《し》った。身体は水の底に沈んでゆく速度で力を失い、儀式が終わった。

部屋の隅に積まれた布団から毛布と掛け布団を抜き取りストーブの近くに敷いた。夏とは名ばかりの肌寒さだった。灯油タンクに一晩暖を取るくらいの油が残っているのを確認して、奈津子は黒いスリップ姿のままストーブに火を入れた。

毛布と掛け布団のあいだに体を滑り込ませても期待した睡魔はやってこなかった。豊も仰向けになり天井を見ている。ふと、もう二度と彼とこうして抱き合えることはないという予感に包まれた。豊が奈津子を見る。

「どうしてそう思うんですか」

なんとなく、と答えた。豊の胸のあたりに手を載せてみる。彼の肌が奈津子の体温を吸った。

翌朝、目覚めたときはすでに窓から朱色の光が差し込んでいた。頭の中に濃い霧が立ちこめていて、昨日から今までのどこまでが夢でどこからが現実なのかすぐにはわからない。豊はすでに礼服を身につけ、ストーブの前でミヨ子の遺骨と向き合っていた。奈津子はかける言葉が見つからず、横になったまま豊の様子を眺めた。奈津子は前髪が乱れた彼の横顔をしっかりと目に焼きつけた。

「そろそろ帰ります」

男は奈津子のほうを見ずに言った。急いで鞄《かばん》に入っていた着替えのシャツとスラックスを身につける。玄関で背に朝日を受けた豊と向き合った。

「母となにを話していたの」

「奈津子さんのことをたくさん」

湿った朝の空気が玄関からなだれ込んでくる。

エンジンの音が遠ざかって行くのを、奈津子は三和土の上で聞いた。気づくとミヨ子のサンダルを履いていた。

葬儀から一か月。溜まった仕事を片づけているうちに日常が戻ってきた。窓辺に作った仏壇代わりの棚にミヨ子の遺骨があるほかは、以前と何も変わらない。

ようやく仕事が一段落して早めに家に帰ることができた日、孝一から連絡が入った。

「今日送ったから」

「ありがとう。友引以外の日に届けておく」

離婚届に判を捺《お》すことにためらいはなかった。別れはこの起伏のない感情の行ったりきたりがもたらした結果だ。

「仕事には支障ないか」

「それは大丈夫。ずっと御崎の名前でやってきたから」

「困ったときに頼れる人を探しておいたほうがいい。僕が言うのも可笑《おか》しいんだけど。君は少し自分の気持ちに鈍感だから」

豊と同じことを孝一が言うと、こんなにも他人行儀で心優しい言葉になるのかと驚いている。

「鈍感は最近反省したばかり」

奈津子はメモにボールペンでぐるぐるといたずら書きをしながら部屋を振り返った。ひとりで暮らし始めてから、居間に明かりをつけるということがなくなった。使う部屋は台所と寝室だけで足りてしまう。

もう少し狭いアパートに移ろうと思いながら、葬儀会社のナンバーが記されているメモの文字をボールペンで何度もなぞる。

「このあいだ母の葬儀で幼なじみに会ったの。困ったときはいつでもきてくれるって言ってたから大丈夫。心配しないで」

孝一は、幼なじみが男であるか女であるかを尋ねなかった。受話器を置くまでの五分間で彼は、災害時のために用意しておいたリュックのことと懐中電灯の置き場所のことを話した。

「非常時持出用」と書かれた銀色の耐熱袋は、震度五の地震がたて続けに二度あったときに、孝一が慌てて買ってきたものだった。

「リュックにはなにが入っているんだっけ」

「乾パンや水、非常食が三日分くらい入っているはずだよ」

「ひとりだから六日間保《も》つわね」

孝一は笑わなかった。通話を終えてようやく、すべてのことを現実と思うことができた。

「ひとりになっちゃった」

薄暗い居間に向かって呟《つぶや》いた。誰からも応えは返ってこない。壁掛けの時計を見る。八時にはまだ少し時間があった。奈津子は葬儀会社の番号を押した。

「四十九日を過ぎても、お骨はこのまま家に置いていてもいいんでしょうか」

葬儀会社の男は先日よりずっと無愛想な口調で、菩提寺《ぼだいじ》がないならばそれも仕方ないだろうと言った。奈津子は深く息を吸い込み尋ねた。

「そちらで働いている、鳴海さんの連絡先を教えていただけないでしょうか」

鳴海？　はい。内海《うつみ》ではなく？　ええ。

豊は葬儀会社の社員ではなかった。

窓辺でミヨ子の遺骨を持ち上げてみる。一か月前よりも少し軽くなった気がした。もしかしたら豊はこの世のものではなかったのかもしれない。葬儀会社の社員であるよりはずっとあり得そうなことに思えた。

目を瞑《つむ》ると脳裏に『異邦人』の表紙と同じ路地裏の景色が見えた。道の向こう側からうっすらと光が射し、ちいさな影が浮かび上がった。人影だ。奈津子に背を向けているのか、それともこちらを向いているのかわからない。

たたずんでいるのはミヨ子のようでもあり豊のようでもあり、奈津子自身にも見えた。

耳の奥で豊の声がする。

人はそのときどきに見たいものしか見えないんです――。

奈津子は呼吸を整え、路地にたたずむ人影に目を凝らした。

ゆがんだ子供

道尾秀介

道尾秀介（みちお・しゅうすけ）

一九七五年東京都出身。二〇〇四年『背の眼』でホラーサスペンス大賞特別賞を受賞しデビュー。〇七年『シャドウ』で本格ミステリ大賞、〇九年『カラスの親指』で日本推理作家協会賞、一〇年『龍神の雨』で大藪春彦賞、『光媒の花』で山本周五郎賞、一一年『月と蟹』で直木賞を受賞。その他に『向日葵の咲かない夏』『光』『ノエル』など著書多数。ジャンルにとらわれない多彩な作品の中で、人間の繊細さを丁寧に描き出し続けている。

　こんな毎日がいつまでつづくのだろう、などということも、最近ではもう考えなくなっていた。

　一生懸命なだけでは人は駄目なのだろうか、というような疑問も、会社に入って一年目にとっくりと考えて以来、二十年近くも忘れっぱなしでいた。

　首をひねってみても仕方がない。きっと、何も変わらない。もっと能力があれば、社内での立場も収入も、いまよりずっとよかっただろう。周囲から注がれる、あのボール紙に絵の具で黒目を描いたような奥行きのない目に、必死で耐えつづける必要もなかったし、それに馴れてしまうこともなかっただろう。同期入社の上司に頭を下げることも、女子社員同士の冷たいひそひそ話の中に自分の名字を聞き取りつつ、何食わぬ顔でデスクへと戻ることも。

　ゆがんだ子供に会ったのは、地下鉄のホームで電車を待ちながら、そんな諦観をもてあそんでいるときだった。色の剝《は》げた営業鞄を抱えた私のすぐそばで、子供はぼんやりと線路を見下ろしていた。その位置があまりにホームの縁に近かったので、私は思わず声をかけた。

「もう少し――」

「見えるの？」

私の言葉を遮って、子供は驚いたように顔を上げた。何が見えると言ったのか、私にはわからなかった。

よかった、と子供はゆがんだ口の中で呟《つぶや》き、

「おじさん、僕と勝負してよ」

いきなり言い出した。

「僕がいまから問題を三つ出すから、おじさんはそれに答えて。三つの問題のうち、もしおじさんが一つでも正解できたら、おじさんの勝ちでいいよ」

私は息だけで笑った。

「勝ったら、何かくれるの？」

頭の奥のほうで、何か小さなモーターが回るような音が聞こえていた。

「いなくなってあげる」

ゆがんだ子供の返答は、さっぱり意味がわからない。

「おじさんは、僕が出すそれぞれの問題に、答えは一回ずつしか言えないからね。質問

もしちゃだめだよ」

間もなく新宿行きの電車が到着します——ひび割れた駅のアナウンスが響く。

「第一問。僕が最近食べた晩ごはんの中で、一番お腹がふくれたのは何だったでしょう」

「それは、料理の種類を答えるの？　それとも食材——」

「質問はだめだって言ったよね」

その声は無感情で、抑揚がなく、まるで彼の声帯自体が別のものに変化したかのように、おそろしく低かった。私は思わずたじろいで、妥当な答えを探った。

「カレーライス……とか？」

白線の内側にお下がりください。

「ぶうぅぅ！」

ゆがんだ子供は嬉しげに首を突き出した。

「正解は食パンでした。では第二問。この前、僕がもらった通信簿で、国語、算数、理科、社会、生活、音楽、図工、体育——八つの教科の成績をぜんぶ足すと、いくつになったでしょう」

私はまた質問を口にしようとしたが、先ほどの子供の声が思い出され、怖くてできなかった。当てずっぽうの、「二十」という数字を口にすると、ゆがんだ子供の顔がまた嬉しげに曲がった。

「ぶううぅぅ！」

低い位置にある右側の眉を、子供はひくひくと動かしてみせる。

「正解は、九でした。ではいよいよ最後の問題です。僕のお父さんとお母さんは、僕が帰ってこなかった夜、何をしたでしょう」

お下がりください。

「帰ってこなかった？」

私の問いかけは完全に無視された。仕方なく私は曖昧な問題の答えを探った。

「警察に……行ったとか？」

頭の奥で、小さなモーターが回る。

「ぶうううぅぅぅ！」

子供は左の目を大きく見ひらき、嬉しくてたまらないというように細かく首を震わせた。そうしながら、片側下がりの唇から興奮した声を洩《も》らした。

「正解は、弟に口止めをした、でした。その日の朝、自分たちが僕にひどい言葉をかけたのを、誰にきかれても絶対に話すなと、二人のほんとうの子供に言ったのでした」

「きみ――」

子供の顔が動いた。位置ではなく、その形状が動いた。溶けた硝子細工の周りだけ、時間を逆回ししたように動いた。子供はもう、ゆがんではいなかった。しかしその端正な顔は、私が見た中で、一番怖い顔だった。すう、と子供は私に顔を近づけてきて、ステレオのボリュームをひねり上げたように、ぐんぐん大きくなる声で叫んだ。

「ぴいいぃいぃいぃんぽおおぉぉぉぉぉぉぉん！」

子供が私の中を通り抜けた。彼の声が、うわんと私の頭の中で反響し、反響し、反響し——どん、という新しい衝撃で我に返るまで、それはつづいた。

私にぶつかってきた若い女性は、驚いた顔でこちらを振り返り、何かを探すように視線を彷徨《さまよ》わせた。真新しいスーツ。初々しい面差し。就職活動中の学生か。眉間を緊張させ、彼女はもう一度、今度は先ほどよりも素早く、広い範囲に視線を動かした。その視線は、私の上でまったく留まることはなかった。

不安げに口の中で何かを呟き、彼女は到着した電車に乗り込んだ。

私はその場に立ち尽くす。電車のドアが閉まる。ドアの硝子に私が映る。

ゆがんでいた。

ここが青山《せいざん》

奥田英朗

奥田英朗（おくだ・ひでお）
一九五九年岐阜県生まれ。雑誌編集者、プランナー、コピーライターを経て、九七年『ウランバーナの森』で作家デビュー。二〇〇二年『邪魔』で大藪春彦賞、〇四年『空中ブランコ』で直木賞、〇七年『家日和』で柴田錬三郎賞、〇九年『オリンピックの身代金』で吉川英治文学賞を受賞。犯罪小説、家族小説、青春小説、ブラックユーモアなど多彩なエンタテインメント小説を発表しつづけている。

1

十四年間勤めた会社が倒産した。三十六歳の湯村裕輔《ゆむらゆうすけ》は、それを遅刻した朝礼で社長の口から知らされた。

月曜の朝、開かずの踏み切りにつかまり、いつもの急行に乗れなかった。通常は遮断機をくぐって強行突破するのだが、その日は、踏み切りの前に近くの交番の警官が立っていて、高校生やら、OLやら、みんなで赤い車輌の急行を見送ることとなった。要するに、下級官吏の嫌がらせ兼憂さ晴らしである。その性格の悪い警官は、近所で〝馬鹿ポリ〟と呼ばれていた。単純だが、吐き捨てやすいネーミングである。

ともあれ、始業時間に十五分ほど遅刻し、頭を低くしてオフィスに入ると、約六十人の社員を立たせて、五十代でヅラ頭の社長が訓示を垂れていた。裕輔は自分の席まで行かず、端で終わるのを待つことにした。

庶務の女子社員と目が合った。裕輔が微笑《ほほえ》むと、彼女は困った顔で微苦笑した。横に視線をずらすと、麻雀仲間の同僚がいた。なにやら血の気のない顔で前方の社長を見つめていた。このあたりで様子が変であることに気づいた。

「まことに断腸の思いでありますが、当社は二十年の歴史に幕を下ろすことになりました」

うそ。社長の言葉に裕輔は絶句した。

「先週より金策に走ってまいりましたが、銀行の返答は無情にも融資打ち切りというもので……」

おっとっと。口の中でつぶやいた。いきなりのことで、実感が湧かなかった。

朝礼が終わると、社長は幹部たちに囲まれ、そそくさとオフィスを出て行った。一人、総務担当の取締役が残り、残りの給料の日割り分がいつ支払われるか、健康保険と厚生年金がどうなるかを説明した。退職金は支給されず。組合がないから、それで押し切られるのだろう。管理職たちが残務整理をすることも決められ、平社員はこの場で用なしになった。

裕輔はオフィスを見回した。壁に貼られた成績表。色褪せたロッカー。入社して十四年も経ったのかと少し感慨に耽《ふけ》った。あの頃は、社長もちゃんとしたハゲ頭だった。

駅伝部のみが有名な私大を出て、就職した会社だった。コンピューター関連ということで将来性を謳《うた》っていたが、実際の仕事は広告営業だった。毎日靴底を減らして営業に歩いた。すぐにめげたが、仕事と割り切り我慢した。二年もしたら慣れた。小さな会社で家族主義的なのもよかった。

三十六歳で年収六百万円は、まあ普通だろう。結婚して六年の妻と、四歳の息子がいる。マンションのローンがあと三十年残っている。だから会社の倒産は笑い事ではない。

営業部の同僚たちと机で顔を寄せあった。「まいったね」「どうする？」みんな案外冷静だった。誰に対してなのか、せせら笑っている者もいる。

部長に指示を仰ぐと、「おれは残務整理だ。君らは帰ってよし」と硬い表情で言った。山科《やましな》という四十五歳の部長には、来年大学受験を控えた双子の娘がいた。ちらりと見た指先がかすかに震えていた。

裕輔はとりあえず妻のケータイにメールを打った。電話だとどういう声を出していいのかわからなかったからだ。

《ビッグなサプライズ。本日当社倒産！》

妻の厚子《あつこ》からはすぐに電話がかかってきた。

「これ、ほんと？」

「そう。朝礼でいきなり言われちゃった。今日から失業者」努めて明るく言った。

「ふうん。わかった。今夜、何食べる?」

「すき焼きってわけにはいかないだろうね」

「いいんじゃない。安い肉なら」

こんな場合だからなのか、どうでもいい会話をした。厚子は、息子の昇太《しようた》が下痢ピーで幼稚園で漏らさないか心配だと、そんなことを言っていた。

電話を終えると、同僚が麻雀をやろうと言い出した。断る理由はなかった。会社の近くの雀荘《ジャンそう》は夕方からなので、歌舞伎町まで行き、バーテンや中国人に交じって卓を囲んだ。

「社長がハゲ頭を粉飾した頃からおれは危ないと思ってたんだよ」

最後だからみんなで好きなことを言った。

午前中からビールも飲んだ。気前よく大三元も振り込んだ。なんとなくほどけてしまったのだ。

夕方帰宅すると、厚子が美容体操をしていた。床で体をねじり、玉の汗をかいている。

「おかえり。材料は買ってあるから、ユウちゃん、すき焼きの支度して。それから昇太を先にお風呂に入れて」

「うん、わかった。でも何してるのさ」

「昔のスーツ引っ張り出して着てみたら、入んなかったの。だからシェイプアップ」

「ふうん」裕輔はオモチャで遊んでいた昇太を抱き上げ、頬ずりした。

「あのね、わたし、明日から働くことにした」

「えっ」突然のことで驚いた。「どこで？」

「前の職場に電話したの。アテナ経済研究所。そしたら社長が『亭主が失業？　だったら君がうちに職場復帰しろ』って。それで行くことになった。給料、それなりにくれるって」

「あ、そう」

「何か感想は？」

「ええと……ごめん」

「なんで謝るのよ」

「君に苦労かけるなって思って」

「おめでとうって言ってくれるかと思った」

「ああ、そうね……。そういう見方もあるね。じゃあ、おめでとう」

「ありがとう。これで湯村家は路頭に迷わなくて済む」

厚子が八重歯を見せて言った。逆さサイクリングの姿勢なので、頬の肉が躍っている。

裕輔は踵《かかと》が浮くような体の軽さを覚えた。軽くなって初めて重圧を感じていたことがわかった。おれについて来いというタイプではなくても、人並みの責任感はある。

「ワオ」声にして言ってみた。

「ワオ」厚子が笑って返した。

裕輔は背広を脱ぎ、襟からネクタイを引き抜き、エプロンをまとった。冷蔵庫から野菜と肉を取り出した。手を洗った。ザクザクとネギや白菜を切った。明日からの一家の門出を祝うように、野菜が瑞々《みずみず》しかった。


翌朝は六時に起きた。厚子が働きに出る以上、家事は自分がやらねばならないと思った。それについて話し合いはしなかったが、暗黙の了解で、裕輔だけがそっとベッドを降りた。

炊飯器はゆうべのうちにタイマーセットしてあったので、味噌汁を作ることにした。はて、どうやって作るのか。裕輔は流しの前で考え込んだ。独身時代は外食ばかりで、結婚後は厚子が料理すべてを受けもっていた。恥ずかしながら味噌汁の作り方を知らない。

材料を並べてみた。豆腐と、揚げ。二つじゃ淋しいか。ジャガイモを加えることにした。

で、まず出汁《だし》をとるんだよね。ひとりごとを言う。グルメ番組が多いせいで、それくらいの知識はあった。けれど、探してもカツオも昆布も見つからなかった。うーむ。我が家の味噌汁は、もしかして出汁をとっていなかったのでは……。

申し訳ないと思いつつ寝ている妻を揺り起こして聞くと、「だしの素。台所の引き出し」と簡潔な答えが返ってきた。なるほど、そういうものがあるのか。

鍋に湯を沸かし、具材を投入した。だしの素も適当に入れた。具に火が通るまでの間にアジの干物を焼くことにした。いつもの朝食はアジの干物かシシャモと決まっていた。網をコンロに載せ、熱する。干物を手に持ち、またも考え込んだ。皮と身と、どっちの側から焼くべきなのか……。

まあいい。大勢に影響はないはずだ。二枚焼くので両方を試した。火加減は中火。わからないので間を取ったのだ。

御飯が炊けたので、しゃもじでかき回した。よしようまく炊けている。全自動のマイコン制御なので、失敗しようがないのだが。

ジャガイモが煮えたので、鍋に味噌を入れることにした。分量は……適当でいいか。お玉に取り、少しずつ鍋に溶かした。その都度味見をする。

判断がつかなかった。ただ、いつもの味と明らかにちがうのだけはわかった。それよりジャガイモが異様に多いのが気になった。二個は多過ぎたようである。おまけに揚げがくにゃくにゃで湯葉のようになっていた。しまったな、揚げはそれほど火を通す必要はないのだ。

七時少し前に厚子が起きてきた。「どう？」鍋をのぞき込む。「平気だよ」と何食わぬ顔で答えたら、一瞬息を止め、黙ったままテーブルで新聞を広げた。

「ねえ、ユウちゃん。株価が三ヶ月ぶりに一万六千円台に戻ったって」

「ふうん」経済は無知なので曖昧《あいまい》に返事した。

昇太が起きてきた。厚子がトイレに行かせ、息子と並んで歯を磨いた。昨日までは自分がそうしていた。

出来上がった朝食をテーブルに並べた。まったく自信はないが、白い御飯があるのだからいざとなったら納豆と生卵で食べればいいと開き直ることにした。

親子三人での朝食が始まった。厚子は最初に味噌汁に口をつけると、「うん、おいしい」と微笑んで言った。「昇太、おいしいよね」続けて息子に聞く。

「おいしい」昇太が、アンパンマンふりかけをかけた御飯を頬張りながら言った。

裕輔は妻のやさしさに感謝した。初めて作った味噌汁は、全然おいしくなかったのだ。きっと、だしの素の量も味噌の入れ方もでたらめだ。おまけにアジの干物は焼き過ぎだった。それでいて皮に香ばしい焦げ目がないのだから、料理はミステリーである。

食べながら、だんだんへこんでいった。自分の供した料理がおいしくないというのは、身の置き場がない。世の女たちは、自分の料理に審判が下されることに、どうやって耐えているのだろう。

朝食を終えると、厚子は鏡台に向かって念入りに化粧を始めた。ＯＬ復帰ともなれば、さっと済ませるわけにはいかないようだ。

裕輔は、幼稚園に行く昇太の身支度をした。肩掛け鞄《かばん》にハンカチやマグカップを詰め込んでやる。そのとき血の気がひいた。しまった。息子の弁当を作り忘れた――。膝が震えた。自分でも驚くほどうろたえた。

どうしようかと妻に相談すると、厚子は「あとで届ければいいじゃん」と実に冷静なサジェスチョンを与えてくれた。そうか。あわてて損をした。

先に厚子が家を出た。「いってらっしゃーい」玄関で息子と二人で見送った。

「ママ、どこ行くの？」昇太が指をくわえて聞く。「会社だよ」裕輔が答えた。

「パパの代わりに？」

「そう。パパの会社は倒産しました」

「トウサンって？」

「ずうっと夏休み」

「ふうん」不思議そうに父親を見上げていた。

八時半になり、息子の手を引いて幼稚園に向かった。同じ町内にあるので五分とかからない。途中、パン屋のおばさんから声をかけられた。

「あら、ショウちゃん。今日はパパと一緒でいいわねえ」

「あのね、パパの会社トウサンしたの」

「あらそう」

ちゃんと聞いていなかったのだろう。目を細めてうなずいていた。

幼稚園でも、先生から同じ言葉を言われた。

「パパの会社トウサンしたんだよ」

昇太が言い、周囲の大人がさっと顔色を変えた。「あら、そうなんですか、おほほ」先生が頬をひきつらせ、しどろもどろになっている。

裕輔は案外平気だった。先生に昇太を預けると、「すいません。今日、弁当を作り忘れたので、あとで届けます」と告げ、ほかの母親たちにも如才なく挨拶することができた。

パパの会社トウサンしたの、か。帰り道、思い出し笑いした。子供は正直でいい。これで事情を説明しなくて済むという安堵感もあった。明日から、大手を振って息子の送迎ができる。

帰ってまず弁当を作った。御飯を小さな弁当箱に詰め、デンブとジャコを彩りに載せた。おかずは卵焼きと、冷凍庫にあったミニハンバーグ。どうせ昇太は食べないだろうなと思いつつ、青物が欲しかったのでブロッコリーを一房だけ塩茹でした。なにやら達成感があった。アンパンマンのハンカチで包み、小走りに幼稚園まで届けに行った。

そのあとは掃除と洗濯をした。始めると、意外と手間だった。とくに風呂掃除は肉体労働で、浴槽をスポンジでこすったら腰が痛くなってきた。スプレーして水で流すだけで汚れが落ちるという液体洗剤のＣＭはうそだと思った。ヌルヌルは残るのだ。

洗濯は干すのが骨だった。腕が疲れるのである。バスタオルは物干し竿の場所をとるので可愛くなかった。シーツはもっと憎らしいことだろう。物への見方が少し変わった。

テレビは興味が湧かないので、家事をこなしながらラジオを流していた。外国のポップスに合わせ、鼻歌を唄う。そういえば昨日会社が潰《つぶ》れたんだと、はたと気づく始末だった。ということは、自分は失業中ということになるのだが……。

いいや、こうして働いているぞ。家事は立派な労働だ。鼻息荒く自答した。

一人なので遠慮なくオナラをした。妻も昨日まではここでオナラをしていたはずだ。そう思ったら笑えた。厚子のやつめ。

昼食は冷麦を茹でて食べた。分量がわからず二百グラム茹でたら、凄《すご》いことになってしまった。気合で胃袋に流し込んだ。

厚子からメールがあり、夜は歓迎会で遅くなるとのことだった。よかった。家族的な職場のようだ。

となると晩御飯は昇太と二人きりである。献立は何にすればいいのだろう。息子にリクエストを聞くにしても、こちらのレパートリーは極めて乏しい。

カレーにするか。安上がりだし。残っても冷凍にすればいいし。だいいち作り方が簡単だ。サイドメニューにスープとサラダを作って……。そうだ、昇太を迎えに行く前に料理の本を買いに行こう。裕輔は思わず手を打っていた。先は長いのだ。上達だってしたい。

なにやらウキウキする感じがあった。家にいるのはいい。普段なら得意先回りをしている時間なのだ。

リビングで寝転がり、大の字になった。

2

三日もすると、家事をする日常にすっかり慣れた。まだ手際が悪かったり、うまくいかなかったりはするのだが、家事にいそしむ自分に違和感がないのである。苦にもならなかった。むしろ楽しんでいるほどだ。

とりわけ闘志を燃やしたのは昇太の弁当作りだった。子供は気遣いをしない生き物なので、おいしくないと一口かじっただけで残す。案の定、初日のブロッコリーは小さな歯の跡がついていただけだった。ところが二日目、同じブロッコリーにマヨネーズをかけてやると、その部分だけかじっていた。作り手としては、「おおー」という感じだった。今日はマヨネーズを全体に薄く塗り、オーブンで表面をグリルしてやった。吉と出るか、凶と出るか、息子の帰りが待ち遠しいところである。

もうひとつ、味噌汁のおいしくない理由がわかった。灰汁《あく》を取っていなかったのだ。料理本を読んで知り、「ありゃりゃ」と顔をゆがめた。で、今朝は灰汁取り味噌汁を作った。厚子の様子をうかがうと、「ほほう」という顔で飲んでいた。

洗濯は、新たにアイロンがけに挑戦した。以前は、ワイシャツなどはクリーニングに出していたが、その代金二百五十円がもったいなく思えてきた。独身時代にズボンプレッサーなら使っていたが、アイロンは初体験である。

最初は自分のワイシャツで試した。台に載せて、スチーム式のアイロンを押し当てていく。シワシワだった面が平らにプレスされていくのは見ていて楽しかった。

しかし袖と襟は難関だった。ステッチ部分に逆に皺がついたり、折り目が二重になったり、要するに平面以外は熟練が必要なのである。

仕方がないので、ハンカチとか、枕カバーとか、そんなものばかりにアイロンをかけた。妻のブラウスもあったが、チャレンジしたい気持ちを堪《こら》えた。

さしてその必要もないジーンズにアイロンをかけているとき、電話が鳴った。出ると元の上司の山科だった。くせで「部長、どうも」と言ってしまった。

「湯村、どうしてる。元気か？」

「ええ、元気ですよ」裕輔が本当のことを答える。

「職探しはしてるのか」

「いいえ、してませんが」

「ああ、それでいい。焦ってつまらない会社に入ることはないしな。しばらくは休養するのもいいさ」

なんだか妙にやさしい口調だった。

「部長はどうなさってるんですか？」

「だから残務整理。毎日クライアント回りだ。おまえさんも、世話になった会社には挨拶状ぐらいは出しておけよ。この先また付き合いが生じるかもしれんしな」

「はい……」ところで何の用だろう。

「昨日、ナイス商事に挨拶に行ったら、大野専務が出てきてな、いろいろ話をしたわけだ。そしたら、やっこさんたち、新しくネットビジネスを立ち上げるのにスタッフを求めてるらしくてな。まあ、これも何かの縁だから、考えて欲しいって言うわけだ」

「はあ……」黙って聞いていた。

「早い話がスカウトなんだろうが、こっちだって簡単に尻尾《しっぽ》を振るわけにもいかんわな。条件だってあるし。そこで、改めて懇談の席を設けることになって、来週にでもまた行くことになったわけだ」

「そうですか。よかったですね」心から言った。明るい話はいい。

「で、湯村、興味はあるか」

「え？」裕輔は返答に詰まった。

「先方が欲しがってるのはスタッフ丸ごとだ。おれみたいなロートルが一人で行ってもしょうがねえしな。若い力が必要ってことよ」

「はあ……」つい気のない返事をしてしまう。

「なんだ。本当はあてでもあるのか」

「いいえ、そういうことはありません」

「じゃあ検討だけはしてみてくれよ」

「わかりました」

山科は鼻息荒く「人間《にんげん》いたるところに青山《あおやま》ありだ」と言い、電話を切った。

裕輔は、いや部長、それは読み方がちがいます。まず「アオヤマ」じゃなくて「セイザン」で……と言いそうになったが自重《じちょう》した。間違い続けて二十年以上の物件は、そっとしておいたほうがいい。

再就職か——。窓から外を眺め、一人つぶやいた。そういえばこの三日間、考えたことが一度もなかった。頭の中にあるのは、息子の弁当と、今夜の献立と、上手なアイロンのかけ方だ。

ううむ。腕を組んだ。

まあ、でも、悩んでも仕方がない。妻が働きに出たので、誰かが家のことをしなければならないのだ。

テーブルクロスにアイロンをかけた。簡単な上に面積があるので、実にかけがいがあった。ラジオからはバート・バカラックの昔のヒット曲が流れている。

午後、昇太を幼稚園に迎えに行き、リビングで遊ばせていると、突如として「外で遊ぶ」と言い出した。そのとき、裕輔は婦人雑誌の料理ページを精読していた。

「公園で遊ぶ。アイちゃんと遊ぶ」昇太がミニカーを片手に仁王立ちした。ちなみに弁当のブロッコリーには歯形もついていなかった。

そうか、子供は外で遊ぶものだ。当たり前のことに気づいた。昨日も一昨日も、幼稚園に迎えに行き、帰りにスーパーに寄って買い物をし、そのまま自宅に連れ帰っていた。息子にだって予定があることを、考えもしなかった。

「わかった。行こう」

もうすぐ日が暮れそうな時間なので、フリースを着せた。自分はブルゾンに袖を通した。

砂遊びセットを持って、親子で近所の公園へ行った。スポーツセンター内にある市民の憩いの場だ。

「アイちゃーん」

「ショウちゃーん」

遊戯場で姿を認めるなり、二人は駆け寄って抱擁した。まるで恋人同士だ。キスしないかとはらはらした。

「ショウちゃん、お家《うち》で遊んでたの？」

「うん。パパの会社がトウサンしてね」

「それは幼稚園で三回聞いた」

裕輔は手で顔を覆った。

遊戯場にはほかにも子供たちが数人いた。いつも日暮れまで毎日一緒に遊ぶ仲間らしい。母親たちはすぐ隣の藤棚の下のベンチに溜まっていて、裕輔が視線を向けると揃って頭を下げてきた。

あ、どうも。口の形だけで言い、会釈する。

さて、どうしたものか。男一人が交ぜてもらうのは迷惑なような気がする。向こうも対応に困っている様子が雰囲気で伝わった。表情が硬いのだ。〝会社が潰れて失業した湯村さん家《ち》のご主人〟という立場はきっと伝わっている。そのことに触れてはまずいと、気を遣わせてしまいそうだ。

どうしていいかわからず、付近をうろうろと歩き回った。銀杏《いちょう》の木の下に別のベンチがあったので、そこに腰を下ろすことにした。端に杖を持った老人がいる。目が合ったので軽くお辞儀をした。

「今日はお休みですか」老人が声をかけてきた。話し相手が欲しいらしい。

「いえ、そうじゃなくて……。会社が倒産して失業中です」この先も会うかもしれないので、裕輔は本当のことを言った。

老人の表情が曇った。「それは大変だねえ」絞り出すような声で言った。心から同情している様子である。

「くやしいだろうねえ。いや、わたしもね、四十歳のときに勤めてた会社が倒産してね、家族を抱えて路頭に迷いそうになったことがあるんだよ。こっちは少しも悪くないのに、経営陣が無能なばかりにね。リスクを分散しろって、我々が何度言っても、親会社にべったりで、あげく連鎖倒産だ」口角《こうかく》泡を飛ばしていた。「そうかい、そうかい。わかるよ、あなたのその無念は。でもくじけちゃだめだ。家族がいるんだから。あそこにいる坊やがお子さんかい。可愛いねえ。あの子のためにもあなたは頑張らなくちゃならない」

「はあ……」

「気を落とさないでね。苦あればらくあり。人間《にんげん》いたるところに……」

裕輔は思わず顔を上げた。

「青山《せいざん》ありだ」

ええと、「セイザン」はあってますが、「人間」のところは……。まあいいか。それにしても、一日に二度聞くとは。

その後、三十分にもわたって老人の訓話を聞かされることになった。男は苦難を乗り越えてこそ成長するものだと、色紙に書いて手渡しそうな勢いでまくし立てていた。裕輔は話をあわせるだけでくたびれてしまった。

午後五時の鐘が鳴り、スピーカーから『夕焼け小焼け』が流れた。「また明日ねー」子供たちが母親に手を引かれて散っていく。いい情景だなと思った。以前なら、会社で日報をつけているか、まだ営業の最中だ。

夕食はエビフライにした。揚げ物に挑戦したかったのだ。厚子からは帰るメールも届いている。

ブラックタイガーの皮をむき、背わたを取り、丸まらないよう切れ目を入れた。かぼちゃを薄く切り、ギンナンをあぶり、ブロッコリーを茹で、野菜類も下準備した。タルタルソースは市販品だが、ゆで卵を潰して混ぜ、マヨネーズも足した。昇太はきっとその方が好きだと思った。コンソメスープはキャンベルの缶詰にした。塩と胡椒だけの味付けなんて、今の自分には無謀だと判断したのだ。

食事の支度をする間、昇太にはアンパンマンのビデオを見せておいた。一言も声を発せず、食い入るように見つめている。ただ、静か過ぎるのが気になって、一分毎《ごと》に振り返ってリビングの息子を確認する始末だった。

対面キッチンが欲しいものである。顔を上げるだけで子供の姿が見られると、安心して料理に向かえる。リフォームするといくらぐらいなのだろう。ついでにコンロを電磁式に替えたい。掃除がらくだし、ガス漏れの心配もない。

早速インターネットで調べよう。それで厚子に相談だ。

厚子は七時に帰ってきた。駅から電話をくれたので、その間にフライを揚げることが出来た。なるほど自分もそうすればよかったのかと、目から鱗《うろこ》が落ちた。

「おー、エビフライかあ。豪勢だなあ」妻がおやじみたいに相好《そうごう》をくずす。

三人で食卓を囲んだ。裕輔は少し緊張しながらエビフライをかじった。よかった。サクッと揚がっている。面倒がらずに油の温度を測った成果だ。

「おいしい。ユウちゃん、すごいじゃん」厚子が驚きの表情で褒めてくれた。お世辞抜きだと伝わった。

ひと手間加えたタルタルソースも好評だった。「おいしい」「おいしい」妻と息子からその言葉が上がるだけで、温かい気持ちになれた。裕輔はもう明日の晩御飯のことを考えていた。明日は中華にしよう。しゃきっとしたモヤシ炒めを作ってみたい。

「昇太。ブロッコリー、残さないで食べなさい」厚子が息子に言った。

「いーや」昇太は顔をしかめ、逆らった。でも二口かじった様子なので、完全拒否ではない。

夕食後は厚子が昇太を風呂に入れてくれた。その間、裕輔が食器の後片付けをした。自然とそういう役割分担になった。厚子は、「わたしがやる」とも「手伝おうか」とも言わなかった。裕輔には、その突き放した振る舞いがありがたかった。男が家事をすることに、いちいち気を遣って欲しくない。気を遣われると、同情されているようで、逆に負担を感じる。

夜、ベッドの中で厚子が不思議そうに聞いてきた。

「ところで、ユウちゃんさあ、わたしの会社のことちっとも聞かないね」

「うん、そうだね。そういえば聞いてないね」

裕輔が答え、大きなあくびをした。

「別にいいんだけどね、それで。ただ、男は女房が外で働くと、あれこれ気にならないのかなって思って……」

「そりゃあ気にならないことはないけど、仕事から帰って、『どうだった？』って聞かれても、返答に困るじゃん」

「うん、そうそう」

「話したいことがあれば、自分から話すだろうし」

「そう、そうなのよ」

厚子が、天井を見ながら大きくうなずいた。

「ユウちゃん……」続けてぽつりと言った。「わたしが以前あれこれ聞いたの、きっと面倒臭かったと思うけど、よく相手してくれたね」

「別に面倒でもなかったよ」眠りに入りかけの状態で答えた。

妻が鼻をひとつすする。「ねえ、しようか」いきなり言い出した。

裕輔は答えないで、寝返りを打った。

「ほらほら、夫婦の営みは大事ですぞ」男の声色で言い、抱きついてくる。

体をこそぐられて覚醒した。睡眠の天使が肩をすくめて去っていく。裕輔は仕方なく求めに応じることにした。

気乗りせず始めたセックスだが、途中からやけによくなった。積極的に愛撫する厚子が妙に淫靡《いんび》で、興奮してしまったのだ。気がつけば上に乗られていた。組み敷かれている感じだ。裕輔は、下のほうがいいかも、などということを思ってしまった。

3

翌朝は三十分早く起きて出汁巻き玉子を作った。我が家では一度も食卓に出たことがないメニューだ。料理本を見ているうちに作ってみたくなった。

出汁はゆうべのうちに用意しておいた。昆布と削り節で本格的にとった一番出汁だ。それに砂糖、塩、醤油少々を加え、卵を入れて混ぜる。卵汁ができたら、卵焼き用のフライパンをコンロに載せ、中火で油をひき、お玉を使って卵汁を流し入れていった。ジュウッと音がして、卵の表面が焼ける。表面が半熟のうちに、箸を使って奥から手前に巻いていった。そして一旦向こうに押しやり、空いたスペースにまた油をひき、卵汁を追加投入する。

いい感じだった。半熟具合が我ながら素晴らしい。うっしっし。つい笑ってしまった。

そして息子の弁当用には、別ヴァージョンもこしらえた。塩茹でしたブロッコリーを中にはさんで、「ブロッコリー巻き」にしたのだ。しつこいパパと思われそうだ。

出汁巻き玉子は好評だった。厚子が「うむむ」と唸《うな》っていた。昇太はケチャップを要求したが、「なりません」と拒絶し、大根おろしで食べさせた。

「おいしいだろう?」

「うん、おいしい」父親の主張を認めた様子である。

「お弁当にも入れておいたからね」

「わーい」無邪気によろこんでいた。ふっ。何も知らないで。


妻を送り出し、息子を幼稚園へ連れて行き、さて掃除を始めようかというとき、電話が鳴った。駅前の交番からだった。聞くと、厚子が警察官とトラブルを起こしたらしい。

「おたくの奥さんがね、踏み切りの遮断機をくぐって信号無視して、注意した警官に咬《か》みついたわけですよ」

きっと〝馬鹿ポリ〟だ。妻が意地の悪い下級官吏と衝突したのだ。

「署まで連行する気はないので、ご主人、身柄を引き取りに来ていただけますか」

とくに緊迫した口調ではなかった。ちょっとした諍《いさか》いだろう。妻には気の強いところがある。

自転車に乗って駅前交番に駆けつけると、厚子は椅子に座って腕時計を見つめ、貧乏ゆすりしていた。馬鹿ポリはその横で、憮然《ぶぜん》とした表情で突っ立っている。もう一人、生真面目そうな若い巡査がいて、両者をなだめている感じだった。

「ああ、よかった。ユウちゃん、ごめんね。手間を取らせて。話はついたから、あとはよろしくね」

厚子がバッグを抱えて立ち上がろうとする。

「こら、話なんかついてないぞ。ふざけたこと言ってるんじゃない」

馬鹿ポリが興奮した様子でまくし立てる。

「市民に向かってこらとは何だ。あんたは戦前の特高《とっこう》か」厚子は背筋を伸ばし、毅然《きぜん》と言い返した。「だいたい、権力を振りかざして市民にいやがらせをする性根が気に食わない。あんた、よほど家や職場で相手にされてないんでしょう」

「な、な……」馬鹿ポリが口をパクパクさせ、怒りに打ち震えている。

若い巡査が裕輔を部屋の隅まで引っ張り、小声で言った。

「要するに、踏み切りでの信号無視です。通常なら注意して終わりなんですが、おたくの奥さんが、うちの主任に向かって、『あんたが岡っ引き気取りの馬鹿ポリか』って言うものですから……」

「はあ、すいません」と裕輔。

「まあ、なんと言うか、気持ちもわからないでもないんですがね……」ここからいっそう小声になった。「うちの主任、注意するだけじゃなくて、長々と説教して解放しないから、踏み切り突破しても、結局、電車には乗れないんですよね」

「はあ」

「それで、日頃市民からは白い目を向けられてるわけでして……。今日も、奥さんの馬鹿ポリ発言に、拍手をする会社員や囃《はや》し立てる高校生が現れたりしたんですよね。それでうちの主任も意固地になって……」巡査は顔をゆがめ、鼻息だけで小さく笑った。

「どうですかねえ、ご主人からうちの主任に頭を下げてもらえませんかねえ。それで終わりにしますから」

「わかりました」

裕輔は了承した。頭を下げるぐらいで丸く収まるのなら、易いものである。

馬鹿ポリに歩み寄り、頭を下げた。

「どうもすいません。えへへ」わざと卑屈に笑った。「以後、踏み切り信号は遵守させますので」平身低頭する。

「ちょっと、なんであなたが謝ってるのよ」厚子が色をなして言った。

「ほらほら、遅刻するよ」

「とっくに遅刻。それよりわたしはこの手のプチ権力者がね……」

「まあまあ、今日のところは」

腕を取って立たせ、交番の外に連れ出した。亭主の事を収めようとする姿勢に、馬鹿ポリも少しは面目を保った様子で、「以後気をつけるように」と鼻の穴を広げていた。

「一応、身分証を提示してください」巡査に言われ、裕輔は財布に入れてある免許証を提示した。

巡査が書類に名前や住所を書き写している。

「ご主人、職業は？」

「ええと、無職です」

「無職？」馬鹿ポリがうしろから口をはさんだ。「失業中ってこと？」

「ええ、まあ、会社が倒産しまして」頭を掻《か》く。

「ふん。それでカミさんもカリカリ来てるわけか」馬鹿ポリが顔をひきつらせて笑った。

裕輔は口をすぼめた。〝馬鹿〟と面罵《めんば》されるのは、そこまで悔しいことなのか。

厚子を駅で見送った。「馬鹿ポリめー」と罵《ののし》りつつ、妻はどこか爽快《そうかい》そうだった。そして自転車に跨《またが》り、家に帰ろうとしたら、先ほどの巡査が走って追いかけてきた。「ご主人、ご主人。すいません」今度は向こうが頭を下げている。

「うちの主任、さっきは大変失礼なことを言ってしまいました。失業中の方の気持ちを考えることもなく……」巡査はしきりに恐縮していた。「わたしたち官には不況というものがいまひとつ実感できないものですから、民間の方の苦労を他人事《ひとごと》のように思ってしまって……」

裕輔は黙って聞いていた。

「さきほどの主任の無神経な発言、どうか忘れてください」

巡査が、謝罪のお手本のような、実に申し訳なさそうな顔で言った。なかなかいい人のようである。

「会社が倒産しても、気を落とさないでくださいね。一刻も早く再就職先が見つかりますよう、僭越《せんえつ》ながら祈っております」帽子を取って一礼した。

ええと、そういう話なのか？　戸惑いつつ、つられて頭を下げた。どういう感想を抱いていいのか、よくわからなかった。

家に帰って掃除をした。スーパーでカビキラーを買ってあったので、一度風呂場のカビを一掃することにした。

ゴム手袋をはめ、水泳用のゴーグルをかけ、換気扇を回し、部屋の窓も開け、空気の流れをよくした。強い薬剤なので、子供のいないときでないとできない。

カビの生えている箇所に噴霧したら、たちまち頭がくらくらした。急いでベランダに避難して、水で流すまでの数分間を待つことにした。ラジオからはカーペンターズのヒット曲が流れている。知っている曲なので一緒に唄った。

そのときケータイが鳴った。出ると、原田という元同僚だった。倒産した日に麻雀をやった仲だ。「最寄りの駅まで来ているので出てこないか」と沈んだ声で言った。

「駅なら、今さっき行ったばかりなんだけどね」

「なんだよ、忙しいのかよ」

「風呂場の掃除中」

「あとにしろよ。こうしてわざわざ会いに来たんだぞ」

アポもなしで来て、よくそういうことを……。しかし、かつての仕事仲間に帰れとも言えず、仕方なく出かけることにした。大急ぎで薬剤を流し、家を出る。

駅前の喫茶店で原田は待っていた。スーツにネクタイ姿だ。

「何よ、もう新しい仕事を見つけたの？」裕輔が聞くと、暗い顔で大きく息を吐き、

「そんなわけねえだろう」と口をとがらせた。

「そろそろ家に居場所がないんだよ。うちは子供が二人とも小学生だから、親が失業したことがわかるんだよ。学校から帰ってきて、おれが家にいると、途端に明るさが消えてな。顔色うかがって、そそくさと子供部屋に消えるのよ。そうなりゃあ、こっちもいられねえさ。近所の手前もある。それで朝からスーツ着て、忙しいふりして出かけるわけよ」

「どこへ」

「映画館とか、図書館とか。話し相手が欲しくなると、元同僚のところ」

原田は自嘲気味にふんと笑い、アイスコーヒーをストローで飲み干した。

「奥さんはどうなのよ」

「湯村。よく聞いてくれた。それが実によくできた女房でな。精一杯明るく振る舞うんだよ。大丈夫、何とかなるわよ、とか言ってな」

「そう、よかったじゃん」

「それがおれにはつらいの。一家の主が何やってんだろうって」

いかにも苦しげに、喉元を掻きむしって訴える。原田が裕輔のことも知りたがるので、包み隠さず教えてやった。

「そうか。カミさんが働きに出たか。それでおまえは家事と育児の担当か。そりゃあ針のむしろだわな」

なにやら同情している口調だった。あ、いや、こっちは結構快適な毎日を……。

「男の沽券《こけん》にかかわるよな。仕事がないっていうのはよ。会社の倒産がこんなにみじめなものとは思ってもみなかったぜ」

反論しようかと思ったが、説明が面倒なのでやめた。

「ところであのヅラ社長、しっかり自分の財産は守ったみたいだな。総務のやつが言ってたぞ。会社名義だった別荘を、一月前に妻の名義に変えてたって」

「ふうん」

「おれ、追及してやろうかと思ってんだ。湯村、協力してくれないか」

「おれが？」

「いいじゃないか、暇なんだろう」

「でも、息子の幼稚園の送り迎えがあったり……。弁当も作ってるし」

「わかったよ。おれも言ってみただけ。潰れた会社が復活するわけでもないしな」

原田がグラスの氷を口に含み、バリバリと噛み砕いた。

「あ、そうだ」裕輔は、昨日山科部長から電話があったことを思い出した。「そういえば、部長、ナイス商事からスカウトされてるみたいだね」

「いや、知らない。おれ初耳」

「新しいネットビジネスを立ち上げるためにスタッフが必要とかで……」

聞いたことをすべて教えてやった。隠すようなことでもないと思ったからだ。

「そうか、そういう話があるのか」

原田が身を乗り出した。彼にとっては一筋の光明《こうみょう》なのだろう。やる気があるなら自分から売り込めばいい。裕輔はやさしい気持ちだった。

原田はその後、元社長の悪口を散々並べ、実は庶務の玲子は専務の愛人だったという衝撃の事実を披露し、一時間ほどおしゃべりを繰り広げた。最後に、「悪いな。昼間一人でいると不安なんだよ」と淋しげな目で言い、軽く笑った。

「湯村、頑張ろうぜ」

「あ、ああ」

戸惑いながら、固い握手を交わした。コーヒー代は原田が払ってくれた。

午後は昇太を連れて公園に行った。ブロッコリー巻きは中身をそっくり残された。

遊戯場では昨日の老人がベンチにいて、目が合うと笑顔で手招きされた。仕方なく自分だけ行った。

「今日も来ると思ってね、こういうものを用意してきた」

老人が紙袋から一冊の本を取り出し、裕輔に手渡した。『逆境に打ち勝つ50の名言』という本だった。逆境かあ。表情を保つのに苦労した。

「わたしはもう何回も読んだから、あなたに進呈しよう。働いていた頃は、苦しくなるとこの本から勇気をもらったもんだ」

「はあ、そうですか」

「たとえば、この言葉」横からページをめくった。「一代でスエキチ・グループを築いた大内会長の言葉だ。《苦しいときこそ種を蒔《ま》け》。これはね、人は、苦しいときは目先の利益に走りがちだから、そういうときこそ先を見ろ、という教訓なんだね」

「はあ」

「実に素晴らしい言葉じゃないですか。あなたもね、失業は大きな痛手だと思うけど、今こそ先を見据えて活動するべきなんだよ。資格を取るとか、勉強をし直すとか。焦ってつまらない会社に入ることはない」

「……はい。そうですね」

「まあ、じっくり読んでください」

「ありがとうございます」

ううむ。明日からこの公園に来るのがつらくなりそうである。

逃げるようにして老人から離れた。遊びに夢中の昇太を横目に、今度は藤棚の下に行く。母親たちに一礼して、ベンチの隅に腰掛けようとしたら、アイちゃんのおかあさんから、「湯村さんの奥さん、お勤めなんですか?」と聞かれた。

「ええ、そうです。以前勤めていた会社に復職して」

「いいなあ、わたしもまたOLしたい」「スーツ着て出かけたい」「アフターファイブに飲み歩きたい」母親たちが口々に言う。

裕輔は曖昧に笑って聞いていた。当分主夫なのでよろしくお願いします、とでも言っておくべきか。迷っているところへ、アイちゃんが駆けてきた。

「ねえ、ママ。うちのパパの会社はいつトウサンするの?」

全員が凍りついた。アイちゃんの母親が顔をひきつらせる。「何言ってるのよ、あんた」目を吊り上げて叱《しか》りつけた。

「だってアイもパパと遊びたい」

「お休みの日に遊んでもらってるでしょ」

きつい口調に、アイちゃんがサイレンのように泣き出した。

裕輔はこの場にいるのが悪いような気がして、そそくさと移動した。さりとて行き場はない。ジャングルジムが空いていたので、上まで登った。てっぺんに腰掛け、公園を見渡す。三十代の男はきれいに自分一人だった。空ではカラスが呑気《のんき》に鳴いていた。

4

裕輔の料理の腕前は格段に進歩した。いわしの蒲焼《かばやき》、などというものが手早く作れてしまうのである。きんぴらごぼうも難なく出来た。昇太の弁当に入れたら、全部食べてくれた。なんと、我が息子の味覚は和風だったのか。ブロッコリーを醤油で煮しめることを本気で考えた。

厚子は会社員生活を満喫している様子だ。週末、接待ゴルフに行ってもいいかと聞くので、もちろんいいよと答えた。クラブすら握ったこともないのに、いい度胸である。いつぞやの一件に関しても、「あの馬鹿ポリ、もう踏み切りに立たなくなってやんの」とほくそ笑んでいた。基本的に外向的な性格のようである。もちろん、結婚前から知っていたのだが。裕輔はふと疑問を覚え、昇太を寝かせた後に聞いてみた。

「昇太を妊娠したとき、会社を辞めたじゃない。あれ、本当は続けたかったんじゃないの？」

「うん。できればね」厚子は即答した。

「どうして続けたいって言わなかったの？」

「ユウちゃんの実家の手前。お義母《かあ》さんに『厚子さん、仕事は辞めるのよね』って聞かれて。それがすごく無色透明で自然な言い方だったから、つい『はい』って答えちゃったの」

「うそ。そんなことがあったんだ」

おふくろめー。腹の中で文句を言った。

「でも、昇太と毎日一緒にいられてよかったよ。今じゃいい判断だったと思ってる」

厚子が涼しい目で言い、裕輔は感動した。

「じゃあわたしも聞くけど、ユウちゃん、サラリーマン生活、いやじゃなかった？」

「べつにそういうことはなかったけど」

「でも、なんか、今のほうが楽しそう」

「まあ、そうだけど、それは失業して気づいたことだから。おれって家にいるほうが向いてるかも。そんな感じ」

「毎朝、駅に行くとき、パン屋のおばさんに会うの。店の前で掃除してるから。でね、笑顔で挨拶を交わすんだけど、目に同情の色があるの。『大変ね』『くじけないでね』って顔に書いてある」

厚子が眉を八の字にして、吐息交じりに言った。

「そういうのなら、こっちのほうが凄い。なんたって『逆境に打ち勝つ50の名言』だから」

裕輔は公園であった出来事を話し、その本を見せた。「あはは」厚子が腹を抱えて笑う。

「そうか。我が夫婦は世間の誤解を浴びているのか」

「ジェンダーってしぶといんだよ」

そこへ電話が鳴った。誰だろうと思って出ると、実家の母だった。噂《うわさ》をすれば、である。「あのね、おねえちゃんに聞いたんだけどね……」母が切り出した。姉には会社が倒産したことを告げてあったので、それが伝わったのだろう。

「大変だったねえ。大丈夫？　無理しないようにね」

赤ちゃんの肌を撫《な》でるような声である。母はこの世の不況を呪《のろ》い、政治家を批判し、気落ちしてはいけないと息子を慰めた。そして「おとうさんと代わるからね」と、電話をバトンタッチした。

父と電話で話すことは、ほとんどない。月に一度は様子伺いの電話をかけているが、毎回話すのは母だ。不仲でもなんでもないが、父と息子とはそういうものだ。「ああん」受話器の向こうで咳払いが聞こえた。「おう、裕輔か」無理矢理作ったような穏やかな声だった。

「災難だったな」

「うん、まあね」

「ハローワークには通ってるのか」

「ううん。失業保険の手続きに行ったきりだけど」

「そうか。通ってないか。まあ、焦ることはない。四十を過ぎると職探しも大変そうだが、おまえはまだ三十六だ。いくらだって見つかるさ」

「うん、そうだね」

「蓄えは、あるのか」

「多少はね」

「困ったら遠慮するな。おとうさんたちは気楽な年金生活だ。大金じゃなければいつでも都合はつく」

「うん、ありがとう」

少し間があいた。慣れない会話なので、互いが少し緊張している。

「長い人生にはこういうことだってある」父があらたまった口調で言った。「晴れの日ばかりではないし、嵐の夜だってある。ただし、やまない雨はない。いつか、おまえの空だって晴れる」

「ああ、そうだね」

答えながらどぎまぎした。父は息子への励ましの言葉を一生懸命考え、今、それを伝えているのだ。親は子供のことを少しも理解していない。でも存在がありがたい。

「この国で飢えるということはないから、悲観するな。楽観してればいい。今の土地にこだわることもない。人間いたるところ……」

うっ、またしても——。裕輔は身を硬くした。

「青山ありだ」

安堵した。父は「ニンゲン」ではなく、「ジンカン」と正しく読んだ。「セイザン」も。さすがは元教員である。

「人間《じんかん》」は世の中のことで、「青山《せいざん》」は墓場のことだ。だから「人間到る処青山在り」とは、「世の中、どこにでも骨を埋める場所がある」という意味なのだ。

父が「厚子さんと話したい」と言うので、妻に受話器を手渡した。

「いえいえ、そんな」厚子がしきりに恐縮している。「わたし、そろそろ外で働きたかったんです」背中を丸めて訴えかけていた。そして、電話が切れた後、「お義父《とう》さんに謝られちゃった」と肩をすくめた。

「苦労をかけて申し訳ない、せがれには必ず家長としての責任を全うさせる、だって」

「あ、そう」裕輔はつい吹き出してしまう。

「ユウちゃん、家長として責任とってよね」厚子は口の端を持ち上げ、笑った。

「ええ、とりますとも。弁当、君の分も作ろうか？」

「あ、作って。会社の近くの店、ランチタイムになるとどこも行列で、ゆっくり食べられないのよ」

「じゃあ、きんぴらごぼうと、とりの唐揚げと、出汁巻き玉子と、あとブロッコリーもあるから……」指折り数えた。「あ、そうだ。出汁がもう切れてたんだ。今夜のうちに作っておこうかな」裕輔が腰を上げた。

「ねえ、わたし、先に寝ていい。疲れちゃった」

「もちろん」

「ふふ。奥さんもらった気分。みんなに自慢したい」

厚子は「ふぁわわわ」と、インディアンのように手を口にあててあくびを響かせ、寝室へと消えていった。

キッチンに立つ。手鍋に水を入れ、洗った昆布を底に敷いた。

そこで電話が鳴る。今度は誰かいな。出ると山科部長だった。挨拶もそこそこに、興奮した様子でまくしたてた。

「夜遅くにすまん。緊急事態だ。原田のやつがな、おれがナイス商事からスカウトされていることを嗅《か》ぎつけて、自分も売り込みに行きやがった」

あれま、そうですか。裕輔は眉をひそめた。こっちは「部長とコンタクトを取ってみれば」というつもりで教えたことなのに。

「それがな、第二営業の連中を引き連れての売り込みだ。要するに、おれたちとコンペしようって腹積もりだ」

「ええと……おれたち？」目を丸くした。

「至急対策を練る。明日の午前十時、新橋第一ホテルのカフェに集合だ。おれは五人連れて行く。その中におまえさんは入ってるが、原田は入っていない。おまえさん、めったなことでは怒らないだろう。そういうところ、おれは評価してるんだ」

「いや、あの……」

「条件は悪くないんだ。これまでの年収の八割を基本線として保証してくれるってよ。あとはおれたちの頑張り次第だ。業績を上げれば社内での独立もありうるし、そうなりゃあ、おれたちは経営陣だ。そうはないチャンスだ。これを逃すことはない。そうだろう」

「ええ、まあ、そうですが……」

「じゃあ明日な。おれはそのままナイス商事に押しかけようかとも思ってるんだ。だから背広着てシャキッとして来いよ」

まごついているうちに、電話を切られた。手にした受話器を見つめる。

ま、いいか。口の中でつぶやいた。明日起きて決めればいい。

お湯が沸いたので、中火にし、煮立ちかけたところで昆布を取り出した。続いて削り節を入れ、弱火で三分間煮込む。火を止め、顔に湯気を浴びた。うん、品よく香っている。

少し置いてから、用意したざるにペーパータオルを被せ、ボウルの上で漉《こ》した。あとは冷ましてからペットボトルに入れ、冷蔵庫に入れておけばいい。

ついでにおかずの下ごしらえもすることにした。ブロッコリーは日持ちしないから、買ったその日に塩茹でしたほうがいい。

冷蔵庫の中を漁っていたら、奥から板チョコが出てきた。カレーに入れるために買ったものだ。昇太に食べられないよう隠してあった。

ふとアイデアがひらめいた。ブロッコリーを塩茹でして、溶かしたチョコレートで丸ごとコーティングするのはどうだろう。

弁当箱を開け、チョコがあると思って目を輝かせる昇太。大口で頬張る。中身はブロッコリー。

うっしっし。裕輔は想像するだけで笑ってしまった。

やらない手はない。これは父と子の戦いなのだ。

もう一度鍋に湯を沸かし、そこに小さなボウルを浮かべた。割ったチョコレートを投入する。たちまちしんなりして溶け出した。

カカオのいい匂いが鼻をくすぐった。ここが青山でもいいと思った。

じごくゆきっ

桜庭一樹

桜庭一樹（さくらば・かずき）

一九九九年「夜空に、満天の星」（『AD2015隔離都市 ロンリネス・ガーディアン』と改題）でファミ通エンタテインメント大賞に佳作入選。〈GOSICK〉シリーズ、『砂糖菓子の弾丸は撃ちぬけない』などが高く評価され、注目を集める。二〇〇六年刊行の『赤朽葉家の伝説』で日本推理作家協会賞、〇八年『私の男』で直木賞を受賞。その他の著書に『荒野』『製鉄天使』『ばらばら死体の夜』『伏 贋作・里見八犬伝』などがある。

あの日わたしが一年C組副担任の中村由美子先生とかけおちすることにしたのは、先生があんまりかわいそうだったからだ。

由美子ちゃんセンセ、と生徒から呼ばれるあの二十四歳のばかたれは、学園ドラマの見すぎで脳がイカレていて、なにかというと教壇を両手でばんと叩《たた》いて「君たちっ、君たちにはっ」とテレビの中にしかない明るい未来を語るその姿は、ほんとうにばか丸出しというものだった。

そしてわたしはというと、一年C組の副委員長。花の十六歳。大人がばかだと我が意を得たりとうれしくてしょうがない、そんな年頃だった。そしてクラスメートもみんな、同じような生き物だった。だからおばかな由美子ちゃんセンセはみんなの愛玩動物で、みんなで許しては、愛《め》でていた。つまらないこどもの楽園。一年C組。

その年、めずらしく東京でも雪が降った。

一月の終わりのことだった。はらはらと牡丹雪《ぼたんゆき》が校庭に舞い落ちて、放課後のその時間は、寒々とした教室だけが世界から裁ち鋏《たばさみ》で切り取られたように、しぃんと凍えていた。

頬杖《ほおづえ》をついてひとり、校庭のへたな墨絵のような雪景色を見ていたら、後ろのドアががらがらっと開く音がした。野蛮で乱暴な男子が入ってきたのかと思って、わたしは眉をひそめてふりかえった。

由美子ちゃんセンセだった。わたしをみつけると、

「あら、金城《きんじょう》さん」

微笑《ほほえ》んだ。お化粧がへたで、眉毛のラインが今日もどこかへんだ。厚手のやぼったいワンピースを着ていた。「なにしてたの」と言うので、

「雪、見てたの」

「あら、まぁ」

「帰りたくないなぁ」

由美子ちゃんセンセは足音も立てずにそうっとわたしのそばに寄ってきた。そして窓辺にもたれると、同じ景色を見始めた。

「そうねぇ」

「帰れって、言わないの？」

わたしは、ひびの入った白壁に斜めにずれてかかる丸時計を指さした。時間はもう五時になろうとしていた。そろそろ学習塾に行かなくてはいけない。先生だって、生徒がちらほら残っていたら困るだろうに。そう思っていると由美子ちゃんセンセは困ったように、へんなかたちの眉毛をぴくぴくさせて、

「わたしも、帰りたくないの」

「大人失格」

「そうねぇ」

「センセって、結婚するの？」

「えぇっ」

センセはからだをのけぞらせた。白いのどがびくりっ、とうごめいた。わたしは横目でそれをみつめていた。

「なんで、そんなこと」

「う、わ、さ」

由美子ちゃんセンセはばかだけど、きれいなので、男子にも人気があった。男子の延長線上にいる大人の男にもたぶんもてていたと思う。生徒の中では、体育教師のマウンテン坂田――あだ名だ、山のように筋肉質だから――とつきあっている、とか、結婚秒読み、とか、押し倒されただけだよ、とか、う、わ、さ、が毎日のように更新され続け

ていた。マウンテン坂田は、見た目はまぁ悪くなかったけど、常識家でがみがみうるさくて、要するにごくふつうの大人だったから、由美子ちゃんの話題のときにダシにされる以外ではまず生徒の口にはのぼらなかった。わたしたちはみんな、おばかでかわいい由美子ちゃんセンセにばかり、やたらと興味があったのだ。それが下世話な方向に行きがちだったのは、その興味が性欲も伴ってたからだろうと思う。サルみたいなガキだったわたしたち。十六歳の、一年C組の、檻《おり》の中。うきっ。

「うわさかぁ」

由美子ちゃんセンセはちょっと傷ついたような顔をした。

「あ、ごめん」

「ふふ。しないわよぅ、結婚なんて。それより、帰りたくないわねぇ」

「うん……」

「センセと、どこか、逃げましょか?」

唐突だったのでわたしは、うんー、とうなずいて、それから頬杖ついた手のひらから顎を落っことした。顎を机に落下させそうになって、びっくりして、

「どこかって」

「へへ」

「へへ、じゃなくて。なに言ってんの、センセ」

あきれてわたしは立ち上がった。

「どこにも行けないでしょ。わたしは高校生。塾に行って、帰って勉強して寝て、明日の朝起きたらまたここにくるの。一日授業を受けて……。センセだって、同じようなものでしょ。同じような毎日。ときどき、教卓叩いたりしてるけど。ふふ」

「いやよ。もう、どこかに行きたいの」

鞄《かばん》を持って歩きだそうとしていたわたしを、センセは手首をそっとつかんで引きとめた。ひんやりとして、湿った手のひらだった。わたしは振りむいて、「あのね」と言おうとした。

センセは小首をかしげて、わたしを見下ろしていた。

「どこかに、逃げましょ」

「……どこかって」

「とりあえず、夜汽車に乗って」

「夜汽車ぁ？」

「金城さん。センセといっしょに……」

つかんだ手首を、奇妙に強い力でぐうっと引き寄せられた。耳元でなにかつぶやかれた。由美子ちゃんらしいばかっぽい、奇妙なくどき文句だったけれど……。

「じごくゆきっ」

クラリとして、かなしくなって、わたしはたちまち、落ちた。

なんでまた、学習塾にも行かずに、美人だけど頭の悪い副担任と一緒に逃げてるんだ、と思いつつも、わたしは黙って由美子ちゃんについていった。

わたしたちの通う都立高校は、東京都足立区という、都会の隅っこにあった。近くを荒川が流れていて、小汚い河川敷はかっこつけないゆるいピクニックに最適だった。東京拘置所が近くて、有名人が捕まったときなんか警備やマスコミのヘリコプターで騒々しくなったけれど、ふだんは静かですすけた、町だ。都立高校は生徒が多くて、いつも十代後半のサルたちで溢《あふ》れかえっていた。彼らの妄想を浴びて、由美子ちゃんは奇妙にぴかぴかに輝いていた。わたしたちの、身近な、アイドルだった。

地下鉄に乗って、有楽町駅で降りた。おおきなデパートに入ると由美子ちゃんは、まず洋服を買った。さいきん流行っている、フリルがたくさんのばかみたいな服を、二着。白いフリルとレースのついたワンピースとオーバーコートは自分用で、ピンクのフリルがついたスカートと白ブラウスにレースつきブルゾンはわたし用だった。その服はぜんぶあわせると目の玉が飛び出るほどの値段になって、それをなぜか由美子ちゃんは、分厚いお財布から一万円札を何枚も魔法のように出して、スマートに支払った。

「……なに、そのお金」

「じごく資金」

「はぁ？」

由美子ちゃんは得意そうだった。それから上の階のおもちゃコーナーに行って、オセロゲームとトランプを買った。地下で五百円のお弁当とケーキを二つずつ買って、デパートを出た。

二人とも、駅のトイレでフリルの服に着替えた。童顔気味のかわいい由美子ちゃんと、ぶすっとした大人顔のわたしは、そうしておかしなドレスに着替えると、そう年齢に開きがあるようには見えなかった。十九か二十歳ぐらいの二人組のようだった。由美子ちゃんはわたしと手を繋《つな》いで、駅の構内を歩いていった。なにしろ流行っているので、ときどき、同じようなドレスを着た女の子たちとすれちがった。

「なんでここの服なのよ？　制服がやばいってのはわかるけど」

「いちど、着てみたかったの」

「似合ってるよ」

そうつぶやくと、由美子ちゃんがあんまりうれしそうにぱっと顔を輝かせたので、わたしはふいに、きゅんとした。このおかしな服に着替えたとたん、由美子ちゃんはふだんよりずっとこどもっぽくなった気がした。わたしはそれを、教室にいるときにはすこうし隠していた、由美子ちゃんの〝ほんと〟なのだな、と思って、そしたらなぜか急に、意地悪な男のようなことを言いたくなった。

「ばかほど似合う服だよね、これ」

「えっ……」

あまりにもまっすぐに傷ついた顔をされたので、わたしはあわてた。怒ったように早足で歩きだした由美子ちゃんを追って、青白い顔を覗《のぞ》きこんで、

「ごめん」

「………」

「ごめんってば。ねぇ。似合ってるよ。由美子ちゃん、かわいいよ」

「うん……」

「かわいい。大好き。愛してる」

「愛してる、は、いいよ……」

「でも、愛してるもん」

口にした途端に、ほんとうにそうだという気がした。一年C組のクラスメートたち全員を代表してるような気がした。愛してる。由美子ちゃん愛してる。マウンテンと寝てるとか押し倒されたとか結婚するとか、みんながやたら言うのは、自分たちが由美子ちゃんと寝たいからなんだ。みんな由美子ちゃんに興味しんしんだ。サルの檻。うきっ。

「かわいい。いちばんかわいい。似合ってる。大好き」

「金城さんったら」

「このかわいい服着て、じごくっ、に行こう。……でも、じごくっ、てどこ、由美子ちゃん」

「ここから、なるべく、遠いとこ」

由美子ちゃんはとつぜん、こどもみたいな口調で言った。ほんとに幼い、頭にくるほどかわいらしい声だった。わたしの手をぐいぐい引いて、お弁当やオセロゲームの袋はぜんぶわたしに持たせて、歩き続けた。

東京駅から、そうしてわたしたちは、ほんとうに、夜汽車に乗ってしまった。窓の外を牡丹雪舞い散る、古びてあちこち錆《さ》びついた各駅停車に、わるい冗談みたいに飛び乗った。

夜汽車は、揺れる。がたごとと。

ふわふわのドレスを着たわたしたちは寄り添って、黙りこんで窓の外を見ていた。木の枠でしきられた窓は映画のスクリーンみたいで、外を流れていく牡丹雪はまっしろくぎらぎらと輝いていた。

煙草《たばこ》の煙が入り混じり、むわっと暖められた車内の空気は、独特の匂いだった。東京からどんどんほんとうに離れていく列車の中で、わたしは初めて、置いてきてしまった家族のことを考えた。

うちは、両親と祖父とで、地元の商店街で金物屋をやっていた。出来のいい兄が国立大学に進んだので、容姿も成績もなにもかもふつうである妹のわたしは、兄の分だけ、期待がなくって気楽なものだった。心配もされないし、とくになんの問題もなかった。漠とした、憂鬱みたいなものがときおり、不吉で無意味な旅人のように部屋を訪れただけで。むしろ問題なのは大人の由美子ちゃんのほうだった。由美子ちゃんはいったいどうして、なにから逃げるというのだろう。大人なのに。教師なのに。

「金城さんは、さぁ」

わたしの肩にもたれていた由美子ちゃんが、急に口を開いた。がたごとと、夜汽車は、揺れる。暗い窓のスクリーンにふたりがうつっていた。由美子ちゃんはローズピンクの口紅をぬったちいさな口をぽかんと開けて、いつにもましてばかっぽい表情をしていた。

「金八先生、見てた？」

「あぁ、あの、暑苦しいひと」

「暑苦しいかなぁ。金城さん、わたし、あのドラマを見て先生になろうって、思ったの」

言われなくても、そんなの、クラスの全員が察していた。いつも奇妙に暑苦しい、中村由美子先生。若者の未来について情熱的に語ったりするけど、しゃべりかたは舌っ足らずで、話すことも言葉っ足らずで、ふわふわと地に足が着いてない。おかしな副担任。こどもから愚かさを愛される、かわいいけどああはなりたくないと思われる、ある意味、最底辺の大人。

「知ってる」

「あら、前、話したっけ」

「ううん」

わたしは首を振った。由美子ちゃんがこちらを振り返った。顔が間近だった。

「じゃ、どうして」

「見てれば、わかるよ。センセを」

「そうなの？　うれしい。わたしのこと、わかってくれてて」

「あのねぇっ、そうじゃなくて」

声を荒らげたとたん、またさっと顔を悲しそうに曇らせたので、わたしはあわてた。調子が狂う。仕方なしに、

「そうだよ。由美子ちゃんを見てたの。ずっとね。わかってたよ」

「金城さん、大好きよ」

絶望的な気持ちになって、わたしはおおきなため息とともに、由美子ちゃんに背を向けた。由美子ちゃんが背中にぺたぺたとくっついてきた。そうっと振りむいたら、鼻の

辺りに由美子ちゃんの頭があった。長い髪から、花のような匂いがした。その髪に鼻をうずめて、嗅いでみた。なんのシャンプーかはわからなかった。わたしが使ってるのとはちがうみたいだけれど。

「でも、なにから逃げるの？」

「………」

由美子ちゃんは答えなかった。「お弁当、食べようか」とつぶやいて身を起こした。

夜が更けてくると、夜汽車の客がすこしずつ増えてきた。デパートで買った五百円のお弁当は、さすがで、学食よりずっとおいしかった。お茶を飲んで、オセロゲームをして、笑いあって。

「どこに行くの？」

「砂丘が見てみたいなって」

「えっ。鳥取の？」

「ん」

鳥取なんて、地の果てだ。がみがみ屋のマウンテンならきっと「おい、なに考えてるんだ。はやく帰ってこい」とかなんとか、言うだろう。だけどわたしも、砂丘を見てみたい気がした。一面の砂。まったくなにもない空間。そんなものはごみごみした東京都足立区にはなくて、わたしは、そこに由美子ちゃんとふたりで立ったらどんな気持ちになるだろうと、うっとりと考えた。

腕時計を見せてもらったら、もう夜の十時を回っていた。家族が心配しているだろうな、とわたしはなんの感慨もなく考えた。だってこれは夢の中の出来事みたいだった。みんなのアイドル、おばかな由美子先生とふたりきりで、どこかに行く、そんな夢想を、そういえばずっと以前にした気がした。窓の外はおそろしいほど荒れ狂う、真冬の凍える日本海だった。暖房の利いた列車の中でも寒い気がして、わたしは由美子ちゃんにぴたりと寄り添った。きっとこれは夢だ。みんなの憧れのセンセが、わたしひとりをとくべつに誘ってくれるわけがない。砂丘が見たいなんてつまんないことを言って、それで、ちょっと理解を示した(ふりをした)だけで、大好きよなんて言ってくれやしないんだ。

夢。

夢。

夢ん中。

きっとそう。そう念じながらもわたしは、五分だけ停車する、とわかった駅の一つで、ホームに下りて、十円玉みっつ入れて家に電話した。あわてふためいた兄が出たので、早口で「あのね、いま旅行中。と……友達と」と言った。兄がなにか答えたとき、ホームの反対側に列車が入ってきた。轟音《ごうおん》のあと、駅員が駅名をアナウンスした。しまった、とわたしはあわてて電話を切って、また夜汽車に飛び乗った。

不安そうなちいさな声で、由美子ちゃんが「どこ、行ってたの」と言った。

「うちに電話」

「えっ」

「兄貴が出た」

「それで」

「……それだけ」

夢ん中の由美子ちゃんは安心したように「わたしをひとりにしないでね」とつぶやいて、また寄りそってきた。「わかってる」と返事をして、力尽きたように、列車の座席に座ったままで眠りについた。髪の匂いが、わたしに、からまる。花のような。あなたの匂い。

夢ん中。夢ん中。由美子ちゃんとふたりっきり。

朝、起きるとまだ、各駅停車の列車は、律儀に一駅、一駅、停まって人を乗せては降ろし、走り続けていた。洗面所で顔を洗い、のびをした。座席でしろい猫のようにぐんにゃりと寝ている由美子ちゃんを見下ろした。

よだれ、たらしてる。だらしない人だなぁ。そうあきれながらも、ハンカチを出してよだれを拭いてやった。

ときおり、停車した駅でパンとかジュースを買って、雑誌も買ったりして、ふたりで寄り添ってぺちゃくちゃしゃべりながら過ごした。窓のスクリーンで、真冬の凍える日本海はずっと荒れ狂っていた。天気はどんどん悪くなった。だけどそれは窓の外の、で、き、ご、と。列車に守られたわたしたちは、安全だった。おそろしいことはすべてスクリーンの中なのだ。心配してる家族も、友達も、マウンテンが言いそうながみがみも、現実はすべて、窓の外のはかないブリザードだった。

やがてまた日が暮れてきて、わたしたちは気楽な列車暮らしに、あきてきた。地の果てにある砂の国、鳥取にはまだ着かないけれど、一泊しよう、と由美子ちゃんが言いだした。

「え、一泊」

列車の外に出るのがすこし、こわかった。外には、だって、現実が。だけど由美子ちゃんはうきうきとして、こう言った。

「つぎのつぎの駅、温泉街だよ。テレビドラマの舞台になってたの」

由美子ちゃんはもしかして、こどものころはテレビっ子だったのかもしれない。夢千代日記、と言われたけれど、そんなドラマ、わたしは知らなかった。「ＮＨＫだよ」「そんなチャンネル、見ないよ」「吉永小百合だよ」「うわぁ、渋いね」ぶつぶつ言いながら、荷物を持って、ごみは行儀わるくそのままにして、駅に降り立った。

ふらふらと歩いて、駅前の旅館紹介所に入った。ふりふりのおかしな服を着た女二人組にちょっとだけ驚いた顔をして、おじさんが「東京からきなすったかね」と言った。

「はぁ」

「この寒いのに」

「こういう服は、あったかいのです」

由美子ちゃんがまじめそうに言うと、おじさんは「へぇぇ」とわかったようなわからないような、あいまいな返事をした。それからわたしたちに、お食事つきで、宿に温泉もある、女の人に人気の旅館を紹介してくれた。ふたりで手を繋いで、旅館に向かった。

ちいさなかわいらしい、和風の建物だった。由美子ちゃんとそう年齢も変わらなさそうな、しっかり者らしき若女将《おかみ》が出てきて、「お寒かったでしょう。さぁ」とスリッパをそろえて出迎えてくれた。

和室に入ると、もうほかほかに暖められていた。障子を開けると、二階のその窓から、田舎の雪景色が見えた。細い川にかかる、まるっこい赤い橋。雪が積もって鮮やかなまだらになっている。松の樹木が数本、冬の風に揺れている。

「きれいね」

さびしそうに、由美子ちゃんがつぶやいた。

「そうだね」

「このまま、時間が、止まればいいのにね」

「……ふぅん？」

由美子ちゃんがなにから逃げてるのか、すこしだけ読めたような気がした。時間。未来。これから起こるなにかから逃げてるのだ。そうにちがいない。

だけどそれなら、じごくっ、てなにかしらん？

お部屋に仲居さんがやってきて、ところせましと、海の幸たっぷりの食事をふたりぶん並べていった。由美子ちゃんもわたしも、列車の中でさんざん間食していたせいか、おいしいのにあまり食べられなかった。食べたぶん、時間がはやく進んでしまうような気がしてたのかもしれない。由美子ちゃんは片付けにきた仲居さんに、仲居の仕事についてとか、お給料についてとか、どこに住んでいるのかとか、ぶしつけなぐらいあれこれと質問した。仲居さんが困ったように、すこしだけ答えて、下がった。なに考えてるのかなぁ、と思ったら由美子ちゃんは、こどもみたいなかわいらしい声で、

「このまま金城さんと、この温泉で、働けないかなと思って」

「なに言ってるのよ、由美子ちゃん」

「帰りたくないの。だから」

「砂丘は？」

「いつか、見る」

「由美子ちゃん……」

「仲居さんになって、このまま、ここで、暮らすの」

時間を止める方法のひとつ。しっそう。別人になって生き直すこと。だけどわたしたちは貴族じゃないので、そこには労働がある。日々の糧を得るのに、霞《かすみ》は役に立たない。由美子ちゃんはこう見えて大人だから、それを知ってるのだ。おや、そんなら消えること、はたらくことが、じごくゆきっ、なの？

「本気じゃないでしょ」と聞くと、「本気ようぅぅ」と由美子ちゃんはうなった。白いふわふわのワンピースが、降る雪のようにうごめいた。マウンテンならなんて言うか、と考えるのはもう、やめた。なんにも考えられなくなった。そして、まちがっているのは自明の理なのに、それだっていいかもしれない、このままふたりで働くのも、とわたしは女の色香に惑わされる男のように確信した。夢ん中でね。

夜が更けて、わたしたちは温泉に入ることにした。浴衣を片手に、一階へ。すごく寒いはずだけどもうどうなってもかまわない気がして、露天風呂に行った。

ひとといっしょにお風呂に入るなんて中学のときの修学旅行ぶりで、妙にはずかしかった。タオルで胸と陰毛を（背中とお尻ははずかしくなかった）ひた隠して、ばたばたと走って、からだを洗って、じゃぶんと湯船に飛びこんだ。

さすが温泉のお湯、とはとくに思わなかった。きれいな透明のお湯で、床の岩も、自分のはだかも、ユラユラとお湯の動きで揺らめいてみえた。

ゆっくりとドアを開ける音がして、服を脱いだ由美子ちゃんが入ってきた。ひた、ひた、とひそやかな足音がした。

鼻歌を歌いながら、からだを洗っている。わたしは全身を耳にしていた。鼻歌が高鳴る。やがて由美子ちゃんが、わたしの背後に立った。しゃがんで、耳元に唇を近づけて、

「お湯、どぅお」

ぞくりとした。こわ、かった。

「……いいお湯」

「よかった」

「なのかなぁ。よく、わからない」

「ふふ。温泉は、気分なのよぅ」

そう言うと由美子ちゃんは急に、こどもみたいにじゃぶんと音を立てて湯船に飛びこんだ。

わたしはあわてて、上を見上げた。

いまにも落ちてきそうな、暗いぐんじょう色の夜空。ときおりひらひらと降り落ちる、

雪。雪。雪。外に出ている頭だけ、なんだか寒い。首すじに雪がひとひら落ちて、ちりり、と溶けた。真冬の露天風呂なんて無茶だ。わたしたちはふたりとも風邪を引いてしまうにちがいない。

「なに見てるの」

「未来？」

「……そんなもん見ないで。金城さん」

わたしは夜空を見上げたまま、ぎゅっと口を閉じた。なにかしゃべったら、涙が出そうだった。露天風呂。夜空。乗ってきた古びた夜汽車。あの、夕方の教室でわたしを誘ったこの人。あれはたった昨日のことなのに、もうあれから千年も万年も経ったように感じられた。あぁ、わかっている。あのときわたしはただ偶然、教室に残っていただけだった。わたしたち一年C組にとって、由美子ちゃんセンセは、とくべつな大人の女。アイドル。身近にいるのにけして手の届かない、卑小な欲望の対象。だけど由美子ちゃんのほうはクラスでわたしをとくべつに選んだわけじゃない。きっと。

夢。夢。これは夢ん中。

わたしはあのときたまたま、逃げたい気分のセンセが入った教室に残っていた生徒のひとりに過ぎなかった。男子でもよかったっ。女子でもよかったっ。どの子でもよかったっ。センセのこと好きな生徒ならっ。漠然とした味方であれば。

わたしが男子だったら、もっとアブない逃避行になっちゃってたのかな。ス、キャ、ン、ダ、ルだ。大人だったらきっと常識を説いて止めるから、そしたらそもそも、こんなところまでたどり着いたりしなかった。すべては、ぐうぜん。でもセンセはばかだし、もしかしたら、そんなことには気づいてないかもしれない。こども。金八かぶれのテレビっ子。こどもの家出。逃避行。この世の果ての砂丘にさえまだたどり着かない。フリルの服着た、こどもがふたり。

あぁ。

由美子ちゃんがわたしを呼んだので、いまにも星が降り落ちそうな夜空から目を離して、目の前を見た。

まっしろなはだかの由美子ちゃんが、お湯につかっていた。揺れるお湯。透明な、膜のような。お化粧を落とした由美子ちゃんの顔は童顔で、まだ十代にも見えるぐらいの幼さだった。まっすぐに整えられた眉が、かろうじて大人っぽいといえるぐらいだ。長い髪をお湯で濡れないようにポニーテールにしていた。ほそい首と、肩。華奢《きゃしゃ》な鎖骨がくぼみ、透明なお湯がたまっていた。

乳房はちいさくて、お湯につかって、心もとない様子だった。わたしの胸のほうがもう立派だ。

折れそうに細いのに、お腹だけぷくっとふくらんでいた。

わたしはそこを凝視した。

かんがえた。

由美子ちゃんがじっと押し黙ってるので、しかたなくわたしが、言った。

「ねぇ、由美子ちゃん、もしかして、妊娠しているのね」

「うん、そうなの」

困ったように、かなしそうに、その女の人はうなずいた。

透明なお湯がふいにぶわりとうごめいた。と思ったらはだかの女の人が、スクリーンいっぱいに映しだされるようにして抱きついてきた。ふくらんだお腹がグロテスクでこわくて、わたしは硬直した。

耳元で、女が、つぶやく。

「大人になりたくないのっ。だれかのおかあさんになりたくないのっ。だれの奥さんにもなりたくないのっ。だれか、たすけてぇ」

ほぅら、やっぱり。

わたしは泣き笑いした。だれでもよかったんだこの女。大好きよ、なんてうそっぱち。撃たれたように両手をひろげて、わたしはひひひひ、とへんな声でもって笑いだした。卑小な夢から醒《さ》めるわたしに、暗い夜空が音を立てて落っこちてきた。じゃぶん、とお湯にもぐって目を見開くと、視界いっぱいに広がる、ぐんじょう色。も、死にたいよ。

夜、布団に入ると、おそろいの藍色の浴衣を着た由美子ちゃんがぎゅうっと抱きついてきて離れなくて、難儀した。

やっぱり、結婚するんじゃん、とつぶやくと由美子ちゃんは、ん、とうなずいた。

「だれと？」

「体育の……坂田先生と」

なんというつまらない女。う、わ、さの通りじゃないか。あのマウンテンとお似合いだ。わたしは失望の深いため息をついた。由美子ちゃんは泣きながら眠ってしまったけれど、わたしは一睡もできなかった。ふたりの目的地だった、消えて、はたらく、じごくっ、はいったいどこにあるのさ？　夜汽車から降りたから現実に追いつかれちゃったのかな、と思いながら、眠れないのにかたくかたくかたく目を閉じた。

そうして翌朝、わたしたちは朝ごはんを食べて、旅館を後にした。夜のうちにうっすらと積もった雪をさくさくと踏んで、よろめきながら、駅へ。

鳥取に着いたのは、お昼ごろだった。

ようやくたどりついた砂丘は、一面、みごとにまっしろけだった。うっすらと雪が積もっていたのだ。「こんな冬に、見にくる人はまず、いないねぇ」と地元の人が、同情するように言った。

ふわふわドレスで、手を繋いで、雪の積もる砂丘という、無意味だけれど幻想的な景色をぼうっと見ていた。ここが、地の果て？　砂の見えない砂丘。さぁ着いてしまった。さてどうしようかね。

そのとき、ふいに由美子ちゃんの細いからだが、前に後ろに、服についたフリルと一緒にひらひらした。見ると、がっちりした男の手が肩をつかんで、揺らしていた。見覚えのあるマッチョな男。……マウンテン坂田だった。

「あ……」

「やっぱり金城もいっしょだったか」

坂田先生はなぜか顔が土気色で、わたしたちよりずっと疲れはてた様子だった。由美子ちゃんを見下ろして、押し殺したような声で、

「前から、砂丘がどうこうと話してただろう。それに、金城の家族が、電話の向こうで駅名が聞こえたと教えてくれたから」

「やだ……。でも、どうやってきたの……」

「飛行機で、昨日」

「あぁ……」

がみがみ男にかんたんに推理されて先回りされていたのだと気づいて、わたしは意気消沈した。まだ、じごくっ、にたどり着いていないのに。

「自分のことに生徒を巻きこむなよ。だいいち、こんなの、みっともないじゃないか」

由美子ちゃんの青白い顔がゆっくりとくしゃくしゃになった。鼻をかんだあとのティッシュみたいだった。なにか言い返してよ、と頼りにしているのに、由美子ちゃんはうつむいて、にやにやと卑屈に笑ってみせた。そうして、言った。

「ごめんなさい……」

がっかりしているわたしのほうに、マウンテンが向き直った。学校にいるときみたいなしゃべり方で、がみがみと言う。

「おい、こら、金城もだぞ。こんなところまでついてきちゃだめじゃないか。こいつ、さいきん不安定なんだ。まったく、なにを考えてたんだ？　送っていくから、おおきな問題になる前にちゃんとうちに帰れ。家族には、心当たりがあるから、ちゃんと連れて帰るって言っておいたから。いまなら、こんなへんなこと、だれにも知られずに教室に戻れるぞ」

がみがみ。がみがみ。まっしろな一面の砂丘が灰色に変わっていくような気がした。わたしはかぁっとはずかしくなって、なにか言わなくちゃと思って、寒さに唇がふるえて、声もなかった。

とつぜん、由美子ちゃんに繋いでいた手をとても乱暴に振りほどかれた。どうでもいいものみたいにかんたんに捨てられたので、わたしはびっくりした。

まっしろな雪の積もる砂丘。

由美子ちゃんは走って、ばたんと転んで、倒れたまま大声でわぁわぁ泣きだした。甲高くてヒステリックな、泣き声。わたしは駆け寄って「ねぇ、由美子ちゃん……由美子ちゃん……由美子ちゃん……」とおろおろした。マウンテンがおくれて、雪の中をのしのし歩いてきて、倒れている由美子ちゃんを乱暴に助け起こした。

わたしたちを見比べて、あきれたように言う。

「それにしても妙な服だな。いい歳して、なんだってこんなもの着てるんだ?」

わたしは気後れしながらも、泣き声にかき消されないようにおおきな声で、言った。

「ピンクハウスです。さいきん流行ってるんです」

マウンテンが不思議そうに聞き返した。

「そうなのか?　先生はぜんぜん知らないぞ」

そう言われた途端、なにかがぷつりと切れた。雪に膝をついてわたしもわぁわぁとヒステリックに泣きだした。マウンテンはそんなことも知らないんだなぁ、とあきれながら、なぜか涙をびしょびしょと流した。

——わたしたちはそれから、三人で飛行機で、帰った。東京まで一時間と少し。帰りはあっというまだった。

外は吹雪になって、窓の外のスクリーンはずっと灰色で、ザァザァと歪《ゆが》み、もう、なにも映さなかった。

東京に戻ると、あの出来事は夢だったように感じられた。中村由美子先生は結婚して学校をやめることになった。すごい人気者だったはずなのに、教室からいなくなると、どんな人だったのかとたんによく思いだせなくなった。それは、明け方に見た奇妙な夢を、目を覚ましてからすこしずつ忘れていくのに似ていた。教室では友達もだれも、わたしと先生の逃避行を知らないままだった。

現実の象徴のように、マウンテン坂田だけは、そのあともわたしが卒業するまでずっと学校にいた。がみがみ。がみがみ。ときおり廊下ですれ違うとき、わたしの顔をなぜか、疲れはてた野良犬のような目でじっとみつめた。

あれは、昭和さいごの年のことで、いまから二十年近くも前に起こった出来事だ。月日はほんとうに矢のように飛びすぎてしまい、あの日いつまでもたどり着かない遠い目的地のように思った漠然とした日常の労働に、いまのわたしはゆったりと埋没している。消えて、はたらく。いつのまにかあのころの瑞々《みずみず》しくて愚かな自分はどこかに永遠に消えてしまっている。じごくっ、は、じつは、とくに遠い場所ではなかったのだ。義務と、退屈。若い日の思い出だけがいつまでもきらきらしい。そしてかつて好きだった人は現実の人間ではなく、まるで秘密の屋根裏部屋でみつけた、かがやく姫君であったかのようだ。現実という窓の外で、たとえどんな人であったとしても。こころの、あまくて、哀しい、作用。

《由美子ちゃん、かわいいよ》

《うん……》

《かわいい。大好き。愛してる》

《愛してる、は、いいよ……》

《でも、愛してるもん》

「おかあさんー」

と、娘がわたしを呼ぶ。

荒川の河川敷は、かっこつけないゆるいピクニックに最適だ。中学生になった娘を連れて、わたしはときどき、弁当片手にここを訪れる。夫が仕事で留守にしている休日に、娘といっしょに羽根を伸ばすのだ。

わたしはもう大人になっていて、だれかの奥さんで、だれかのおかあさんになってしまった。この子を育てなくてはならない立場だ。かつての自分によく似て、でも自分より若干出来のいい、この娘を。だから夢はもう見ない。あれから、ずっと、窓の外。

「おかあさんー」

「なぁに」

「わたしもね、ああいう服がほしい。買って」

娘が箸で指さしているのは、土手を歩く同い年ぐらいの女の子たちだ。フリルとレースがたっぷりのおかしな服を着ている。

「なぁに、あれ」

「下妻物語とかさ」

「え」

「おかあさん、そんなことも知らないのー」

わたしは苦笑する。女の子たちのあいだでは、またもやああいう服が流行っているのか。時はめぐり、繰り返し、ただわたしたちの顔ぶれだけが、つぎつぎとめまぐるしく変わり続ける。女の子という存在はまるで、おなじ映画がくりかえしリバイバルされる、小さなさびしい映画館のようだ。

「いいけども、高くないの」

「高いよ」

「仕方ないわねぇ。一着だけよ」

がたごとと音を立てて、遠くを電車が行き過ぎていく。目を閉じると、あの遠い日の夜汽車にからだごと連れていかれそうになる。もう何年もわたしは、休日のこの土手で、昼下がりの台所で、夜空を見上げる寝室の窓辺で、その衝動にじっと耐えている。

思い出は、まこと不思議でやっかいな力をもつ。わたしのこころの一部はまだ、あの日の中村由美子先生といっしょに、夜汽車に揺られているのだ。がたごとと、ふたりを乗せて、どこまでも。憧れといっしょに、絶望的な光のなかへ。あぁ、中村先生もあの日のふたりのことを、忘れないでいてくれるといいのだけれど。

「おかあさんー」

と、また娘がわたしを呼ぶ。

「なぁにー」

と、わたしは振り向く。

太陽のシール

伊坂幸太郎

伊坂幸太郎（いさか・こうたろう）

一九七一年千葉県生まれ。東北大学法学部卒業。二〇〇〇年『オーデュボンの祈り』で新潮ミステリー倶楽部賞を受賞しデビュー。〇四年『アヒルと鴨のコインロッカー』で吉川英治文学新人賞、『死神の精度』で日本推理作家協会賞（短編部門）、〇八年『ゴールデンスランバー』で本屋大賞、山本周五郎賞を受賞。その他に『重力ピエロ』『終末のフール』『フィッシュストーリー』『あるキング』『PK』『夜の国のクーパー』など著書多数。

1

選択できるというのは、むしろ、つらいことだと思う。

マンションの和室で、机に片肘《かたひじ》をつきながら僕は、母の遺影を飾った仏壇を眺めていた。蛙の模型がついた置時計が、右手のサイドボードの上にある。夕方の五時だった。しばらくすると、美咲《みさき》が帰ってくるはずだ。「で、決まった？」と彼女はいつも通りの、あっけらかんとした口ぶりで訊《たず》ねてくるだろう。三十四歳、僕よりも二つ年上の彼女は、僕の決断力のなさをよく知っている。

決まるわけないじゃないか。

溜め息を堪《こら》えながら、内心で、白黒写真の母に話しかけた。銀の額縁に入った母は、むすりとしている。「優柔不断の決定戦があったら、あんた、絶対一番だね。我が子ながら呆れるよ」女手一つで僕を育ててくれた彼女は、僕の人生の初期の頃から、それが自分でも気に入っている表現なのだろうか、よくそう言った。おそらくあれで僕は、「自分は優柔不断なのだ」と刷り込まれたのではないだろうか。

「でも、真の優柔不断の人は、その決定戦に出場すべきかどうかでまず悩みますから、そのコンテスト自体が開催されないですよ」十年前、結婚したばかりの頃、美咲がそう言い返したことがあった。母は、その返答をいたく気に入り、美咲のことも気に入った。

選択の自由なんかいらない。選択の余地がないほうが好ましい。車で旅行する時も、目的地に着く経路は一つであってほしいし、定食屋の昼食は毎日、固定で一品にしてもらえるとありがたい。僕から言わせれば、そうだ。

「どちらに決めても、大差はないんだと思うよ」美咲はいつも言う。「あの時ああしてれば、とか、こうしてれば、とかいうのは、結局どっちを選んでいても同じような結果になるんだって」

いつだったか僕は、「君と結婚したことについては、どうなのかな。あれも重大な選択じゃなかったのかな」と訊ねたことがあった。その時の彼女の答えも簡単だった。

「あれは選択の権利が、富士夫《ふじお》君になかったんだよ」

「そうだったか」

このまま六畳の和室で首を捻《ひね》っていても、決定できるわけがない。立ち上がり、上半身を反らし、伸びをした。

居間に出て、ハンガーにかけてあるブルゾンを取る。腕を通す。振り返り、レースのカーテン越しに窓の外を見やる。秋らしい、鱗《うろこ》模様の雲が、薄く伸びていた。日が沈みかかっている。気のせいか、最近は夕焼けや雲の流れがとても美しい。まるで、人々が慌てふためいているのを、いい気味とばかりに、周囲の自然が活き活きしはじめたかのようだった。

台所へ足を向けた。コンロの上に置いた鍋から、煮た大根の匂いがわずかに漂っている。昨晩作った、鰤《ぶり》大根の残り半分だ。

「聞いて驚かないでよ」昨日、美咲が言ってきたのは、その夕飯を食べていた時だった。大根を噛《か》み、味が沁《し》み込んでいて美味しい、と頬を緩めた後で、まるで鰤を突くついでのように、「何と、妊娠してるんだって」とつづけた。

「え」と僕は、ぽかんとした。

「今日、病院に行ってきたんだけど」

「風邪気味だと言っていたよね」

「実は、ちょっと体調が変だったからさ、もしやって思ったんだよね」

「思ったんだよね、って」

「お義母《かあ》さんが前に、言ってたじゃない。『世の中ってのは何でもありだね』って」

「いつ頃？」

「ちょうど、五年くらい前」

「ああ」と僕はうなずく。「確かに、あの時は何でもありだった」町中で、おそらくは地上のあらゆる場所で、混乱が起きていた頃だ。投げ遣りな人々があちこちで暴力を振るい、物を盗み、建物に火を放った。あと八年で隕石《いんせき》が落ちてくるんだったら、生きていたって一緒じゃねえか、とビルから飛び降りる者もいた。大勢、いた。死ぬくらいなら死んだほうがマシだ、というのは妙な理屈にも思えたけれど、とにかく、何でもありだった。

「本当に妊娠したわけ？」

「妊娠八週目！」美咲は屈託のない笑い方をした。いつもと同じだ。「さあ、どうしよう」

「どうしようって言われても」

美咲の顔には苦悩はなかった。楽しそうに僕を見据え、「産むか産まざるか。選択の時よ。富士夫君の得意な、選択だよ」と言った。

食卓の脇にかかっているカレンダーに目をやる。昨日の日付に、サインペンで丸印が書き込まれている。「14時　丸森病院」と美咲の字が書き添えられてあった。丸森病院は、「ヒルズタウン」からバスで二区間ほど進んだ場所にある、小さな病院だ。美咲はそこで診察を受けたらしい。病院がまだ機能しているのか、とそのことに呆れてしまう。財布をポケットに入れ、玄関へ向かった。途中で、鍵を取りに和室へと引き返す。写真の中の母と目が合った。「さて、あんたに決断できるのかね」と試すような顔をしている。

2

エレベーターに乗ると、五年前の、八月十五日を思い出す。

あの時、美咲と僕は、仙台市内にある旅行代理店に行き、年末に行く海外旅行のパンフレットを掻《か》き集めてきた帰りだった。例年に比べると冷夏と言われていたけれど、その日は特別に暑かった。身体《からだ》をひねるたびに、着ているTシャツの汗染みが肌に貼りつき、不快だった。

マンションのエレベーターに乗り、六階に到着するのを待っていた。「こんな暑い時期に、ハワイに行く予定を立てるなんて馬鹿だ」と美咲と並んでパンフレットをめくっていた。そしてその時、たぶん二階だったと思う、エレベーターが停止して、婦人が中に入ってきた。彼女は八階のボタンを押すと、僕たちをちらと眺めた後で目を逸《そ》らし、それからやはり我慢できないという様子で、「聞きました？」と目を輝かせた。

「何をですか？」僕はてっきり、マンションの噂話や、町内会のごみ収集の件かと思った。違った。彼女が口にしたのは、町内会よりももっと規模の大きな話だった。

「さっきからテレビがおかしいんですよ。どのチャンネルも同じ放送で」

「故障ですか？」

「変なニュースばっかり流してるんです」

「変なニュース？」

「八年後に小惑星が落ちてくる、とか。壊滅的な状態になる、とか」

いい大人の婦人から、「惑星」であるとか「壊滅」であるとか、幼稚とも取れる言葉が出てくるのが可笑《おか》しくて、笑いを堪えるのが大変だった。

「悪戯《いたずら》ですかね」僕が言うと、彼女は眉《まゆ》をひそめ、「だと思うのよ」と答えた。上を指差し、「今から、板垣さんのところにその話をしに行くんですけど」と雑談が生き甲斐であるかのような、表情を見せた。

そのニュースは結局のところ、悪戯でもでたらめでもなかった。夜、延々と映し出されるテレビの報道番組を眺めながら、僕たちも、「これは悪戯などではない」と信じざるを得なくなった。母に連絡を取ろうにも、電話が不通でどうにもならなかった。今から思えば、あの時の僕たちは、八年後に世界が終末を迎えることよりも、電話がさっぱり通じないことに苛立《いらだ》っていた。

その日の夜、マンションのどこか一室で悲鳴が上がりそれに釣られるように、嘆きの叫びが何ヶ所かで響いた。察しの良い住人が、察しの良い順で上げた絶望の声だったのだろう。

あれ以降、八月十五日は、終戦記念日というよりも、もっと別な意味を持つ日となった。

一階に到着し、通路を進む。エントランスに出ると、正面に郵便ポストが並んでいる。その上に、野球のグローブが、二つ載っていた。長いこと、その場所に置かれたままだ。それが目に入るたび、僕は暗い気持ちになる。使われないグローブが、終わりに向かうだけのこの世界の象徴のように感じられるからだ。

外に出ると緩やかな傾斜があって、右手には小さな花壇がある。いつ見ても、土が綺麗に均《なら》されている。住人の誰かが手入れをつづけているのだろう。

行く当てはない。ただ、歩き回っていれば、何らかの決心がつくのではないか、と期待していた。それにしても皮肉だ、と僕は思う。子供が欲しくて仕方がない時には、まったく結果が出なかったのに、すっかり諦《あきら》めて、妊娠や出産どころではなくなった今頃になって、できるなんて。確かに、何でもありの世の中だ。

3

僕たち夫婦は、結婚した当初から子供が欲しかった。それなりに準備や計算をしていたにもかかわらず、うまくいかなかった。

「念のため、調べてもらおうか」と美咲が、まるで骨董品の価値を鑑定士に見てもらうような軽い調子で言うので、七年前に検査をしてもらった。

「原因は、ご主人のほうにありますね」

不妊治療では有名な、仙台市郊外にある産婦人科医は、僕と美咲の前でそう結果報告をした。作られる精子の数が極端に少ないのですよ、と同情も冷たさも感じさせない、「技術的」と賞賛してもよい、平淡な口ぶりで言った。

「無精子症ですか?」と訊ねると、そうでもない、と曖昧《あいまい》な返事をした。

「絶対に、子供ができないのですか?」と質問を重ねたところ、医師は目を光らせた。

「最近の医療技術は進んでいますから、大丈夫ですよ。もっと詳細な検査をいたしましょう」

それから僕は、自分の身体について説明を受け、数年前にやったおたふく風邪の高熱が影響しているかもしれない、とも言われた。

「ごめん」病院を出た後で、僕は意識するよりも先に謝っていた。

「何で謝ってるの？」と美咲が笑った。

「だって、僕が原因じゃないか」

「別に悪いことじゃないんだからさ」彼女はいつだって鷹揚《おうよう》で、深刻なことを笑い飛ばすのが得意だ。「それに、少し嬉《うれ》しかったし」

「嬉しかったって、何で」

「実はさ、てっきりわたしが原因じゃないかって思ってたんだよね。申し訳ないなあ、って気にしてたんだけど。でも、富士夫君のせいなら、気楽で」

「せい、って言うな、せい、って」僕が慌てて指摘すると、「富士夫君のおかげで」と妙な言い直しをした。その後はいつもの通り、会社の愚痴《ぐち》や昔観た映画の話をしていたのだけれど、帰りのバスの中で、「どうしようかな」と僕は口に出した。

「何が？」

「検査と治療」医者が言うには、不妊の検査は何度もやるべきで、治療をすることで妊娠の成功率は格段に上がるとのことだった。

「富士夫君はどうしたい？」

「僕が訊ねたのに、質問で返してくるのはずるいよね」

「わたしはさ」彼女は目を開いて、じっと僕のことを見つめ、それから今度は目を細くして頬をふっくらとさせた。「どっちでもいいんだ」

どちらかといえば、その台詞《せりふ》は優柔不断な僕が発すべきものにも思えた。「無責任だな」

「いや、本当にそうなんだよ」

「でもさ、やっぱり子供がいたほうがいいじゃないか」

「そうかなあ。検査とかってお金もかかるし、治療も楽なやつとは限らないかもよ」

「脅かさないでくれよ」僕は、一生懸命に頭を悩ませた。決断しなくてはいけない、と重圧を感じながら、思い悩んでいた。

バスを降りて、当時の住まいに戻る間も無言で悩んでいる僕を、美咲は愉快そうに眺めているだけだった。「いいじゃない。どっちでも」と快活に言ったのは、マンションの屋上が見えはじめてきた頃だ。「よし、決めた。じゃあさ、とりあえずは、このままでいようよ。もし、治療したいってことになったらそうすればいいし、そうじゃなければ今のままでいいしさ」

そうして彼女は、失策をした野手を励ます監督がするように、僕の背中をばんっ、と叩いた。僕はその言葉に甘えたつもりでもなかったが、結局、ずるずると七年も経ってしまった。

4

歩いていると、隣で自転車が勢いよく停止した。行き過ぎようとしていたのが、突然ブレーキをかけたので、つんのめりそうになっている。何事かと思って見ると、高校時代の友人の顔があった。「富士夫、ちょうど良かった」

「久しぶりじゃないか」僕と同じく仙台生まれの彼は、今でも隣町に住んでいる。小惑星の騒動で、顔を合わせることは減ったけれど、まだ町に残っているのだとは知っていた。彼は車を持っていない。自慢のオフロード自転車ならあるけれど、それでは家族を連れてはいけないのだろう。

「富士夫、最近、予定空いてるか？」

「向こう三年間は」

「サッカーやらねえか？」

僕たちは高校時代の三年間を、サッカー部で過ごした。彼が中盤のポジションをやり、僕は敵陣でこそこそ動き回るフォワードで、彼がグラウンドに線を引くかのような、綺麗なパスを僕に出してくれ、それを受け取った僕が、ものの見事にゴールを外す、というのが定番だった。それでも、「気にするな。外す時も多いけど、いつもいい場所に走り込むのは富士夫なんだから」とみんなが寛容だったのは、僕たちのチームが、国立競技場を本気で目指すような強豪ではなかったからだろう。

「土屋が帰ってきてるんだ」と彼は言う。「この間、散髪屋で会ってな」

「妙なところで会うね」と言いながらも僕は、町の散髪屋が次々と閉店し、営業中の場所を探すのがとても困難なのを知っていた。いつだって、どの散髪屋も満員だった。世界が終わろうと、隕石が降ろうと、髪は伸びる。

「土屋と喋《しゃべ》っていてさ、近所の奴ら集めて、サッカーをやらないかって話になったんだよ」

「三十過ぎたおっさんたちが、サッカーする話で盛り上がるのも、妙だよな」

「そこがいいんじゃねえか」

どこがいいのか分からなかったけれど、僕はとりあえず、「いいよ」と答えた。サッカーをするのは何年ぶりだろうか、と考えつつ、スパイクはまだ持っていたかな、と頭の中で家捜しをはじめる。そして彼は、明後日《あさって》の午後一時に河川敷グラウンド、と息継ぎなしに言った。

「土屋にはずいぶん会っていないな」僕は高校時代の、サッカー部主将の逞《たくま》しい姿を思い出した。

「『大逆転』の土屋をもってしても、隕石はどうにもならなかったな」彼が残念そうに笑う。

「政府は、隕石じゃなくて、小惑星って呼んでる」

「どっちでも変わらねえだろうが」

土屋は、僕たちサッカー部の要《かなめ》だった。技術的にも、精神的にも。高校の頃から、友人たちの中でも抜きん出て聡明で、俺が俺が、と前に出る性格ではないにもかかわらず、いざとなればみなを牽引《けんいん》していた。弱小チームである僕たちのゴールキーパーで、矢のように打ち込まれるシュートを、孤軍奮闘守っていた。そして、どんなに負けている時も最後まで諦めなかったのが、土屋だった。ハーフタイムで浮かない顔をしていると、「我慢してれば、大逆転が起きるんだよ、富士夫」と、自分の知っている映画の結末を話すかのような、笑顔を見せた。大逆転が起きる時もあれば、起きない時もあった。けれど土屋のその自信満々の様子が、僕たちを、少なくとも僕を、安心させてくれた。

「そうそう」と別れ際、彼に訊ねた。「知り合いが、妊娠したらしいんだけど」と嘘を混ぜる。「相談されたんだ。産むべきかどうか」

「今生まれても、三歳までしか生きられないんだぜ」と答える彼はすでに、七歳になる娘を抱えていた。

「意味がないかな?」こめかみを掻きながら、訊ねる。

「最終的には、本人の決めることだろ」

「だよな」

「俺なら、出産は考えないけどな」彼は言い残し、じゃあ明後日な、と自転車のペダルを漕いで、遠ざかっていった。

取り残された僕は、さらに歩きつづけようとしたのだけれど、どこに行くべきなのか思いつかず悩んでしまった。立ち止まり、ふと空を見上げる。音もなく、けれど忙《せわ》しなく雲が進んでいくのが見えた瞬間、衝突してくる隕石の恐怖が現実味を帯びた物として、背中に覆い被《かぶ》さってきた。あれ、と思った時にはしゃがみ込んでいる。胸と腹の中間あたりに痛みを感じる。立ち眩《くら》みと胃痛にしばらく、うずくまった。立ち上がり、深呼吸をし、「忘れよう、忘れよう」と首を振る。

マンションに引き返そうか、それとも公園に行こうか、と足を前後に動かしながら、「こうやって悩んでいる時はいつだって、美咲が決めてくれたんだよな」としみじみ思った。

5

十二年前、東京の私立大学に通っていた時に僕は、美咲と会った。

僕は、女子大生との飲み会に行くところだった。「参加者病欠のため、繰上げ当選となりました」というような、招待のされ方だったと思う。

用事を済ませた浜松町から、飲み会会場のある池袋に行かなくてはならず、僕は駅の券売機の前に立っていた。路線図を眺めるが、そこではたと困った。

山手線《やまのて》に乗ればいい、とは知っていたのだけれど、内回りと外回りのどちらに乗れば近いのか、即座に判断がつかなかったのだ。路線図を見たところ、池袋はちょうど山手線の中間にあるようにも見えたし、停車する駅の数も似たり寄ったりだった。判断がつかないのであれば、どちらに乗ってもいいはずだ。そう思いながらも踏み切れないのが、優柔不断の優柔不断たる所以《ゆえん》なのだ。

「どこに行きたいの？」と後ろから声をかけてくれた女性がいて、それが美咲だった。券売機の前に立ち塞《ふさ》がる僕が邪魔だったのだろうが、彼女は怒った様子もなかった。

事情を説明すると、彼女は噴き出した。「どっちに乗っても、一、二分しか違わないって」

それは僕にも分かっていることなのだ、と答える。大幅な違いがないからこそ、悩むのだ、と。

すると彼女はさらに、恐ろしいことを口にした。「それならさ、一度、京浜東北で田《た》端《ばた》まで出て、それから山手線に乗ったほうが早いかもよ」

僕は必死に手を振り、半ば怒り出していたと思う。「さらに選択肢を増やさないでほしいんだけど」

「分かった。じゃあ、わたしが決めてあげるよ。山手線、内回り！」

その勢いに圧《お》されたというべきか、指示に従ったというべきか、僕は、彼女にお礼を言い、山手線内回りのホームへと向かった。どういうわけか彼女も一緒についてきて、車内での会話が弾んだせいか、僕は結局、繰上げ当選者の権利を放棄した。美咲がそう決めた。

五年前、小惑星のニュースが駆け巡った時に、マンションでじっとしていよう、と決めたのも美咲だった。つまりは、母が言うところの、「何でもあり」の状態になった直後の頃だ。はじめの一年半ほどは、様々な噂が飛び交った。出所《でどころ》も根拠も曖昧な、真偽のはっきりしない情報がメディアから流れ出た。マスコミも混乱していたのだろう。一番、たちが悪くて、影響が大きかったのが、「オセアニア地域には被害がない」であるとか、「標高千五百メートル以上の高地ならば、安全」であるとか、そういった移動を唆《そそのか》すデマゴギーだった。

近隣の人々が次々と荷造りをはじめ、街を出た。ＲＶ車やキャンピングカーの需要が増大した。生産は当然追いつかなくなり、メーカーが、「我々だって、車を作っている場合じゃないのだ」と怒り出すまでは、大勢の人々が大型車を購入し、移動生活を開始した。

周囲の態度に影響を受けやすく、つまりは、右顧左眄《うこさべん》というのが僕の性質なので、当時はひどく悩んだ。みんなと一緒に街を出ないと手遅れになるのかもしれない、と不安になり、かといって、移動先で生活をする自信もなく、暗い顔で迷っていた。

あの時も、美咲の反応は同じだった。「どうしようか」とまずは僕の顔を覗《のぞ》き込み、僕が、「実は、迷ってるんだ」と打ち明けるのを待って、「それは知ってる」と笑った。

「いつだって、富士夫君は迷っている」

「みんなと同じように出発したほうがいい気もするんだけど」

「決めた」と彼女は明瞭な声を出した。言葉で竹を割るかのような、気《き》っ風《ぷ》の良さだった。「このマンションにしばらくいようよ。ごっそり食料を確保して、隠れていよう。移動するにしても、うちは軽自動車でしょ。限界があるよ」

「何なら買い換えてもいいんだけど」

「嫌。わたしはあの車に愛着があるんだから。それに車検を一月にやったばっかりじゃない。ワイパーも交換したんだし」

世界の終末を前に、「車検」というのもスケールが小さい気がしたけれど、それでも彼女の物言いはあたたかく僕を包んでくるようだった。

「ここで暮らそう。大丈夫」美咲はその際も、僕の肩を叩いた。

「大丈夫って、何が大丈夫なのさ」

「隕石は落ちてこないし、ここで二人で暮らすのはきっと楽しいよ」

彼女の言葉は一つ当たって、一つ外れた。隕石は落ちてくる。生活は楽しい。まあ、同じ一勝一敗でも、逆よりはましかもしれない。

6

結局、公園のベンチでぼうっと夕日を眺めてから、マンションに戻った。食事の支度をしていると、美咲が帰ってきた。反射的に、蛙の模型の時計に目をやる。すでに、七時近くになっていた。

「閉店間際に客がどっと来てね。レジ前に長蛇の列ができちゃって」彼女は羽織っていたジャンパーを脱ぎ、ハンガーにかける。

「いつも長蛇の列じゃないか。途中で帰ってくればいいのに」僕は無意識に、彼女の腹部に視線をやった。仮にも妊婦なんだから。

美咲はスーパーマーケットで、販売員をしていた。アルバイトだ。レジが二つしかない、敷地も狭い店舗だったが、それでも、食料品を売る店がずいぶんと減っている今は、とても貴重な存在だった。

だいたいが、農家も養鶏場の業者も、大半は逃亡するか、引退するか、もしくは死亡するかのいずれかで消えてしまい、仕入先を見つけるのはとても厄介だったし、多くの商店は強奪の対象になったので、店を経営するのは難しかった。

　そんな中、営業をしているのが、美咲の働くスーパーマーケットだ。町内にあった、佐伯米穀店がとうとう店を閉じ、住人の誰もが、「これは不自由になるぞ」と覚悟を決めはじめた頃に、突如として営業を再開した。たぶん、街が少しずつ穏やかになっているのを、店長は敏感に察知したのだろう。とにかく、「こういう時にこそ店を開くのが、真の商人じゃないか」と腰を上げたらしい。

「店長はね」と美咲は言った。「気概というか、誇りというか、そういうのに熱くなる性格なんだよね。使命感に溢《あふ》れ、不可能に挑戦する。そういうのが好きみたい」呆れと賞賛が半分ずつ混じっている声だった。

「正義の味方みたいだ」純粋に僕は、感心した。

「本人もそのつもりなんだよね。店長、そういうヒーローが好きなんだって。自分のこと、キャプテンって呼ばせてるし」

「キャプテン？」何それ、と僕は眉を下げる。

「偉そうでしょ。敬称なんじゃない？　まあ、基本は善人だから、いいんだけど。やっぱり、妙なおじさんだよね。で、お客さんのことは、民衆って呼ぶんだから。『今日も民衆は買い物に来るぞ』とか言ってね。きっと、民衆のために、キャプテンが立ち上がった、っていうイメージなのかも」

「自分も民衆のくせに」僕が不思議そうに言うと、美咲は笑いながら、「民衆じゃなくて、キャプテンだから」と訂正を促してきた。

美咲が部屋着に着替えている間に、僕は次々と食卓に皿を運んだ。茶碗二つに、昨日の鰤大根を載せた皿が二枚、スープ皿が二枚、箸《はし》は二膳だ。

仕事を辞めて以来、家事は僕の担当になっている。男の手料理と言えば聞こえはいいけれど、ようするに手を抜いた、大雑把な料理だ。家にある食材を煮たり、焼いたりする程度で、味付けは塩かソースばかりだった。だから、食材や調理法は違うのに、毎日、台所は同じような香りがしている。

「で、決まった?」料理を食べ終えた頃、美咲が箸を振り、僕の顔を見た。

「え」

「富士夫君の決断はどう?」と目を輝かせた。そして、大袈裟《おおげさ》に自分のお腹のあたりを撫でる。はなから、答えを知っている目つきで癪《しやく》だったけれど、事実、「まだ悩んでいる」としか答えようがなかった。

「良かった」美咲が深く息を吐き出す。

「良かった?」

「だって、ここで即座に答えが出せるようだったら、それは、富士夫君らしくない。つまんないよ」

食器を二人で洗い終えると今度は、オセロの盤を食卓に載せ、二人で向かい合った。これが最近の僕たちの日課だ。流行と言ってもいい。食後はオセロに限る。

僕はオセロが好きだった。他の遊び、囲碁や麻雀、将棋をやるのは気が進まないのに、オセロには抵抗がない。そのことを話すと美咲は、「きっと、選択肢が少ないからだ」と分析をした。麻雀であれば、どの牌を捨てるかはいくつもの可能性があるし、鳴いたり鳴かなかったり、リーチをかけたりかけなかったり、と様々な選択を行わなくてはならない。将棋であれば、移動する駒を選ばなくてはならないし、詰むためのバリエーションはいくつもある。囲碁にいたっては碁盤のどこにでも石を置くことができる。それに比べれば、オセロは手が限られる。置くべき石は白か黒かどちらか一色で、一度置いたら移動できない。相手を裏返すことができる場所にしか置けないし、点数もない。ルールも単純だった。

「だから、富士夫君はオセロ好きと見た」

「鋭い」

この一ヶ月の戦績は、ほぼ互角だ。彼女の記入している手帳によれば、彼女のほうがわずかに勝っている。

「静かだね」

美咲が、僕の黒い石を一気に三つひっくり返しながら、言った。かたん、かたん、かたん、と自分の石が敵の色に翻っていくのを眺めながら、本当に静かだな、と思った。一年ほど前、いや半年ほど前までは、夜ともなれば、町のあちらこちらで人の声が上がった。「目の前が暗くなる」という絶望が、実際に、暗くなった空を見ることでいや増すのかもしれない。夜が深くなるにつれて、街の路面からじわっと、やる方ない思いが滲《にじ》み出るようだった。襲われた女性の悲鳴や、侵入者を撃退する声、世を儚《はかな》んで起きる口論、それらが断続的に聞こえたものだった。

それが今はしんと静まり返っている。カーテンを閉め切っていると、このマンションの、この一室だけが宙に浮かび上がっているような錯覚すら感じる。夜空に浮かび上がり、町を見下ろし、ふわふわと揺れる。だから、町の音が届かない。そう思いたくなるくらいだ。オセロの石を置く音だけが、響く。渋滞を作る車の騒音がなくなったせいでもあるだろう。移動する者たちはおおかた移動し終えて、残っているのは、移動を諦めた者たちだけだ。

「不思議なものでさ」僕は黒の石をぱちりと置き、美咲の白石をひっくり返す。「こんなに静かだと、幸せな未来があるとしか思えない」

「いや、もっと耳を澄ましてみなよ」美咲が含みのある笑みを浮かべた。

片耳をカーテンへと傾ける。じっくりとそばだてるが、物音一つしない。「何も聞こえないけど」

「小惑星が近づいてくる音が聞こえない？」

「それ、笑えないから」胃がきゅっと締まるのが分かる。

こうやって、僕が妻とオセロをぱちぱちと叩き合っている間にも、秒速二十キロであるとか、三十キロであるとか、そういう速度で、小惑星が向かってきている。信じられない。卑怯だ、と詰《なじ》りたくなるが、小惑星も卑怯なわけではない。

「美咲は、どう思ってる？」僕は探るように訊ねた。

「その角を取られたのは痛い。と思ってる」とオセロ盤の右隅に置いた、僕の黒石を指差した。

「そうじゃなくて、子供」

「だよね」彼女は、僕を真っ直ぐに見た。

心なしか、彼女の口の周りに皺《しわ》が目立っているように見えた。美咲は、三十四歳という年齢にしては、かなり若い外見をしている。二十代と見間違われることも多いし、脂肪を持て余す体型でもない。けれど、それでも確実に年を取っているんだな、と改めて感じた。目尻にもうっすらと線のような皺が見えた。

「まさか、子供ができるとは思わなかった」僕は精一杯、明るい声を出す。「あの医者、ヤブだったんだなあ」

「可能性が低いと言っただけだったから、嘘を言ってたわけじゃないよ。わたしたちが諦めていただけでさ」

「本当に諦めてた」僕は溜め息をつく。「すっかり忘れていたし」

「忘れていたって、避妊を？」

「セックスをしたら子供ができるってこと自体も」それは僕の正直な気持ちだった。十年前、子供は男と女のどちらがいいだろうか、と話していた頃が嘘のようだった。子供が欲しかった、ということすら忘れていた気がする。たぶん、僕も美咲も、お互い無意識ながらも、子供や出産のことは口に出さないようにしていたのだろう。

「怒ってるかな」と美咲が首を曲げ、自分のお腹を見下ろした。

「怒ってる？」と聞き返したところで、彼女の言わんとすることが分かった。確かに、怒っているかもしれない。無計画に、無責任に、無頓着に子供を作った僕たちに向かって、彼女の腹の中の子供は、勝手に妊娠しておいて悩むんじゃねえよ、と憤《いきどお》っているに違いなかった。「怒る権利はある」と僕は実感を込めて、言う。怖さすら感じた。

「常識からしたら、産むべきではないのかなあ」美咲が首を捻る。「あと三年で、終わっちゃうんだもんねえ」美咲は、書棚の脇に貼ったカレンダーに目をやった。「三歳までも生きられないなんて、ちょっとひどいよね」

「ひどい」果たしてそうなのか、と僕は悩む。「かもしれない」

「生まれてこなくても、生まれてきても怒るだろうね」彼女はまた、自分の腹を見た。「もし、無事だったら？」

「この子」

「ただ さ」僕は昨日の晩から頭に引っかかっていることを口にする。「小惑星が落ちてこなかったら、ってこと？」

え、と美咲は一瞬、動作を止めた。「小惑星が落ちてこなかったら、ってこと？」

「そう。落ちてきても、何らかの方法で無事に済んだりして。そうしたら、あの時、子供を産んでればって後悔しないかなあ」

言いながら僕は、「何らかの方法って何だよ？」と思わずにはいられなかった。僕が考えつくようなことは、すでに世界中で実行済みだった。各国の政府が知恵を出し合い、仰々しいセレモニーまで開いた後で、核兵器を打ち上げたこともあったし、シェルターの建築もはじめていた。けれどどれも、うまくいった様子はない。僕みたいな小市民に連絡がないだけかもしれないけれど、それでも、好転した様子はまるでなかった。現実は、映画のようにはいかない。映画の俳優たちは演技をしているだけだが、現実の政治家たちは本当に、パニックを起こしている。

「後悔なんてしないよ」彼女が笑う。「小惑星から救われただけでも、ラッキーなんだからさ。わたしと富士夫君は抱き合って喜んで、で、また、子供を作ればいいんだよ」

「そうだよねえ」僕はうなずいたけれど、納得したわけではない。「でもさ」とまた煮え切らない言葉を挟む。「十年かかって、やっと妊娠したんだよ」

「次も十年かかるとは限らないでしょ。一度妊娠すると、しやすくなる、という話も聞いたことあるし」

「もう、できない可能性もある」

「それならそれでいいじゃない」美咲は軽やかなものだった。「今までも夫婦二人で楽しく生きてきたんだから、それがつづくだけだよ」

「僕もそうは思うんだ」

「でも、納得はしていないわけだ」

「試されている気がするんだ」僕は、オセロの盤にもう一度目をやって、「あれ、どっちの番だっけ?」と確認をした。「富士夫君」と彼女が指差してくるので、黒石をぱちりとやって、白を二つやっつけてやった。

「試されているってどういうこと?」

「僕たちがここで子供を諦めたら、それは小惑星の衝突を受け入れたことになるんじゃないかな。どこかで誰かがそれを見ていてさ、それならば、衝突させてやろうって判断するのかもしれない」

「どこかの誰か、って誰?」

「知らないよ。ずっと遠くで、こっちを眺めてる何かだよ」

「神様とか？」

「三丁目の山田さん、とかそういうんじゃないのだけは確かだ。とにかく、僕はそう思うんだ。で、逆に僕たちが、出産を選択すればさ」

「小惑星がぶつからない？」

「例えばね」

「それって、宗教っぽくないかな」

うーん、と僕は唸《うな》る。腕を組む。「宗教なのかな、こういうのも」そのあたりの区別が分からなかった。そしていつから、「宗教」という言葉が非難語になったのだろう、と不思議に思った。

「でも、もし子供を産んで、しかも、三年後に小惑星がぶつかったらどうするの。『思い過ごしだったね』で済ますつもり？」

「無責任かな」

「いや、悪くはないと思うよ」美咲は本当に寛大だった。どんな意見を出しても、嫌悪感を示さず、返事をしてくれる。ずいぶん前に、「君は、僕のどこが良くて」と下らない質問をしたことがあったけれど、彼女は真顔で、「富士夫君は優柔不断だけど、でも実は、どっちを選択すべきか本当は知っているんだ」と答えた。買い被りだよ、と僕は泣きたくなった。

「ということは、産むことにしようか」美咲が、僕の目をじっと見た。

「もう少し、時間をくれないかな」

どうせ時間がいくらあっても決断できないくせに、と彼女は言わなかった。ただ、

「わたしはいつまでも待ちたいけど、タイムリミットはあるからね」とだけ付け足した。

その通りだった。出産しないのなら、悠長なことは言っていられない。

また、オセロを再開する。途中で、「このオセロでわたしが勝ったら、産むことにして、負けたら、産まないことにしようか?」と美咲が提案した。

「それは嫌だ」

「冗談でした」

7

二日後、僕は広瀬川河川敷のグラウンドで、久しぶりのサッカーを楽しんでいた。集まったのは全部で十二人で、敵と味方が六人ずつに分かれて、試合をやった。

大半が見知った顔だった。近所の四十歳のおじさんもいたし、高校時代の先輩もいた。名前を知らない若者が、一人いたのだけれど、「レンタルビデオ屋の店長」と説明を受けて、納得した。以前はよくその店に通っていた。

少ない人数で駆け回り、攻撃も守備もやるというのは本当に疲れた。汗はかくし、息は切れ、足はもつれる。けれど、爽快感のほうが勝っていた。ぜいぜいと呼吸を整えるのが精一杯で、僕たちは特別、言葉を交わさなかったけれど、それでもそれぞれの顔には満足感が漂っている。家族を連れてきている者もいた。グラウンドの脇の芝生で寝転がり観戦している老人たちもいた。僕を誘ってくれた同級生の彼は、「こんな時にサッカーなんてやって、何を考えてるの」と奥さんにたしなめられたらしい。

ストップウォッチがあるわけでもなかったので、三点先取した側が勝ち、というルールではじめたのだけれど、お互いが二点を取った時点で、ひいひいと全員が喘《あえ》ぎ出し、腿《もも》の張りに悲鳴を上げ、結局、同点のまま休憩を取ることになった。それぞれが足を引き摺《ず》り、グラウンドの外に出る。帰る、と言い出す者はいなかった。

土屋と喋ったのは、その時だ。ベンチに腰をかけていると、隣に腰を下ろして、「富士夫、久しぶりだよな」と声をかけてきた。

「本当に久しぶりだ」

十五年ぶりくらいに見る土屋は、白髪混じりになって、眉間《みけん》の皺も深くなっているせいか、貫禄が増して見えた。けれど、どこか穏やかな、安心感のようなものは相変わらず漂っていて、僕は嬉しかった。

「結婚してるんだろ？　奥さん、来てないのか？」

「彼女、日中はスーパーマーケットで働いてるから」と僕は答える。

「あと三年しかないんだから、なるべく一緒にいたほうがいいだろうに」

「キャプテン・スーパーマーケットの手伝いも悪くはないよ」僕がぽつりと言うと、右隣の土屋は「え」と聞き返してきた。「昔、そういう映画あったよな」とも続ける。

「何だいそれ」と僕は首を捻った。

「チェーンソーを持ったヒーローだ」と訳の分からないことを答えた。

目の前には、砂利のグラウンドが広がっている。サッカーのゴール、野球用のネットやスコアボードはあるけれど、それ以外には何もない。向こう端には草叢《くさむら》があって、それをさらに越えると広瀬川が流れている。右手に視線を伸ばせば、川を横断するための橋が架かっている。錆びて、銅色をした橋だ。数年前、あまりの渋滞に苛立った人々が、何を思ったのか発作的に次々と、橋の上から飛び降りたこともあったらしい。

空は真っ青だった。白い雲が、刷毛《はけ》で刷《は》かれたように伸びているだけで、後は、青一色だ。冷たい風が首筋に当たる。汗のせいか、ひんやりとした。川の音がする。心臓の鼓動がひっそりと響くような、せせらぎで、耳の産毛が音を立てているのかとも思った。

美咲が隣にいれば最高だな、と僕は感じ、それから例の案件、妊娠と出産のことを思い出した。

「あのさ」と土屋に相談しようと口を開いたが、それと同時に彼も、「俺さ」と言った。

「何？」と僕は話を譲る。

土屋は口元を緩めた。「俺さ、最近、すげえ幸せなんだよ」

「こんな時に？　あと三年しか、ないのに？」

「あと三年だからだよ」土屋は、僕に横顔を見せていた。唇の両端を緩やかに持ち上げて、川の方向に目を向けている。

「土屋って、死にたいのか？」

「何だよ、それ」

「だって、あと三年で嬉しいって言うからさ」

「子供がいるんだ」と土屋は口を開く。「リキって言うんだけどさ」

僕はその「リキ」の漢字を思い浮かべることができなかったけれど、とりあえず、「『南極物語』に出てきた、リーダー犬の名前だ」と返事をした。

「何だよ、それ」と土屋が笑った。「今、七歳なんだけどな」

「じゃあ、あいつのところと一緒だ」と僕は、グラウンドに残ってシュート練習を繰り返す、元チームメイトを指差した。

「らしいな。でもさ、リキは結構、特殊なんだよな」

「特殊？」

「生まれながらに病気でさ」土屋の口調は湿っぽいものではなくて、それは高校時代の彼の喋り方そのものだった。

「先天性ってやつ？」

「先天性の進行性。すごいだろ」

すごいね、とは言えない。

「敵チームにはじめから五点献上して、試合がはじまったようなもんだよ。しかも、ゴールキーパーはなし。リキはさ、そういう圧倒的に不利な試合条件で生きてるんだ」

それから土屋は、僕の聞いたことがない病名を口にした。内臓が人よりも小さく、しかも、年を取るごとに縮こまってくる病らしい。視力はほとんどなくて、喋ることもままならない。

「大変だね」と僕は、何の足しにもならない言葉をかけるしかなかった。それから、高校生の土屋を思い出す。友人に慕われて、いつも堂々とし、前向きだった。もしかしたら僕は、土屋になりたいと願ったこともあったかもしれないな、とも思った。

「人生ってのはいろいろあるもんだよな」

「三十二歳で人生を分かって、どうすんだよ」と僕は苦笑する。

「なあ、富士夫、俺とうちのカミさんがさ、今まで、一番不安だったことを知ってるか？」

「子供の病気のことじゃなくて？」

「まあ、そうなんだけどさ。いつも俺たちがびくびく怯《おび》えていることがあるんだ」

「何だい、それ」

「自分たちが死ぬことだよ」

「死ぬこと？」それは、単なる死への恐怖とは意味が異なるように、聞こえた。

「リキは病気を抱えているけどな、俺たちは毎日楽しく暮らしているんだ。負け惜しみとか強がりじゃなくてさ、本当に俺たちは楽しく暮らしているんだぜ」

「嘘だとは思わないよ」僕の知っている土屋なら、きっとそうだ。

「でも、先を見るとやってられないんだよな」

「どういうこと」

「リキが成長していくのが、不安なんだよ。俺たちは年を取るだろ。いくら健康でも、いつかは死ぬじゃないか。で、俺たちが死んだら、リキはどうなる」

「ああ」

「それを考えると、愕然《がくぜん》とするんだよな」

僕は、土屋の顔をまじまじと見つめる。

「生きている間は、どんなことがあっても、面倒を見る覚悟はできてるんだ。でもな、死んじまったら、難しいだろ」

「そうだね。難しいと思う」

「それが俺とカミさんの悩みだったんだ」

「なるほど」

「ただ、土屋はそこで言葉を切って、僕に顔を向け、喜びと困惑の混じった目を向けてきた。受験の合格発表で、合格した者が、不合格の友人を哀れむような顔だった。

「あと三年になっただろ」とぽつりとつづけた。

そこで僕はようやく、土屋の言いたいことが分かりはじめる。

「小惑星が降ってきて、あと三年で終わるんだ。みんな一緒だ。そうだろ？　そりゃ、怖いぜ。でも、俺たちの不安は消えた。俺たちはたぶん、リキと一緒に死ぬだろ。っつうかさ、みんな一緒だろ。そう思ったら、すげえ楽になったんだ」

言葉に詰まった。感嘆とも驚きともつかない感情で胸がつかえた。呼吸がうまくできない。僕は、土屋の力強さに目をしばたたくしかなかった。

「みんなには申し訳ないけどさ」高校生の頃から彼は、いつだって他人の気持ちを配慮していた。「でも、最近、俺はすげえ幸せなんだ」

「土屋は偉いよ」何といっても、十代の時のおまえと変わっていないじゃないか。

「偉かねえよ。でもさ、ここに来て、あれだ、あれが起きた気がするんだ」

「何がさ」

「大逆転だ」土屋は、高校生の土屋そのものになっていた。「大逆転が起きたんだ」


僕は、自分の相談事は呑み込んだままにした。涙とも汗ともつかないものが、じんわりと目尻に滲み出てきていた。

「あれ、見ろよ」しばらくして、土屋が正面の太陽を指差した。沈みかけの太陽は、綺麗な円形をしていて、空に貼りついたシールのように鮮やかだった。「小惑星が落ちてさ、俺たちがいなくなっても、きっとあの太陽とか雲は残るんだろうな」

「そう言われればそうだね」あのシールは容易に剝《は》げそうもない。

「ちょっと、心強いよな」土屋が静かに言うのが、印象的だった。

僕が立ち上がると、示し合わせたかのようにまた、グラウンドにみんなが集まりはじめた。すっかり疲れ果てているのに、試合をやろうとしている。物好きなオヤジたちだ、と僕は思った。そして、サッカーボールを蹴りはじめる。

試合再開から十分、土屋からふんわりとした柔らかいパスが飛んできて、それを直接ゴールに叩き込んだ瞬間、僕は決断をした。

8

僕たちは結局、日が暮れて、ボールが見えなくなるまで蹴り合いを続けた。荒い呼吸音を出しながら、「またやろうぜ」と口々に言い合って、そして、河川敷を後にした。土屋に一言声をかけたかったのだけれど、薄暗く外灯もないグラウンドでは、彼の姿を見つけることができなかった。

家に帰ると美咲がすでに、部屋にいた。「ちょっといろいろあって、店を早退してきちゃった」

もしかして体調が悪いのか、と不安になるけれど、「そういうんじゃないんだ」と彼女は首を横に振った。珍しく、歯切れが悪い。

食事の準備はすでにできていて、台所には、ホワイトソースと焼けたチーズの香りが、漂っていた。僕の作った料理はこんなに豊潤な匂いはしないぞ、と何に対してというわけではなく、腹が立った。

シャワーを浴び、着替えを終えると、食卓に皿が並んでいた。グラタン皿とスープ皿が二枚ずつに、パスタの載った大皿が一枚、取り皿とスプーンとフォークが二つずつ。チーズが食欲を誘い、涎《よだれ》が口の中に広がる。

「どうしたの？　急に早退したり、食事を作ったりしてさ」と食べながら僕が訊ねると、美咲は困惑した表情を見せて、「富士夫君に謝ることがあってね」と言った。

ああこれは、と僕はぴんときた。彼女はおそらく、僕に頭を下げて、自分の決断を口にするつもりなのだな、と想像した。いつもの僕であれば、彼女が自らの意見を先に言ってくれるのを、期待しただろう。「そうだね、そうしよう」と後から同調するのは気が楽だ。山手線の時や、この町から脱出すべきかどうか悩んだ時と同じだ。

けれど今日は違った。僕はすでに自分の考えを決めていた。いまだかつてないくらいに、きっぱりと決断を下していた。だから、「先に言いたいことがあるんだ」と思い切って、口に出した。

美咲は一瞬目を丸くしたがすぐに、「何?」と茶化すような口ぶりになった。

「実は、決めたんだ」

「決めた?」美咲は、スプーンでスープを掬《すく》ったまま、口を開け、動作を止めた。しばらくして、「富士夫君が?」と付け足す。

他に誰がいるんだ、と僕は笑って、「産もう」と口にした。張り切った声でも、震えた小声でもない。いつも通りの、食事の際に雑談をする時と同じ口調で言えた。

「羽毛?」美咲が目をぱちぱちとやる。

「考えたんだ。そして決めたんだ」何がきっかけだったのかははっきりしない。土屋の息子の話なのか、「大逆転」という言葉の力強さなのか、それとも久しぶりに感触を楽しんだサッカーボールの重みなのか、どれがそうというわけではないけれど、僕は決心していた。「答えははじめからあったんだ。それを言う度胸がなかっただけで」

「子供を産みたいの?」

「いや、実際に出産するのは美咲かもしれないけれど、僕は、子供が生まれてきたほうがいい気がする。いや、産むんだ」

「倫理的に？」

「そんな立派なものじゃないよ。ただ、子供がいても、僕たちはきっと幸せだ。いや、もっと幸せになるはずだ」喋りながら僕は、スープに口を付けた。啜《すす》ると、喉《のど》から胃へと安心感を含んだ温かみが、流れた。「小惑星は落ちないかもしれない。そうだろ？大丈夫だよ」僕は、自分がまさかこうも物事を断言できる日が来るとは思ってもいなかったので、嬉しかった。和室の仏壇、母の遺影に一瞥《いちべつ》をくれ、どうだ、と胸を張るような気分になる。「隕石は落ちてこないし、ここで三人で暮らすのはきっと楽しい」五年前の美咲の台詞を真似した。「もし仮に、三年しか一緒にいられなくても、生まれてくる子供は幸せだ」

「無責任だ」と彼女は半分笑いながら、指差してきた。

「いや、無根拠だけど、無責任ではない」と僕は反論をする。昨日まではずっと、美咲の腹の中の子供が、どうしたら許してくれるのか、そればかりを考えていた。堕胎しても許してくれるだろうか、とか、三年も生きられないのに出産して許してくれるだろうか、とか。それればかり気にしていた。

「大丈夫」僕は自分自身に言い聞かせるために言う。「こういうのは、許すとか許されないとか、そういうものじゃないんだ。僕には自信がある」

そこで、美咲は今まで見たこともないくらいに顔をくしゃくしゃにした。目を細め、瞳には薄っすらと涙を滲ませていた。と思う。そして、持ったままだったスプーンを口に運び、それを素早く飲み込むと、僕に向かって頭を下げた。「富士夫君、ごめん」

「え」期待していた返答とは違った。

「感激したよ。富士夫君がそんな風に決めてくれるなんて、思いもしていなかったんだ。本当にびっくりした。感動的だ」

「だろ」僕はたじろぐ。あれが感動的でなければいったい何が感動なのか。「で、どうして謝ったわけ？」

「実は」彼女がそう言いはじめた時点で、これは予想もつかないことが起きるぞ、と僕は予感した。今までの前提がすべて覆《くつがえ》ってしまう、それこそ、「大逆転」が発表されるような、そういう気配が明らかに漂っていた。先ほどまでの勇ましさは急に蒸発していた。僕は怯える羊のように、息を呑み、彼女の言葉を待った。

「今日、スーパーで聞いたんだけど」美咲は照れ臭そうだった。「丸森病院って、実は、信用できないんだって」

何それ。

「あそこの産婦人科医は特にね、診断が怪しいので有名なんだって。うちのお客さんでも誤診された人が二、三人いたみたいで」

「嘘だろ」

「びっくりした？」

「というよりも、身体に力が入らない」実際のところ僕は、手が震えて、スープを掬うことができなかった。「ヤブ医者だったってこと？」

「限りなく」

「そんな奴がどうして、病院で働いてるんだ」

「何でもありの世の中だから」彼女は、僕を憐れむように、優しい笑みを見せた。

9

翌日、美咲は、別の、信頼できると評判の産婦人科へ向かった。念のため、正しい診察を受けておこう、というわけだ。

車で一緒に行こう、と僕は申し出たけれど、「これくらいは自分で行くよ」と美咲が強く言うので、結局、僕はマンションで留守番ということになった。

おそらく妊娠していないだろう、というのが彼女の予測だった。「十年間できなかったんだから、最初から怪しむべきだったんだよね」

僕は全身に脱力感を覚えていた。サッカーによって生じた筋肉痛に襲われているせいかもしれないが、とにかく、部屋のソファで横になったきり、動く気になれなかった。

もちろん心の中で、自分を誇らしく思うところはあった。優柔不断で、電車に乗るのにさえ右往左往していた僕が、出産という重大な局面で、すぱっと決断を下した。これは、本当に上出来だった。それも、口先だけで言ったわけではない。「産もう」と言った瞬間の僕は、将来の自分たちを手で触れるような現実のものとして、思い浮かべていた。美咲と二人で子供を育てている状況が想像できた。「三年後」が近づき、世の中が再び騒がしくなり、強奪や暴力が氾濫《はんらん》しても、僕は必死に子供を守っている。そして、快活に笑い合い、三人で食卓を囲んでいた。十年後、子供と向かい合って、オセロをやる僕だって、確信できた。「ちょっとわたしも混ぜてよ」と美咲がつまらなさそうに言い、「オセロは二人でしかできないんだ」と僕が残念そうに説明をし、「お母さんは待ってて」と子供が生意気な口を利く、そんな、恥ずかしくなるくらいにあたたかい情景すら浮かんだ。

結局、ヤブ医者の誤診だったとすると、その未来は消えてしまうわけだけれど、でも、昨日あの決定を下した自分に自信を持って、僕はこの後を生きていけるのではないか。

美咲が帰ってきたのは、夕方の五時前だ。僕は焼きそばを作ろうと、キャベツを切っていた。その時に彼女が、慌ただしく部屋に上がってきた。

「お帰り」と僕が言うと、彼女は顔をゆがめた。嬉しさと照れ臭さ、それと、申し訳なさそうな表情が入り混じっていた。

「もしかして」と僕は包丁を置いて、彼女に近づく。「やっぱり妊娠してたとか？」

美咲は噴き出してから、拝むように両手を前で合わせる。「ごめん、富士夫君」

「どうしたの」

「結局、妊娠してるみたいなの」

「そりゃ」びっくり。

「しかも、双子かもしれないって」

僕はあまりにびっくりして、声を発することができなかった。けれど、次に言うべき台詞は分かっていた。「それならオセロを二組に分かれて、できるじゃないか」

窓の向こう側、ずいぶんと小さく見える太陽が、僕の右頬を照らしている。世界の終わりがやってきても、きっとびくともしない、真っ直ぐで強靭《きょうじん》な眩《まぶ》しさだ。

チヨ子

宮部みゆき

宮部みゆき（みやべ・みゆき）
一九六〇年東京都生まれ。八七年「我らが隣人の犯罪」でオール讀物推理小説新人賞を受賞してデビュー。九二年『龍は眠る』で日本推理作家協会賞、九三年『火車』で山本周五郎賞、九七年『蒲生邸事件』で日本SF大賞、九九年『理由』で直木賞を受賞。『模倣犯』で二〇〇一年に毎日出版文化賞特別賞、〇二年に司馬遼太郎賞、芸術選奨文部科学大臣賞文学部門をそれぞれ受賞。〇七年『名もなき毒』で吉川英治文学賞を受賞。著書多数。

話を聞いたときには、とても割りのいいアルバイトだと思ったのだけれど、やっぱり、世の中はそんなに甘くなかった。

「だいぶくたびれてるけどさ、でもこれ、顔は可愛《かわい》いだろ？　色もきれいだしさ。サイズが小さいんで、他の店員だと駄目なんだ。のぞき穴の位置がずれちゃうからさぁ」

あなたは小柄だからぴったりなんだと、店長さんは嬉《うれ》しそうに言う。

「わたしは友達から、お客さんに風船を配る仕事だって聞いてきたんですけど」

「そうだよ。仕事は風船配るだけ。そン時にこれを着てほしいわけよ。家族連れのお客さんには、ぜったい喜ばれると思うんだよね」

そうかなぁ……。

従業員用更衣室の壁に、いかにもくたびれましたという感じでもたれかかっているのは、ピンク色のウサギの着ぐるみだ。店長さんの言うとおり、テーマパークなんかで見かける普通の着ぐるみよりも、全体に小さい感じがする。

「これ、いつごろ買ったんですか」

「うーんとね、五年前だね。やっぱり創業五周年感謝バーゲンをやったときに、社長の奥さんがどっからか持ってきたんだよ。浅草で買ったって言ってたかな」

当時も、小柄な店員さんがこれを着て店の前に出て、風船やキャンディを配ったのだそうだ。

「それがとっても受けたから、この十周年記念感謝大バーゲンでもやろうってことになったわけよ」

当時はこの着ぐるみだって新しくて、色ももっとずっと鮮やかで、可愛かったのだろう。お母さんに連れられて買い物にきた子供たちを、大いに楽しませたかもしれない。だけどね。今はこれ、見る影もないじゃありませんか。

五年間、ずっと倉庫にしまいっぱなしにされていたのだろう。陽《ひ》にあたってないせいか色はあまり褪《あ》せてないけれど、そのかわりあちこちに灰色の黴《かび》が生えている。二本の長い耳はくたくたとしおれて、右耳など、引っ張って持ち上げても、すぐにぺたりと倒れてしまう。ピンク色の身体《からだ》に、ぽつりぽつりと白い点が散っているのは、倉庫を掃除する人が、この着ぐるみのすぐそばで、漂白剤のついたモップを振り回したのかもしれない。薬剤がくっついたところだけ、ピンク色が抜けちゃったのだ。ということは、この着ぐるみ、むき出しで倉庫に置かれてたの？

プラスチック製のふたつの目は、油じみた埃《ほこり》にまみれてすっかり曇っている。

「なんか臭い。ダニがいそう」

わたしの言葉に、店長さんはおおらかに笑った。

「今日一日、日向《ひなた》に出して乾かせば大丈夫だよ。よく叩《たた》いてやれば埃もとれるし」

触ってみると、表面がじっとりしている。着ぐるみの背中をさぐってジッパーを探し、開けてみると、内側はもっと湿っぽいようだ。おぞましくて、顔が歪《ゆが》んでしまった。

「だからさ、乾かせば平気だって」

先回りしてそう言うと、店長さんはぽんぽんとわたしの肩を叩いた。

「それじゃ明日ね。開店は十時だけど、九時までに事務室に来てください。よろしく頼むよ」

着ぐるみの手入れをしたいなら、駐車場の方でやってね。あそこなら日当たりもいいよ。上機嫌のまま、店長さんはとっとと逃げていってしまった。

わたしは、ふやけた着ぐるみと一緒に取り残された。腹が立つので、着ぐるみの鼻をつんとつついてやると、たったそれだけの動きで、中身のないウサギはよれよれと崩れ落ち、壁際に倒れてしまった。

まったくもう、やんなっちゃう。

貧乏学生には、アルバイト収入は命の綱だ。いい仕事があるよ、一日で一万円。スーパーのバーゲンセールの手伝いだからきれいな仕事だよ。声をかけてくれた友達の顔が、あのときは仏様みたいに見えた。でも取り消しだ。あいつは詐欺師だ、人買いだ。せめてもう一日あれば、この小汚《こぎたな》い着ぐるみを持って帰って、丸洗いすることもできたろうに。ため息が出た。


「あらあら、バイトさん？　ご苦労さま」

更衣室で着ぐるみに足を突っ込んだところで、うしろから声をかけられた。ぽっちゃりとした顔をふくふく笑わせて、ちょうどうちの母ぐらいの歳《とし》の小母《おば》さんが立っていた。まっすぐロッカーに近づいて、扉を開ける。名札には「田中」とあった。

「そうなんです。一日だけですが、よろしくお願いします」

「こちらこそ」

田中さんはロッカーから取り出したライトブルーの制服に着替える。そしてわたしの着ぐるみを指して言った。

「それ、一人で着るの大変よ。手伝ってあげようか」

引っ張ったり伸ばしたり、二人がかりでもけっこうな手間だった。ようやく身体を収めることができたときには、わたしはうっすら汗ばんでいた。まだ完全にウサギになりきる必要はなかったので、頭の部分だけは、フードのように背中に垂らしてある。

「蒸し暑いし、これでけっこう重たいから、肩が凝るわよ。歩くときには足元に気をつけてね。普段の自分よりもふたまわりぐらい大きくなってるわけだから、思いがけないところにぶつかったりするの」

実感のこもったアドバイスだ。

「田中さんも、着ぐるみを着たことがあるんですか？」

小母さんは、狭いロッカー室に響き渡る明るい声で笑った。「うん。だって五年前にこれを着たのはあたしだもの」

わあ、そうだったのか。そういえば、田中さんも小柄だ。

「五年のあいだにこのとおり、太っちゃってね」

田中さんはおなかをぽんぽんと叩いた。おっしゃるとおり、ぷっくりしている。

「十二キロも増えちゃったのよ。それでも店長は最初、あたしにもういっぺんこれを着ろって言ったんだけどね。そんなの無理無理無理。他の人たちじゃもっと無理。でね、どっちにしろバイトさんを頼むことは決まってたから、だったらその人に着てもらおうってことになったわけよ」

ごめんなさいねェと、陽気に謝ってくれた。わたしはえへらえへらと愛想笑いしながら、それだったら、せめてこのウサギさんを洗っておいてほしかったと、おなかの底で力を込めて考えていた。昨日、精一杯手入れしたけれど、やっぱり着ぐるみの内側はじめっとしているのだ。腕や脚は、素肌が直《じか》に着ぐるみの内部に触れているので、すでにしてムズ痒《がゆ》い感じがする。

「頭もかぶってみる？　今のうちに歩く練習をしておいた方がいいわよ」

田中さんが着ぐるみの頭の部分を持ち上げてくれたので、わたしはそこにもぐりこむみたいに身をよじり、すっぽりとかぶった。

「どう？　視界が狭くなるから、ちょっと怖い感じがするわよね、最初は」

のぞき穴の位置に両目をあてて、わたしは更衣室のなかを見た。ロッカーが並んでいて、金網の入った窓ガラスが見える。確かに視界は狭まってしまったけれど、それほど苦には感じない。むしろ息苦しい方が気になった。空気穴は、顎《あご》の下にひとつ空《あ》いているだけだ。

「あら、可愛いわぁ」

田中さんは喜んでいる。動く気配がするし、声は斜め前の方から聞こえる。だけど姿が見えない。ライトブルーの制服が、どこにも見当たらない。

かわりに、ヘンなものが見えた。灰色の、むくむくした毛のかたまりだ。すごく大きい。田中さんと同じぐらいのサイズだ。それがわたしのすぐそばに立っている。

よく見ると、それはクマの着ぐるみだった。

「田中さん？」

「あたしはここよ。やっぱり見えにくい？」

灰色のクマの着ぐるみが、田中さんの声で返事をしながら、もっさりもっさりと動いてわたしの正面に来た。

田中さん。これ田中さん？　なんで着ぐるみを着てるの？　いつ着たの？

「あの……」

思わず手を伸ばし、灰色の毛に触ろうとしたら、身体がよろけてしまった。

「大丈夫？」

わたしを支えてくれた。田中さんの声でしゃべる、この灰色のクマさんが。

いったいどういうことだ？

「ちょっと、ちょっとこれをとってください！」

わたしは、まるで身体に火がついたみたいに悲鳴をあげて、ウサギの頭を脱ぎ捨てた。

すると目の前に田中さんがいた。ライトブルーの制服を着た、ぽっちゃりした小母さんがいた。びっくりして目を瞠《みは》り、しり込みしかけている。

わたしは息を切らしていた。

「どうしたの？　着ぐるみの内側に何かついてた？　虫でもいた？」

田中さんの問いかけを無視して、わたしはもう一度ウサギの頭をかぶった。かぶるときは目を閉じていて、

「田中さん、そこから動かないでね！」

「え？　ええ」

目を開けてみると、そこにはやっぱり灰色のクマがいた。

「あんたどうしちゃったの？」

田中さんの問いかける声が裏返る。灰色のクマが、何よびっくりするじゃないのという仕草《しぐさ》をしている。

着ぐるみの内側で、わたしはぽかんと口を開けていた。

「ちょっと——そのへんを歩いてきます」

わたしは手で壁を伝いながら、よろよろと更衣室から出た。


誰《だれ》もがみんな、着ぐるみを着ていた。

いえ正確には、着ているように見えるのだ。このピンクのウサギの着ぐるみをかぶり、のぞき穴から外を見ると。

出勤してくる店員さんたちが、着ぐるみを着たわたしの目には、ぬいぐるみの行進に見える。この人はネコ。この人はタヌキ。この人はおサルさん。ちゃんとしっぽもついている。店員さんは圧倒的に女性が多いので、それらのぬいぐるみたちはみんな可愛らしい声でしゃべり、女性の声で笑う。当然、動作も女性らしい。だから、少々怪しげなパブみたいな眺めでもある。コスプレ・パブっていうんですか？　その場合はセーラー服とか看護婦さんの制服か。ともあれわたしはいくつものぬいぐるみとすれ違いながら、スーパーの前までたどりついた。

そこには店長さんがいた。お店の正面の飾り付けを仰いでいる。店長さんのそばには梯子《はしご》があって、そのてっぺんにのぼった男の人が、「創業十周年大感謝祭」の横看板の位置を微調整している。

「もうちょっと上げて。あ、それじゃ上げすぎ。水平に、水平に」

声が店長さんだ。梯子の上の男の人も、

「こうですか？　これでどうです？」

答える声が男の声だから、男だとわかる。

二人とも、姿は人間のものではなかった。だけど今度は、着ぐるみとも言いにくかった。プラスチックでできてるから。

店長さんはロボットになっていた。えーとこれは、ガンダムですか？　梯子の上の男の人は、何だろ、何か戦隊ものみたい。ターボレンジャーとかかしら。

「店長さん！」わたしは大きな声を出した。

ガンダムが振り返る。「おお、よく似合うねえ」

わたしはすぽんとウサギの頭を脱いだ。するとガンダムもターボレンジャーも消え、店長さんと梯子の上の男の人がいた。店長さんは白いワイシャツにストライプのネクタイを締めている。梯子の上の人は作業着姿だ。わたしよりも年下くらいの、若い男の子だった。

わたしはすぽんとウサギの頭をかぶった。おお、ガンダムとターボレンジャーが復活している！

「何だよ、着心地が悪い？」

「そんなことないです」わたしは一本調子に答えた。ぱちぱちとまばたきをして、目に入った埃をはらう。

これはいったいどういうことだ？

「失礼します」くるりと回れ右して、更衣室に戻ることにした。店長さんの声が追いかけてくる。

「どこ行くの？　そろそろ風船配りを始めてくれなきゃ困るよ！」

更衣室には鏡がある。わたしは鏡が見たかった。自分の姿がどんなふうに映るのか、どうしても確かめたかった。

店員さんたちはお店に出てしまっているので、更衣室にはもう誰もいない。わたしはウサギの頭をかぶると、ゆっくりと鏡の前に立った。

そこにはウサギの着ぐるみがいた。

でも、わたしが着ているのとは色が違う。鏡のなかにいるのは白ウサギだ。耳の形も違う。右耳が真ん中からぺこりと折れている。

それにわたしは、この白ウサギに見覚えがあった。これは——これは、とても懐かしい。

そうだ、チヨ子だ。

子供のころ、大好きだったウサギのぬいぐるみだ。いつも一緒に寝ていた。公園で遊ぶときにはおぶって出かけた。家族旅行にも、だっこして連れていった。

黒くて丸い、ふたつの目。左目はもともとついていたプラスチックのものだけど、右目は父のコートのボタンだ。チヨ子を連れて友達の家に遊びに行って、帰ってきたら取れてしまっていた。わたしが六歳ぐらいのときだ。

「チヨ子の目がなくなっちゃったぁ」

わんわん泣いて騒いで、母にうんと叱《しか》られた。そして、かわりにボタンを縫いつけてもらったのだ。だから、左右の目の大きさがちょっと違う。

鏡のなかの白ウサギは、そんなところまでチヨ子にそっくりだった。

わたしは自分の両腕に目を落とした。着ぐるみを通して見るわたしの腕は、チヨ子の腕になっていた。白い毛がすっかり擦り切れている。手首のところがほつれて、中身のパンヤがのぞいている。

これはチヨ子だ。間違いない。

チヨ子を忘れて、どのくらい経《た》つだろう。

チヨ子と遊んだり、抱いて寝ることがなくなっても、小学校の五、六年生ごろまでは、自分の部屋においていたはずだ。でも中学になり、高校になり、成長してゆくにつれて、わたしはチヨ子を忘れてしまった。くたびれた白ウサギのぬいぐるみを、こんなの子供っぽいって、部屋から追い出してしまったのだ。今ではもう、チヨ子をどこへやってしまったかさえ思い出せない。

うちの母はしまり屋だから、捨てるはずはない。きっとどこかにしまいこんでいるだろう。確かめてみなくちゃ！

久しぶりだね。忘れていてごめんね。わたしは自分で自分を抱きしめて、子供のときのようにチヨ子をだっこした。そしてそのとき、閃《ひらめ》いた。

他の人たちも、みんなわたしと同じじゃないのだろうか。

お店の人たちが着ている着ぐるみは、その人にとってのチヨ子なのだ。きっとそうだ。子供のとき大好きだった玩具《おもちゃ》。夢中になって、何時間でも一緒に遊んだ相手。添い寝して、夢のなかまで付き合ってくれた、大切な大切な空想の友達。子供たちにとっては、今現在の素敵な仲間。

このピンクのウサギの着ぐるみを着ると、それが見えるのだ。

わたしは大急ぎでお店に戻った。レジについた田中さんが、キーパッドに何か打ち込んでいる。

「田中さん！」

「はい。アラ」田中さんはぎゅっと顎を引いた。わたしのこと、ヘンな娘だと思っているに違いない。しょうがない、ついでだ。

「田中さん、子供のころ、灰色のクマのぬいぐるみを大事にしてませんでしたか？」

田中さんは今度こそ、身体ごと引いた。でも、かわりに隣のレジにいた女の人が、こんなことを言ってくれた。

「あら、それ何？　新しい占いか何か？」

「ええ、そんなものです」

「あたしは耳の長い犬のぬいぐるみが友達だったわよ。五歳の誕生日に買ってもらったの。結婚したときも持っていって、主人に笑われたけど、今でも大事にしてるわ」

その人は、耳が長くて垂れ目の犬のぬいぐるみに見えた。さすがに長い毛足が少し痩《や》せているけれど、ほつれたり汚れたりしていない。今も現役だからだ。

「そういう人には、好《よ》いことがありますよ」

「それが占い？」

「そうなんです」

わたしは意気揚々とお店の前に出た。店長さんはまだそこにいた。やっぱりガンダムだった。呼び込み用のマイクテストをしている。

「店長さんは、ガンダム好きなんですね」

「へ？」店長さんは目を瞠る。「何でわかるの？　僕はファースト・ガンダム直撃世代だからさ、そりゃハマりにハマったけどね」

「顔に書いてあります」

そうなのと首をひねる。ガンダムが首をひねっているのが、とても可愛い。でも、わたしの知る限りでは、ファースト・ガンダム直撃世代のなかでは、店長さんはけっこう年長だと思う。それってつまり、オタクってことかしら。

その日一日、風船配りをしているあいだ、わたしはさまざまな着ぐるみを見た。名前もわからないようなキャラクターも見た。やって来るお客さんたちは皆、何かを着ていた。店長さんの場合と同じで、それは着ぐるみみたいな形をしているとは限らない。若い女の人が、忍者の格好をしていることもある。赤影とかかしら。バービー人形やリカちゃんが歩いているので、びっくりしてウサギの頭を脱いでみると、小母さんだったりしてまた驚き！　腰の曲がったおじいさんが、野暮ったいユニフォームを着た野球選手の格好をしているのだけれど、妙にペラペラとして奥行きが薄い。あれはいったい何だろうとよくよく見て、そうか、メンコだと気づいて嬉しくなった。メンコは年配の男の人に多くて、横綱メンコもけっこう見かけた。

小さな子供たちは、わたしが知らないキャラクターになっていることが多かった。子供番組、観ないからなぁ。でもウルトラマンはやっぱり人気者だ。何かいたずらをしたらしく、お母さんに叱られてお尻《しり》をぶたれている男の子が、スパイダーマンだったのには笑ってしまった。映画を観たんだね。正義の味方は、お母さんの言うことをきかなくちゃダメだよ。

着ぐるみ――ぬいぐるみでは、いちばん人気はパンダのようだった。大人のお客さんたちのぬいぐるみは、ほとんどみんなが、どこかしら傷《いた》んで汚れていた。手がとれていたり、耳が切れていたりするものも多い。

思い出だけ残して、忘れ去られた玩具たち。捨てられてしまったものもあるだろう。ちょっと見て、何だかわからないくらい汚くなっているものは、きっとそういう玩具だ。

田中さんの言うとおり、着ぐるみを着て動き回るのはけっこうな重労働なので、休憩時間はひんぱんにもらえた。わたしは事務の人に頼み、接着剤をもらった。わたしのチヨ子のほつれているところを修理したかったのだ。本当は縫い合わせてあげたかったのだけれど、着ぐるみを着たままでは、細かい針仕事はできない。

「その着ぐるみ、どこも破れてないけど？」

接着剤をくれた事務の人は、不思議そうな顔をしていた。わたしは笑ってごまかして、更衣室でチヨ子に応急処置をしてやった。

　午後三時ごろになると、だいぶ疲れてきた。一方で、ぬいぐるみと玩具の大行進にはすっかり慣れてしまった。もうどんなものがそこらを歩いていても平気だ。コンニチハと言って風船を差し出すだけだ。

　と思っていたら——

　一人だけ、普通の子供を見かけた。そちらの方が自然なのに、わたしはとても驚いた。中学一年生ぐらいだろうか。顎のちょっとしゃくれた、きかん気そうな少年だった。Tシャツにジーンズ、ブランドもののスニーカーを履《は》いている。

　日曜日なのだし、このお店では文房具なども扱っているので、中学生が一人で来てもおかしくはない。少年がお客さんたちの流れに混じって店内に消えてゆくのを、わたしは目で追って見送った。

　あの子には、小さいとき大切にした玩具がなかったのかしら。今も、何もないのかしら。

　まあ、そういうこともあるのだろう。わたしはまた風船配りに励んだ。

　一時間ほどして、休憩をとろうと更衣室に戻りかけたら、奥の事務室がなんとなくあわただしい。通りかかった店員さんに、着ぐるみの頭を脱いで、どうしたんですかと尋ねた。

「万引きを捕まえたの」

店員さんは顔をしかめた。

「中学生なんだけどね。常習犯なのよ」

とっさにわたしは、さっきの、着ぐるみにも玩具にも見えなかった少年のことを思った。

「警察に報《しら》せるんですか」

「どうかな。まず親を呼ぶのが先ね」

しばらく後、冷たい物を飲み、汗をぬぐって着ぐるみを着なおし、わたしが店の前に出て行くと、タクシーが一台路肩に寄って、女の人を一人おろした。この人も、着ぐるみにも玩具にも見えなかった。タクシーの運転手さんはマグマ大使に見えるのに、女の人はどこまでも普通の人間にしか見えなかった。

顎の形が、あの少年に似ている。

きっとお母さんだ。

お店の奥へと消えてゆく。不機嫌そうな表情は、バーゲンに沸き立つ日曜日のスーパーには、ひどく不似合いなものだった。

夕暮れが近づき、ますますお客さんは多くなり、風船はなくなっても、チラシをまいたり、子供たちと握手したりして、忙しかった。が六時であがる約束だ。そろそろだな

――と思っていると、あの女の人と少年が出てきた。

やっぱり母子《おやこ》だったんだ。並んでいると、本当によく似てるのがわかる。

二人して、何かに押しつぶされたみたいな、歪んだ顔をしている。顎の嚙《か》み合わせが悪くなっちゃうよ。

二人はわたしのすぐ脇を通った。しゃにむにずんずん歩いているので、ぶつかりそうになってわたしは避《よ》けた。

そして気がついた。二人の背中に、何かくっついている。

埃のかたまりみたいなものだ。いや、煤《すす》だろうか。黒くてふわふわしていて、何か気持ちの悪いものだ。

はっとして、わたしは着ぐるみの頭を脱いだ。急ぎ足で遠ざかる二人の後を、何歩か追いかけて近づいた。

少年のTシャツの背中にも、お母さんのブラウスの背中にも、何もくっついていない。

わたしはウサギの頭をかぶった。すると、また二人の背中に黒いものが見えた。今度ははっきりと、手の形に見えた。鉤爪《かぎづめ》の生えた痩せた手。その指先が、少年とお母さんの肩を、後ろからつかんでいる。しかも、もぞもぞ動いている。背中を這《は》う蜘蛛《くも》みたいだ。

ぞっとして、わたしは震えた。

あれは何だろう？　何かとても、とても、悪いものだという気がする。着ぐるみや玩具を着ている人たちには、あんな黒い手は張りついていなかった。誰も、あんな気持ち悪いものに憑《つ》かれてはいなかったのに。

更衣室で着ぐるみを脱ぐと、壁に立てかけた。ピンク色のよれよれしたウサギは、きょとんとした顔でわたしを見ている。

「ねえ、あれ何？　わたしに何を見せてくれたの？」

もちろん、着ぐるみは何も答えてくれない。

わたしは考えた。あの母子の背中にくっついていた、不気味な黒いもの。世の中に漂う、悪いもののことを。わたしたちは誰だって、それに憑かれる危険があるのだ。そして悪いことをしてしまう。万引きだって、そのひとつだ。

でも、ほとんどの人がそんな羽目にならないのは、身にまとっている着ぐるみや玩具たちに、守られているからじゃないのかな。

何かを大切にした思い出。

何かを大好きになった思い出。

人は、それに守られて生きるのだ。それがなければ、悲しいくらい簡単に、悪いものにくっつかれてしまうのだ。

このピンクのウサギの着ぐるみは、わたしにそれを見せて、教えてくれたのだ。

「あなた、凄《すご》いね」わたしは着ぐるみに話しかけた。

五年間、倉庫に置きっぱなしにされているあいだに、中身が空っぽのウサギさんのなかに、何かが宿ったのだ。悪いものではなくて、そう、清らかなものだ。それはずっと息づいていて、この着ぐるみに不思議な力を与えた。

これ、欲しいな……と思った。

店長さんに交渉して、売ってもらおうか。だって、これから先、都会で知らない人たちに混じって暮らしていくわたしにとっては、これ以上心強い武器はないじゃないか。かぶってみるだけで、悪い人を見分けることができるんだもの。

そのとき、壁にもたれていた着ぐるみの頭が、ゆらりと傾いた。触ったわけではない。動かしたわけではない。

――やめておきなよ。

わたしに向かって、着ぐるみがかぶりを振ったのだ。

急に怖くなって、わたしは着ぐるみから一歩離れた。着ぐるみのウサギは、今度は反対側にふらりと首を振って、元の位置に戻った。

今度も、触ったわけじゃないのに。

「そうだね。やめとくよ」

声に出して、わたしは言った。

「わたしにはチヨ子がいるもんね」

ピンク色のウサギの顔が、かすかに笑ったように見えた。


その晩、母に電話をかけた。チヨ子、チヨ子と騒ぐわたしに、母は面食らったみたいだ。

「チヨ子なら物置に入れてあるよ」

「持ってきて！」

ああ、よかった。お母さんはチヨ子をとっておいてくれたんだ。よかった。ごめんねチヨ子、物置なんかに入れっぱなしにして。

ごめんね、すっかり忘れていて。

「もしもし？　持ってきたよ。どうしようっていうの、これを」

「チヨ子、無事？」

「無事も何も……汚れてるけどね」

「手のところがほつれてない？」

母はちょっと黙ってから、答えた。「ほつれたところを、接着剤でくっつけてあるよ。これ、あんたがやったの？　不器用だねえ。はみ出してるよ。だけど、いつこんなことしたの？　接着剤、まだ新しいみたいだよ」

わたしは嬉しくなって、狭いアパートの壁に向かって笑った。

「お母さん、あたし今度の週末に帰るから、チヨ子、陽のあたるところに出しておいてやってね。絶対そうしてね」

「あんた、何言ってるの？　大丈夫かい？」

大丈夫だよ。わたしは笑いながら答えた。

「チヨ子のこと思い出したから、迎えに行くんだ！」


不思議な出来事に、わたしは高い日給よりも良いものをもらった。

あのピンクのウサギの着ぐるみは、また倉庫にしまわれたことだろう。次はいつ出番がくることやら。でも皆さん、もしも下町のスーパーで、着ぐるみを着る仕事をすることになったら、この話を思い出してみてください。

あなたの鏡のなかには、何が映るでしょうか。

ふたりの名前

石田衣良

石田衣良（いしだ・いら）
一九六〇年東京都生まれ。成蹊大学経済学部卒業。コピーライターを経て九七年「池袋ウエストゲートパーク」でオール讀物推理小説新人賞を受賞し、デビュー。このシリーズはドラマ化されて話題に。二〇〇三年『4TEEN　フォーティーン』で直木賞を、〇六年『眠れぬ真珠』で島清恋愛文学賞を受賞。その他に『娼年』『スローグッドバイ』『1ポンドの悲しみ』『逝年』『6TEEN　シックスティーン』など著書多数。

「どうして名前ってこんなにたくさんあるのかな」

ため息をつくと、柴田朝世《しばたあさよ》はサプリメントの棚で立ちどまった。ショルダーバッグからビジネス手帳を取りだし、製品名を書きとめる。アミノエナジー、健痩美嬢、ネイチャーライン。

「朝世みたいな仕事をする人間がたくさんいるからだろ」

生ビールで頬を赤くした間山俊樹《まやまとしき》が、カートを押しながらスープ缶の角を曲がってきた。朝世は俊樹の相手をせずに水性ボールペンを走らせた。ネーミング専門のマーケティング会社で、今取り組んでいる栄養ドリンクの仕事に役立つかもしれない。いっしょに夕食をすませていたが、朝世はアルコールを口にしていなかった。

そこは恵比寿にある深夜営業のスーパーマーケットだった。金曜日の夜十二時近くになっても、昼間のように買いもの客であふれている。床の隅々まで蛍光灯の明かりで磨かれた、清潔でひどく冷房のきいた店である。客は自分たちと同じで、落ち着いた雰囲気のカップルが多かった。一般的な食材のほか、中クラスのワインと洋野菜の品ぞろえが豊富で、ふたりのいきつけのスーパーだ。そこからなら歩いて十分ほどで部屋につける。もっと近くに普通の店もあるのだが、新鮮なちりめんキャベツとベビーリーフとラディッキオがいつでも手にはいるこのスーパーが、朝世のお気にいりなのだ。

「そっちも卵と牛乳いるよな。買っておいたから」

口のなかでありがとうといって、ネイチャーラインの黄色いパッケージを手にした。長時間のIT作業による視神経の疲労と肩凝りを解消する九種類のビタミン配合、あわせて美肌効果も。朝世はカートのなかにサプリメントの箱を放りこんだ。

「また栄養剤の衝動買いか。あきないね」

洗面台にはたくさんのサプリメントが並んでいた。たいていはのみきることもなく賞味期限とともにゴミ箱いきになる。朝世はカートのなかをのぞくといった。

「自分だってお腹でるの気にしてるくせに、こんなの買って」

明日の来客用の食材のしたに、生麵《なまめん》タイプのカップラーメンが見えた。こってりトンコツ醬油《しょうゆ》味。俊樹は首をかしげた。

「あれ、いつのまにかはいってる。でもさ、酒のんだあとってラーメンくいたくならないか。ひと口あげようか」

朝世は首を横に振った。そんな習慣は二十代の終わりとともに卒業している。手帳をバッグにしまうと、レジにむかいながら考えた。サプリメントと化粧品はよく似ている。どれも効能だけ読むと素晴らしい製品に思える。だが、つかってみるまでは決して自分の身体《からだ》にあうかどうかはわからないのだ。それだけでなく、どこかに自分のためだけにつくられた特別な一品があるはずだとおかしな期待を抱かせるところまで同じだった。

俊樹は棚からひと箱取り、朝世の背中に声をかけた。

「これなんか、どうなの。たべたあとでものむだけでスリムになるんだって」

朝世は振りむいて俊樹を見た。中堅どころの商社でも最近はカジュアルフライデーが一般的だった。ダンガリーのシャツにベージュの綿パンツをあわせた金曜日の俊樹は、背が高いせいもあり、店のなかでは目立っていた。

「カロリーアウトでしょ。だめ、それぜんぜん効果ないよ」

朝世は俊樹に背をむけると、自分だけの考えにもどった。サプリメントに似ているのは、化粧品より男のほうかもしれない。三十をすぎると、化粧品はなくてはならないけれど、男はそれほどでもない。期限がくるとゴミ箱に投げたり（投げられたり）するのも同じだし、あれこれと試してみたが決定的な一品と出会っていない気がするところまでいっしょだった。

「おーい、待って」

朝世は肩越しに後方に手を振った。俊樹といっしょに暮らして一年近くになる。最初の燃えるようにたのしい数カ月がすぎて、毎日は安定していた。それでもこの生活がいつまで続くかは誰にもわからなかった。俊樹が残りの一生をともにすごすベストの相手なのか、朝世には自信がもてなかった。今はまだ見えないけれど、この恋にも賞味期限があるのかもしれない。サプリメントの箱の裏とは違い、男の背中には裸になっても恋の有効期限は印刷されていなかった。

ふたりのマンションは恵比寿西にある2LDKだった。夏のあいだはシャワーだけですませることが多く、その夜は俊樹が先にバスルームをつかった。朝世はリビングの隅にあるスタンドにだけ明かりをいれた。夜のリラックスモードの照明だ。

買いもの袋はダイニングテーブルで白く形を崩していた。朝世は中身をテーブルに並べると、キッチンから油性のサインペンを取ってきた。十個いりの卵のパックを開け、手まえの一列のてっぺんにちいさく自分のイニシャルAと書いていく。サプリメントと牛乳のカートンにも同じようにした。

それはふたりの習慣だった。お互いに何度か手痛い別れを経験して、どんなものでも所有権をはっきりさせておくことが、いっしょに暮らし始めるときの取り決めになっていたのだ。そうすればいつか同棲を解消するとき醜い奪いあいをせずにすむ。最初は家具や電化製品や書籍だけだったが、月日がたつうちに部屋中にAとTが氾濫《はんらん》するようになった。今では生鮮食料品にさえイニシャルをいれるようになっている。ルッコラの束をまとめるビニールテープにさえ朝世のA。面倒なので百円未満は切り捨てだったが、もちろんスーパーの代金もきちんと自分の分だけあとで精算する。

冷たすぎるし、たいへんだろうという友人もいたが、朝世は気にしなかった。どんなに普通そうに見えるカップルにだって、必ずどこかひとつは首をかしげたくなるところがある。ある程度世のなかを見てきた朝世にはよくわかっていた。自分たちの場合、それが所有権明記の習慣なのだろう。今のところ、朝世と俊樹の生活は順調だった。ものごとがうまくいっているあいだは、習慣を変える必要などない。

「お先に」

腰にタオルを巻いた俊樹がリビングにもどってきた。

「わたしの分、書いておいたから。ねえ、それほんとにこれからたべるの」

まだTのイニシャルがはいっていないカップ麺がテーブルにのせられていた。

「うーん、どうしようかな。朝世はどう思う、これ」

俊樹はタオルのうえのわき腹をつまんで見せる。

「ちょっとくらい太ったっていいよ。若い子にはもてなくなるかもしれないけど、わたしはぜんぜん気にならないから」

お腹はそうでもないけれど、自分だって二の腕とお尻がたるんだ気がしていた。

「そういわれると逆にたべにくいな。じゃあ、うちの課の女の子のために今夜はがまんするか」

俊樹は壁に立てかけた姿見のまえにいきボディビルのポーズをつけた。鏡のなかでイヤリングをはずす朝世にいう。

「ダイエットのためにひと運動しようか」

朝世は鼻で笑うといった。

「だめ、疲れてるから。明日ね」

疲れてるときはけっこういいのにという俊樹の軽口をきき流して、朝世はバスルームにむかった。


土曜日の昼すぎ、カップルが遊びにきた。手土産《てみやげ》は保冷ケースにはいった白ワインと缶ビールだった。坂口和人《さかぐちかずひと》と秀美《ひでみ》の夫婦は俊樹の学生時代からの友人で、朝世も去年の結婚式には招待されている。俊樹が最近買った大画面のプラズマテレビで、夕方からサッカー観戦をすることになっていたのだ。俊樹は横浜の生まれで、東京に越してきて十年以上たつのに今も熱烈なＦ・マリノスファンだった。

玄関で歓迎してから、朝世だけキッチンにもどった。ふたりで作業ができるほど広いスペースではないし、来客時のレシピはだいたい決まっていた。朝世が洋野菜を十種類以上刻みこんだサラダを大量につくり、俊樹が厚さ三センチほどのフィレステーキを表面に焦げ色がつくまでしっかりと焼く。順番は朝世が先だった。ステーキはさして時間がかからなかったし、焼きたてがおいしい。サラダはそのあいだ冷蔵庫できりりと冷やしておけばいい。あとは数種類のパンとチーズがあれば、十分満足のいく食事になった。

「朝ちゃんものむ」

秀美が白ワインのグラスをもってきた。カウンターのむこうでスツールに腰をのせる。

「ありがとう」

朝世は秀美と乾杯した。男たちはソファに座り、新しいテレビを観ている。秀美は笑っていった。

「すごいテレビだね。裏におおきくTって書いてあった」

朝世はオクラを縦に刻んでいた手をとめた。

「ほんと子どもみたいなんだから。絶対わたしにはやらないんだって」

テレビなど額縁みたいにおおきく薄くなくても、朝世は別にかまわなかった。それどころか文庫本くらいのサイズでもいいくらいである。

「でもお互い独身で、ちゃんと仕事してるから、ああいうのも買えるんだよ」

それから声を落として秀美はいった。

「わたしもなにか仕事したいな。主婦だけだと退屈で、退屈で」

坂口和人は古風なタイプで、妻になる人には家庭にはいることを望んだ。このところ不調とはいえ、銀行員の給与が悪くないからできることなのだろう。

「わかるよ。わたしも今の会社にはいって仕事がすごくおもしろいんだ」

「いいなあ。俊くんなら、うちのみたいに頭固くないから、仕事は続けられるでしょう。朝ちゃんのところは結婚しないの。いつまでも別々のイニシャル書かなくても、ふたりならきっといい感じの夫婦になると思うんだけど」

秀美はワインをのみほすと、グラスをかかげて底を見た。ここにもちいさくAの文字がある。朝世はオクラに包丁の先をいれた。

「いつかはそうなるかもしれないけど、今はよくわからないな。あまり形にこだわらなくてもいいんじゃないかって話してるんだ」

ふーんとうなずいて、秀美はキッチンの壁にさがった黒猫の鍋敷きを見つけた。

「朝ちゃんて、猫飼ってたの」

「うん。実家ではいつも飼ってた。やっぱりかわいいもんね」

「そうなんだ」

新鮮な野菜の繊維をさくりと切る感触が手に心地よかった。よく晴れた土曜日の午後、日ざしは白い壁に反射して明るくキッチンまで届いている。朝世はなにも考えずにいった。

「今もちょっと飼いたい気もちはあるんだけどね」

リビングからテーハンミングクの大合唱がきこえてきた。男たちは気分を盛りあげるためにW杯決勝トーナメントの韓国・イタリア戦をビデオで再生しているらしい。あっという間に終了してしまったあの大会のベストファイトだ。

朝世はワインをひと口のむと、白い粒を満載した小舟のようなオクラを皿に移し、ルッコラを手でちぎり始めた。

秀美から電話があったのは翌週の水曜日だった。夜九時すぎで俊樹は残業でまだ帰っていない。

「もしもし、朝ちゃん。ちょっといい話があるんだけど」

朝世はテレビの音量をさげた。大画面で見るニュースキャスターにはなんだか妙な違和感がある。

「なあに」

秀美は興奮しているのか、息つぎもせずにいった。

「友達のところで子猫が生まれてね、三匹いるんだけど、朝ちゃんの話をしたら最初に選ばないかって。わたしも見たんだけど、アビシニアンと雑種のハーフで、すごくかわいいんだ。うちもほしいけど、ほら銀行の寮だから」

一瞬考えたが、こたえはすぐだった。

「うん、見にいく。きっと俊樹もよろこぶと思う」

週末にその友人の家に遊びにいくことで話がついた。電話を切ってから、朝世は本棚で探しものをした。どこかの洋書屋で買った大判の猫の写真集があったはずだ。ひとり暮らしのときは、自分が相手をするだけでは猫のほうが淋《さび》しいだろうと、飼うのをあきらめていた。ふたりならなんとかなるかもしれない。

家族がひとり増え、急ににぎやかになる気がして、朝世はTシャツと短パン姿でいつまでもアビシニアンの写真を眺めていた。

俊樹は猫が一匹増えるくらいのことは気にならないようだった。前日仕事で深夜がえりだったのに、土曜日には不満そうな顔もせずに車をだしてくれた。朝世は午前中に恵比寿ガーデンプレイスの三越まででかけ、おいしいと評判のシュークリームを土産に用意した。

碑文谷《ひもんや》の住宅街にあるその家は、すこし変わった造りだった。三階建てのすべてがつや消しの金属で包まれていて、ガレージがおおきく住居スペースに張りだしている。ルノーの古いスポーツカーだというが、車に詳しくない朝世にはガラス越しに自動車を見ながら朝食をとるなんて考えられなかった。壁には美術館の展示品のようにぴかぴかの工具が飾られている。

朝世と俊樹は年の離れた夫婦に挨拶した。秀美は先にきていて、ガレージの隅の段ボールのなかの子猫と遊んでいた。朝世は土産をわたすと、さっそくガラス張りのガレージにいった。きっと奥さんのほうが気をつかってくれたのだろう。ガソリンやモーターオイルのにおいではなく、ジャスミンの香がたいてあった。秀美の声は少女のようだった。

「ねえ、見てみて。どの子もすごくかわいいよ」

引越し会社の段ボールのなかに古い毛布が敷いてあった。母猫は横になり、用心深そうに交互に秀美と朝世を見あげた。細く締まった筋肉質の猫だが、腹の皮だけがすこしたるんでいた。明るい栗色の毛並みは密で美しく、グリーンの目には黒い瞳が縦長に浮かんでいる。

「お母さんもりりしいね。どれもかわいくて迷うなあ」

三匹の子猫はてのひらにのるほどちいさかった。二匹は元気にじゃれあっていたが、残りの一匹はスフィンクスのように澄まして、やんちゃな兄弟を見つめていた。その一匹だけ毛の色は青みがかったシルバーで、落ち着いた賢そうな表情をしている。俊樹がやってきて中腰で段ボールをのぞきこんだ。

「おー、ちびはみんな元気だな。そこの端っこの銀色だけ、格好つけてるな」

自分がなにかいわれたのがわかったのだろうか、子猫は俊樹を見あげてちいさな袋を裂くようにひと声鳴いた。朝世が振りむいていった。

「今、あなたに挨拶したよ。この子はきっと頭のいい子だと思う」

「そう。それならそいつでいいじゃん」

俊樹お得意の横浜弁がでた。気分のいい証拠だ。秀美がいった。

「じゃあ、朝ちゃん、この子で決定だね」

朝世はそのとき初めて銀色の子猫に手を伸ばした。ブローしたての髪のようにしなやかな毛並みだった。こつこつとちいさな骨の丸みが手にさわる。

「きみは男の子だよね。どう、うちにきてみる」

朝世が緑の目を見つめながら話しかけると、子猫はちいさく鳴いて、指先のにおいをかぎ、中指の先をひとなめした。


その日の夕方、猫砂ひと袋と子猫用の缶詰をおまけにもらって、朝世と俊樹はその家を離れた。帰りの車のなかで子猫の段ボールはずっと朝世のひざのうえだった。

「この子はお母さんに似て、どこか鋭いところがある。洋猫って顔の線が鋭角的で、なんだか狩りをする肉食獣って感じがするよね」

「そんなもんかな。あまりそのへんの雑種と変わらないと思うけど」

俊樹は子猫よりガレージにあった三十五年まえのフランス製スポーツカーのほうに興味があるようだった。猫と遊ぶ女性陣を放りだし、男同士でオールドカーのメンテナンスの話ばかりしていた。朝世は子猫にいった。

「わかってないね、このおじさんは。わたしがきみに最高の名前をつけてあげるからね」

俊樹は車線変更しようと、バックミラーを確認していった。

「おでこのまんなかにAって書かないのか」

朝世はそんなことは考えもしなかった。憤然としていった。

「書くわけないじゃない。この子は家族の一員で、俊樹のテレビなんかとはくらべものにならないんだから」

しばらくのあいだ車内は静かになった。恵比寿に近づいてから、俊樹がようやく口を開いた。

「この一年でイニシャルを書かなくていいものがうちにきたのは、初めてだ。そういうのがだんだん増えていくと、ぼくたちの暮らしも変わっていくのかもしれないな」

いつになくまじめな口調にはっとして、朝世は運転中の横顔に目をやった。俊樹は口元を結んで、正面を見つめている。朝世は片手で子猫をなでながら、シフトレバーにのせられた俊樹の手にもう一方を重ねた。

銀の子猫は見慣れぬマンションに驚いたようだったが、最初のミルクと最初のトイレをすませると、新しい部屋の探検にでかけた。ちいさな尻尾《しっぽ》をまっすぐに伸ばし、頭を高くあげて周囲に注意を払いながら、ゆっくりとリビングルームを踏破していく。俊樹はそんな子猫を見ていった。

「この部屋の王子さまって感じだな」

土曜日の夜と日曜日の丸一日、朝世と俊樹は一歩も外出せずに子猫と遊んですごした。それまでのふたりには考えられなかったことである。どれほど疲れていても、週末には必ず外で食事をするか、映画やショッピングをたのしんでいたのだ。

日曜日になると、おとなしかった子猫ははめをはずして転げまわるようになった。ソファの嶺《みね》を歩き、椅子からテーブルの高台にジャンプする。俊樹の肩にのって、部屋から部屋に新しい領土の視察にいきたがった。

日曜の夜、遊び疲れて腹を見せて眠りこんだ子猫を見ながら、朝世がいった。

「わたしたちももう寝ましょう。こんなことなら、もっと早く猫を飼えばよかった。ねえ、けっこうたのしいでしょう」

パジャマ姿の俊樹はおろしたてのハンドタオルを子猫の腹にかけてやった。

「そうだね。土日に外にでないから、お金もつかわなくてすむし。この調子ならマンシヨンの頭金くらいすぐにたまるかも」

ふたりは新しい家族が起きだしてきたときのために、リビングと寝室のあいだの扉を開けたままにして眠りについた。


月曜日、朝世は集中して仕事に取り組んだ。だが、終業時間近くになると子猫の様子が心配でたまらなくなり、仕事をもちかえることにして定刻に会社をでた。まだあの子は生まれてからひとりきりで一日をすごしたことはないのだ。さぞ淋しい思いをしていることだろう。恵比寿の駅ビルで造花のアマリリスやプラスチックの小鳥など、子猫のおもちゃになりそうなものを見つくろい、足早に部屋にもどった。

玄関の鍵を開けると同時に声を張る。

「ただいま。今かえったよ、淋しくなかった」

部屋はしんと静まり、もの音さえきこえなかった。子猫は眠っているのだろうか。朝世はローファーを脱ぐと、短い廊下をリビングにむかった。よかった。いつもの段ボールのなかに子猫はいる。横になって眠っているようだ。だが、どこか様子がおかしかった。

「だいじょうぶ、調子悪いの」

子猫は手足をだらりと伸ばして横倒しになっていた。舌がたれて苦しそうに速く浅い呼吸を繰り返している。朝世の言葉にも頭をあげることができず、うっすらと開いた涙目で見あげるだけだった。身体をさわってみた。ぐったりと力のない中身の抜けたクッションのような手ごたえだ。朝世はパニックを起こしそうになった。

上着の内ポケットから携帯電話を取りだし、画面も見ずに選択する。

「ぼくだ」

俊樹のよそいきの声がきこえた。

「わたし。今部屋にかえったところなんだけど、この子の様子がおかしいの。息が苦しいみたい。舌をたらして、なにをいっても反応がぜんぜんかえってこないの」

オフィスの俊樹は冷静だった。

「ちょっと調子が悪いって感じ、それとも死にそうによくないって感じ」

朝世は子猫の腹を見た。周期的に痙攣《けいれん》するように波打っている。

「よくわからないけど、あとのほうみたい」

俊樹の声が引き締まった。

「そうか。よくきいて。朝世は104で近くの動物病院をきいて、タクシーでその子を連れていく。急患だといって順番を飛ばして診てもらうんだ。ぼくはすぐに仕事を切りあげる。会社の帰りにまっすぐそっちにいく。わかった？　動物病院についたら、電話してくれ」

「うん、わかった」

俊樹の声は力強かった。

「朝世、しっかりして。その子はまだ名前さえないんだ。きみだけが頼りなんだよ」

俊樹の声をきいているうちに涙がこぼれそうになったが、朝世は声を揺らさずにこたえた。

「うん。できるだけやってみる。そっちもなるべく早くね」

最寄の動物病院は五百メートルほど離れた恵比寿南にあった。目黒三田通りに面していたのだが、それまで用のなかった朝世には目にはいらなかったのだろう。中年の獣医と若い看護師は閉院の準備をしていたが、朝世の泣き顔を見るとすぐに鍵を開けてくれた。

疲れた表情の獣医は子猫の身体を診察台に横たえると、目と口のなかを診てから聴診器を胸にあてた。

「これは肺にうっ血を起こしてますね。この子は生後どれくらいですか」

朝世は碑文谷できいた誕生日を思いだした。

「四週間くらいだと思います」

「そうですか」

獣医は聴診器をはずし、看護師にいった。

「超音波の準備を頼む」

看護師が台車にのった業務用電子レンジほどの機械を押してきた。もうひとりは獣医の指示で、子猫の胸の毛を剃《そ》り始める。準備ができると獣医は先の丸まったプローブを、ゼリーまみれになった白い地肌に押しつけた。白黒のディスプレイに、あわてたように収縮を繰り返すちいさな心臓の影が映った。獣医は唸《うな》った。

「うーん、これは……」

心臓イメージを数枚プリントアウトすると、獣医は看護師になにか横文字の薬の名前をいった。朝世はただ診察室のまんなかに立ち、ぼんやりと子猫を見つめるだけだった。注射を二本打ち、応急手あてがすむと、獣医は朝世を椅子に座らせた。

「この子はペットショップでお求めになったんですか」

朝世は首を横に振った。

「おととい友人の友人からもらってきたばかりなんです」

「そうですか。ペットショップのものなら、保証書がきいて元気な猫ちゃんと交換できるんですが、それは困りましたね」

子猫の返品保証。朝世には考えられないことだった。獣医は淡々といった。

「残念ですが、この子の心臓には生まれつき欠陥があります」

プリントアウトを見せると、ボールペンの先で濃い影を指した。

「心臓のなかに左右の部屋を分ける筋肉の壁があります。心室中隔《しんしつちゅうかく》というんですが、この子は生まれつきここにちいさな穴が開いていたようです。この数日激しい運動をしなかったですか」

土日は俊樹と朝世とマンションのそこかしこを転げまわって遊んでいた。あの元気な子猫の心臓に穴が開いていたなんて。朝世は力なくうなずいた。

「ちいさな亀裂がそれで広がってしまったんでしょう。左右の心室が短絡《たんらく》を起こしています。左心室からの血液が肺動脈へ流れこむので、肺うっ血を起こして呼吸が苦しくなっているのです。先ほどはうっ血を抑える薬を打っておきました」

そのときスーツ姿の俊樹が診察室にはいってきた。台のうえで意識をなくしている子猫を見ると、朝世にうなずいた。

「こいつはだいじょうぶなんですか、先生」

疲れた表情の獣医はまったく変わらないペースで先ほどの話を繰り返した。最後にいう。

「問題はここからです。今夜はこの子をお預かりしますが、よくお考えになってください。このままでは助かりませんから、心臓の手術が必要です。手術には危険がともないますし、多額の費用もかかります」

俊樹が口をはさんだ。

「いくらぐらいなんでしょうか」

獣医はだいたいだがといって、先日俊樹が買ったプラズマテレビほどの手術費用をこたえた。

「手術がうまくいっても、こうした障害をもって生まれた子猫は病弱なことが多く、あまり長生きしないかもしれません。成功しても合併症を起こして手遅れになることもあります。手術をするか、あるいはこのまま安らかに眠らせてあげるか、厳しい選択になりますが、よくお考えのうえ明日お電話ください」

朝世は必死でいった。

「明日じゃなくちゃだめなんですか」

「はい。もし手術をするなら、体調の管理をすぐに始めて……」

獣医は壁にさがっているロシアンブルーのカレンダーを見た。

「……今週末には手術をしたほうがいいでしょう。これ以上、穿孔《せんこう》が広がると危険なことになります」

「わかりました」

俊樹はそういうと朝世を見た。朝世はゆっくりと立ちあがった。なんとかこらえていた涙が診察室の白いタイルに点々と落ちてしまう。注射が効いたのか、呼吸がゆるやかになった子猫のところにいき、そっと手をのせた。あたたかで薄い身体だった。

「明日またくるね」

朝世の肩に俊樹が手をのせた。朝世は抑えられずに俊樹の胸を借りて、吐くように泣いた。獣医も看護師もその場にいたのだが、どうにもならなかった。背中をなでる男の手のやさしさに、朝世は自制心が崩れていくのをとめられなかったのである。


帰り道で俊樹がいった。

「コンビニで弁当でも買っていく、それともなにかたべていく」

時刻はもう夜十時近くになっていた。のどはからからだが、食欲はまったくなかった。

「たべたくない」

俊樹は歩道で首を横に振った。

「だめだよ。朝世がたべなくてあいつが元気になるならいいけど、どうせ手術をするつもりなんだろ」

朝世は青い顔をしてうなずいた。

「それならまだ一週間もあるし、そのあとの看病もある。今から栄養をつけておかなくちゃだめだ」

朝世は俊樹に顔をむけた。うしろから走ってくる車のヘッドライトで表情は見えなかった。

「手術をするのはぼくたちのエゴで、生まれたばかりのあの子には負担がおおきすぎるのかもしれない。たとえ成功しても先生のいうとおり、病弱なまま短い一生になるかもしれないし、つらい生きかたを押しつけるだけになるかもしれない」

俊樹のいうこともわかった。だが、朝世には手術以外の選択は考えられなかった。てのひらにのるほどちいさなくせに、あんなに熱い身体にふれてしまったら、ほかに選ぶことなどできなかった。うつむいてなにもいえなくなった朝世の手を引いて、俊樹が歩きだした。

「わかってる。手術に賭けてみよう。夏の旅行をキャンセルして、こづかいをすこし減らせばいい。手術料金は割り勘でいいよな」

朝世は泣きながら笑った。その夜はマンションの近くにある讃岐《さぬき》うどんの店にいき、俊樹はかき揚げを、朝世は冷やしきつねを注文した。俊樹が見ているので、なんとか半分だけうどんをすすり、朝世は箸《はし》をおいた。いつもなら大好きな味なのだが、舌がおかしくなっているらしく、とてもしょっぱく苦く感じた。

手術は土曜日の午後二時に決まった。予定では二時間ほどで終わるという。朝世と俊樹は動物病院の待合室で待機した。坂口夫妻もお見舞いに顔をだしてくれる。秀美は朝世の手を取っていった。

「なんだか、わたしがおかしな子を紹介しちゃってごめんね」

朝世は首を横に振る。あの子は決しておかしな猫ではなかった。

「それより先方には病気のこと、黙っていてくれたよね」

秀美はうなずいた。今度のことはふたりだけで処理しようと朝世と俊樹は話しあっていたのだ。和人は銀行員らしくあっさりと金の話を始めた。

「これお見舞い。なにかの足しにつかってくれ。うちの秀美が斡旋《あっせん》した話だし、こっちにも責任があると思うんだ。なんだか迷惑かけちゃったな」

和人は長い手紙くらいの厚みがある封筒をさしだした。俊樹はやわらかに押しかえすといった。

「いいんだ。やせがまんをしてるんじゃなくて、ほんとにいいんだ。うちにはまだ三日間しかいないけど、あいつはうちの家族だ。ぼくたちふたりに面倒を見させてくれ」

俊樹の言葉をきいて、朝世は手術まえの子猫の姿を思いだした。全身麻酔をかけるまえに短い面会が許されたのだ。あの子は自分がなぜこんな目にあうのかわからないという表情で緑の目をいっぱいに開き、必死にふたりを見つめてきた。朝世は心を切り刻まれるような気がして、泣かないつもりだったのに泣いてしまった。俊樹だってあわててて顔をそらし、指先で目を押さえていたはずだ。思いだすだけで、また涙がにじんでしまう。

宙に浮いた封筒を見て秀美がとりなすようにいった。

「わかった。ねえ、和人さん。手術がうまくいったら、最高の猫缶とおもちゃをプレゼントしよう。そのお金は病気じゃなく、元気になったあの子のためにつかってあげようよ。それなら、俊くんも朝ちゃんもいいでしょう」

俊樹は笑ってうなずいた。朝世の涙腺はもうおかしくなっているようだった。元気になったあの子という言葉だけで、涙があふれてとまらなかった。秀美も笑いながらもらい泣きしていた。

十五分ほどしてふたりがかえっていくと、長い待ち時間が始まった。なぜだかひどくのどが渇いた。壁にかかった白い文字盤の時計を見ると、何時間もたったような気がするのに、ほんの数分しかすすんでいない。俊樹はそなえつけの冷水機を何度も往復した。朝世はショルダーバッグから手帳を取りだすと、ボールペンで走り書きを始めた。ルーズリーフを一枚ちぎるとくしゃくしゃに丸めてバッグに押しこんだ。

「なにしてるんだ」

朝世は泣きそうな声でいった。

「あの子の名前を考えてる。あの子は今苦しくてたまらなくて、それでも必死に闘っていいと思う。がんばれって応援してあげたいけど、わたしはどんなふうに呼んだらいいのかもわからない。わたしたちのまわりにあるものは、どんなにくだらないものでも、ちゃんと決まった名前をもってるのに、あの子には名前もないの。生まれてひと月で、もっているのは穴のあいた心臓だけなんだ。そう考えたら、たまらなくなって」

朝世はボールペンの先を手帳に突き刺した。声を漏《も》らさないように肩を震わせている。

俊樹がベンチのとなりにやってきて、しっかりとその肩を抱いた。

「今はいいよ。あいつがもってるのは穴のあいた心臓だけじゃない。ぼくたちだっているし、帰る家だってある。名前のない猫だって漱石《そうせき》みたいで悪くないじゃないか。やつが根性を見せて無事にもどってきたら、ふたりで死ぬほど考えていい名前をつけてあげよう」

声が濡《ぬ》れているような気がして、朝世はそっと俊樹の顔を盗み見た。男の目には涙がたまっていたが、こぼれてはいなかった。

「今回のことで、ぼくにはよくわかったことがある。名前ってぼくたちがやってるみたいに誰のものかあらわすだけじゃないんだ。何度も心のなかで呼んでみたり、歌うように繰り返したり、誰にも見られないように書いたりする。好きな人の名前って、それだけでしあわせの呪文なんだね。ぼくは朝世の名前が好きだよ。うちにあるツナ缶やスパゲッティやプーアル茶のうえに書いたAだって、すごく気にいってる。部屋中全部Aと書いてあってもいいくらいだ」

朝世は涙をふいて、いたずらっぽく笑った。

「じゃあ、あの新しいテレビにもAって書いていいの」

俊樹も笑ってうなずいた。

「いいよ。まだ十カ月はローンが残ってる。書いてくれたらありがたい」

ふたりは同時に短く笑い声をあげた。朝世は右手の人さし指で俊樹の頬にAと書くと、あたりに看護師の姿がないのを確認してから、そのイニシャルがいつまでも消えないように、そっと唇を寄せた。

手術は二時間半かかって終了した。獣医が感情の読めない顔で、ステンレスの扉を抜けてくる。ふたりはベンチから立ちあがった。中年の医師が口を開いた。

「手術は成功しました。あとはこの数日中に合併症がでないかどうかが、つぎの関門です。そこをのりきれば、そうですね、二週間後には退院です」

ふたりの声がそろってはじけた。

「先生、ありがとうございました」

そのとき扉が開いてストレッチャーにのせられた子猫が点滴スタンドとともに運ばれてきた。胸から腹にかけて広い範囲の毛が剃られているので、ひとまわりちいさく見えた。だが、その腹は呼吸にあわせて勢いよく波打っている。疲れた表情の獣医がいった。

「いいえ。お礼をいうのはこちらのほうです。ああした場合、だいたいのかたは安楽死を選びます。ひどいときにはペットショップの店員が、その場に交換の子猫をもってきたりすることもある。失礼ながらわたしは、おふたりもきっとそうなさるだろうと思っていた。今日の心臓のオペは現代の技術なら、勝ち目の多い手術でした。あの子に生きるチャンスを与えてくださってありがとう」

その夜、動物病院からもどった朝世と俊樹は何度も祝杯をあげた。Tのイニシャルのビールを空け、Aのイニシャルのワインを抜く。ロックフォールチーズはAで、冷凍食品の焼きおにぎりはTだった。Aのキューバ音楽のCDを、Tのステレオでかけて、ふたりでリビングのまんなかで踊った。

おおさわぎがすむと、ふたりは仕事に取りかかった。ファックス用紙をちいさく切ってつくった紙に、思いつくかぎりの子猫の名前を書いていく。二百を超える紙片が真夏の雪のように床を埋め尽くした。

真夜中、銀色の子猫の名前は決定した。酔っ払ってつけたものだから、それがあの子にとって最高の名前だったかどうかはわからない。だが、それは初めて朝世と俊樹がいっしょに考えて選んだ名前だった。

二週間後、元気に子猫が退院する日まで、その名前はふたりだけの秘密だ。

陽だまりの詩《シ》

乙一

乙一（おついち）
一九七八年福岡県生まれ。九六年『夏と花火と私の死体』でジャンプ小説・ノンフィクション大賞を受賞してデビュー。その他に『暗黒童話』『ZOO』『GOTH』『失はれる物語』『銃とチョコレート』『The Book』『箱庭図書館』など著書多数。別名義でも小説作品を発表している。

1

私は目を開けた。台の上に寝ていた。上半身を起こして辺りを見ると物の散らかった広い部屋だった。椅子に座った男がいた。彼は少し離れたところで考え事をするように黙りこんでいたが私を見ると笑みを浮かべた。

「おはよう……」

彼は椅子に座ったまま言った。上下ともに白色の服を身に着けていた。

「あなたはだれですか？」

私がたずねると彼は立ちあがり部屋の壁際にあるロッカーから服と靴を取り出した。

「きみを作った人間だ」

彼はそう言いながら近づいてきた。天井の白い照明が私と彼を照らした。彼の顔を間近で見た。色素の薄い肌だった。髪の毛は黒である。彼は私の膝の上に服を置いてそれを着るようにと言った。彼が着ているのと同じ白い上下だった。私は何も身に着けていなかった。

「誕生おめでとう」

彼は言った。部屋の中には工具や材料が散らかっていた。彼の足元に分厚い本が落ちている。私はそれを設計図だと認識した。

服を着て彼の後ろについて歩いた。扉やシャッターがいくつも並んだ長い廊下を抜けると上《のぼ》りの階段があった。そこを上がりきったところに扉があり彼が開けると強い光が視界を白くした。太陽の光だった。目覚めた部屋が地下にあったことを私は知った。太陽光線にはじめてさらされわずかに体表面の温度が上昇した。

扉を出ると辺りは草が一面に生えた丘だった。見晴らしがよくなだらかな緑色の斜面が広がっていた。地下へ下りる扉は丘の頂上あたりにあった。私の背丈ほどしかないコンクリート製の直方体に扉がついているだけの代物だった。上部に屋根らしいものはなくコンクリートの平らな面があるだけだったが、そこにも草が生い茂って鳥が巣を作っていた。私の見ている前で空から降りてきた小さな鳥が巣に着地した。

私は地形を把握しようと周囲に目を向けた。丘を囲むように山があった。丘はおそらく直径一キロメートルの球体の上部三分の一をカットしたものと同じ形状と大きさをしていた。山はいずれも樹木に覆われておりこの丘のように草原の広がっている所は他に見当たらなかった。周囲の地形との違和感からこの丘が人工物であることを推測した。

「あの森の中にあるのが家だ」

彼が丘の下のほうを指差して言った。その方向を見下ろすと緑色の丘を下りきったところから山の頂上に向かって唐突に木々が生い茂っていた。茂みの間から尖《とが》った屋根の先端が見えた。

「きみはあの家で僕の世話をすることになる」

私たちはその家へ向かった。

森に近い場所に十字に組まれた白い木の柱が立っていた。十字架と呼ばれるものだとすぐに判断した。丘の地面はほとんど凹凸がなかったがその辺りだけ盛り上がっていた。

「墓だ……」

彼は少しの間、白い十字架を見つめていたが、やがて私を促して再び歩き出した。

家は近くで見ると大きくて古かった。屋根や壁から植物が生えていた。緑色の小さな葉が煉瓦《れんが》の表面を覆い半ば森と同化していた。家の正面は広い空間になっていた。畑や井戸があり錆《さ》びついたトラックが放置されていた。

扉は木製で白いペンキが剝《は》げかかっていた。彼の背中に続いて中に入った。歩くと床板が軋《きし》んだ。

家には一階と二階、そして屋根裏部屋があった。私は一階の台所の隣にある部屋を与えられた。ベッドと窓があるだけの狭い部屋だった。

彼が台所で手招きしていた。

「まずコーヒーをいれてもらいたいんだが……」

「コーヒーは知っていますが作り方がわかりません」

「そうだったね」

彼は棚からコーヒー豆を取り出した。湯を沸かして私の目の前で湯気のたつ二杯のコーヒーを作り上げた。そのうちのひとつを私に差し出した。

「作り方は覚えました。次からは私が作ります」

私はそう言いながらカップの中の黒い液体を口に運んだ。唇がカップの縁に触れ高熱の液体が口の中に流れこんだ。

「……私はこの味がきらいです」

そう報告すると彼は頷いた。

「確かそういう設定だった。砂糖を入れるといい」

甘味を増やしたコーヒーを私は飲んだ。目覚めてはじめて体内に流しこむ栄養だった。私のお腹《なか》に組みこまれているものは正常に吸収を行なった。

彼はカップをテーブルに置き疲れたように椅子へ座った。台所の窓に金属製の飾りが下がっていた。長さの違う棒状の金属が風に揺れて互いにぶつかり様々な音を出した。音は規則的ではなかった。彼は目を閉じてその音に耳を傾けた。

壁に小さな鏡がかけられていた。私はその正面に立ち自分の顔を見た。私はあらかじめ人間がどのような姿をしているのかを知っていた。そのため鏡に映った自分の姿が人間の女性の顔を忠実に再現したものであることを認識できた。皮膚は白く裏側にある青色の細い血管を薄く透かしていた。しかしそれは皮膚の裏側にそう印刷されているだけである。肌の産毛も植毛されたもので皮膚の細かな凹凸や赤みの存在も装飾である。体温やその他のものをすべて人間に似せてあった。

食器棚の中に古い写真があるのを見つけた。この家を背景に二人の人物が写っている。彼と、白髪頭の男性である。彼を振りかえって、私は質問した。

「あなた以外の人たちはどこにいるのですか？」

彼は椅子に座っており背中しか見えなかった。彼は私を振りかえらずに答えた。

「どこにもいない」

「どこにもいないというのはどういう意味でしょうか？」

彼は、ほとんどの人間がすでに息絶えていることを話した。突然、病原菌が空を覆いそれに感染した人間は例外なく二ヶ月で命を失ったという。彼は感染する前に伯父とこの別荘へ引っ越してきたそうだ。しかし伯父はすぐに死んで、それ以来、一人きりで生活していたという。彼の伯父という存在も病原菌で死に、死体は彼がさきほどの丘に埋めたそうだ。白い十字架の墓が伯父のものなのだろう。

「一昨日《おととい》、検査をしたら、僕も感染していることが判明した」

「あなたも死ぬのですね」

背中の上に見えていた彼の後頭部が上下した。

「でも僕は運がいいほうだ。何十年も病原菌とは無縁だった」

年をたずねると彼はもう五十歳に近いという。

「そうは見えません。私の知識に照らし合わせるとあなたは二十歳前後の年齢に見えます」

「そういう処理を施しているんだ」

人間は手術をすることで百二十年は生きられるそうだ。

「病原菌には勝てなかったがね」

台所に設置されている様々なものを確認する。冷蔵庫内には野菜や調味料、解凍すれば食べられる食品などが入っていた。電熱器の上には使ったまま洗っていないフライパンが載っていた。スイッチを入れると電熱器のコイルがゆっくりと熱を発し始めた。

「私に名前をつけてください」

彼に提案した。テーブルに肘《ひじ》をついて彼はしばらく窓の外を見つめていた。庭の地面を覆っている芝生の上を蝶が飛んでいた。

「必要ないだろう」

外の風が窓から入ってくる。下がっている金属製の飾りが揺れて高音を発する。

「僕が死んだら丘に埋葬してほしい。あの十字架の隣に穴を掘って僕に土をかぶせてほしい。きみを作ったのはそのためなんだ」

彼は私の顔を見つめた。

「わかりました。私が作られたのは、この家の家事をするためと、そしてあなたを埋葬するためですね」

彼は頷いた。

「それがきみの存在理由だ」

私はまず家の掃除からはじめた。箒《ほうき》で床を掃き窓を布で拭いた。彼はその間、窓辺の椅子に腰掛けて外を眺めていた。

私が家の中の埃《ほこり》を窓から追い出しているときのことだった。窓のすぐ下に鳥が横たわっているのを見つけた。物音に反応しなかったため死んでいるのだろうと推測した。家の外に出て私は片手で鳥の体をつかみ上げた。手のひらの感知した冷たさが推測の通り鳥が死んでいることを裏付けた。

いつの間にか窓辺に彼が立っていた。家の中から私の手にある鳥の屍骸《しがい》を見つめていた。

「どう処理する？」

彼が質問した。私は森の中に鳥の屍骸を投げた。私の筋肉は成人女性のものと変わらなかったが遠くまで飛ばすことができた。鳥の屍骸は木々の枝に引っかかり葉を散らせながら森の奥へ消えた。

「その意図は？」

彼は首を傾《かし》げた。

「分解して肥料になるからです」

私の答えを聞くと、一度、大きく彼は頷いた。

「僕を正しく埋葬するために、きみには『死』を学んでほしい」

彼の話では、私はうまく『死』を理解していないそうだ。私は困惑した。

2

私と彼の生活がはじまった。

朝、私は目覚めると、台所にあった桶《おけ》を持って井戸へ水を汲《く》みに行った。食事や洗濯のための水はすべて井戸水だった。私と彼の住む家は地下に小型の発電設備があり電気だけは豊富にあった。しかし水をポンプで汲み上げるような設備はなかった。

井戸は庭の片隅にあり家の勝手口からそこまで石の敷き詰められた道があったがその道は曲がりくねっていた。私は毎朝、道を無視して井戸までの最短距離を真っ直ぐ進んだ。井戸の周囲には小さな草花が咲いていた。最短距離を歩くと咲いている花を踏むことになった。

井戸に備え付けられた縄つきの桶を投げ込むと深い底の方で着水する音がした。最初に水を汲み上げたとき、水とはこんなに重いものなのかと思った。

水を汲むついでにいつも私は歯磨きをした。目覚めた後の口の中は不快な粘膜に覆われていた。睡眠中、唾液の分泌量が抑えられるためだ。それを歯ブラシで解消した。

歯ブラシのような消耗品や食事の材料は地下の倉庫にあった。私が生まれたあの部屋の隣だった。廊下にあるシャッターを引き上げると巨大な空間があり何十年分という食料が積み上げられていた。水汲みを終えた後、そこから適当なものを運んできて庭でとれた野菜とともに電熱器とフライパンで調理をした。食事のとき必ずいつもコーヒーをいれた。私が料理をしている間に彼は二階の自室からおりてきてテーブルについた。

「昔の写真や記録映像などは残っていないのですか？」

二人で朝食を食べているとき私はたずねた。食後、片づけが終わった私のところに彼が何枚かの写真を持ってきた。古い写真らしく色褪《いろあ》せていた。大勢の人間が生活する町の光景が撮影されていた。高いビルの間を車や人々が行き交っていた。

ある写真の中に彼を見つけた。背後に何かの施設が写っていた。これはどこなのかと聞くと、前に働いていたところだと説明された。

また別の写真の中に女性の姿があった。私と同じ顔、髪型だった。

「きみはよく普及していたんだ」

彼は言った。

家は山と丘の境目あたりにあり、丘とは反対側の方向に山の麓《ふもと》へ延びる道があった。道にだれかの使っている気配はなく雑草が茂っていた。家の前までくると途切れるためこの家で行き止まりなのだとわかった。

「この道を麓へ下りて行くと何がありますか？」

ある日の朝食のとき彼に質問した。

「廃墟だ」

彼はカップを傾けながら返事をした。庭の木々の間から麓がよく見渡せた。彼の言う通り町だったものがあった。今はもうだれも住んでいないらしく壊れた建物とそれを覆う植物が見えた。

また別の朝食のとき、彼がサラダの野菜をフォークに突き刺して私に見せた。野菜の葉に何かがかじった小さな歯形がついていた。その野菜は庭の畑からとってきたものだった。

「兎《うさぎ》が出るんだ」

彼は言った。私と彼は衛生面を気にせず兎のかじった部分でも食べた。しかしできることなら兎の歯形がない葉のほうが良かった。

朝食がすむと私は考えながら家のまわりを歩いた。彼の生命活動が停止するさまを思い浮かべた。私もやがて同じように動きを止める。私のような存在には、活動時間があらかじめ設定されていた。動きを止めるのはまだ先のことではあった。しかし私は自分の活動できる残り時間を秒単位でカウントすることができた。私は手首を耳に当てた。小さなモーターの音を聞いた。これが止まるのだと思った。

丘にある地下へのドアを潜《くぐ》り倉庫の中にスコップがあることを確認していた。彼は丘に埋葬されることを望んでいる。私はスコップで穴を掘る練習をした。

あいかわらず死ぬということがどんなものなのかぴんとこなかった。だからだろうか。穴をいくつ掘っても、「だからなに？」という気がした。

家にある窓のそばにはひとつずつ椅子が置かれてあり、昼の間、彼はいつもそのうちのどれかに腰掛けていた。ほとんどは木製の一人がけの椅子だったが井戸が見える窓辺には長椅子が置かれていた。

何かしてほしいことはないかと私が近寄ると少し微笑《ほほえ》んで何もないと返事をした。ときどきコーヒーをいれて彼に持っていくとありがとうと礼を言われた。そしてまた窓の外に視線を向けて彼はまぶしそうな顔をした。

家の中を探してもどこにもいないときが何度かあった。彼の姿を求めて歩いていると丘に広がる緑色の草原の中に十字架の白と彼の着ている服の白が並んでいるのを見つけた。

私にも墓についての知識はあった。遺体の埋まっている場所である。しかし、彼がその場所へ執着する理由がわからなかった。おそらくすでに彼の伯父は地下で分解され周囲の草へ養分として取りこまれているはずだからだ。

庭の畑にある緑色の野菜は私が作られてこの家にくる前からすでにあった。彼が栽培していたのだろう。その管理は私に引き継がれた。

時折、兎が現れて野菜をかじった。森にある他の植物を食べればいいのになぜか庭の野菜ばかりを狙って歯形をつけた。

何もしなくていい時間、私は体を叢《くさむら》に潜《ひそ》めて見張った。白い小さな体が畑の野菜の間で見え隠れすると私は飛び出して捕まえようと追いかけた。しかし成人女性と同じだけの機能しか私には与えられておらず兎に追いつくのは無理だった。兎はまるで私をあざ笑うように畑の中を駆け抜けて森の茂みへ消えた。

私は兎を追いかける最中、たいてい、何かに躓《つまず》いて転んだ。窓の内側から忍び笑いをする声が聞こえて振りかえると彼が私を見て笑っていた。私は立ちあがり白い服についた泥を叩《はた》き落とした。

「生活しているうちに人間らしくなってきた」

家に戻っても彼はまだ笑っていた。私にはよくわからなかった。しかし笑われたことでむずむずした。胸の奥がかゆいと思った。体温が上昇してどう振る舞えばいいのかわからずひとまず頭を掻《か》いた。なるほど、どうやらこれが「恥ずかしい」という感情なのだなと思った。「くすぐったい」に似ていた。そしていつまでも笑っている彼が少し憎らしかった。

昼食のとき彼がテーブルの表面を二回ほどノックして私の注意を引いた。スープを口に運んでいた私が視線を上げると彼がフォークでサラダの野菜を突き刺してぶら下げていた。兎の歯の跡がいろいろなところにある葉だった。

「僕のサラダやスープに入っている野菜は、全部、兎のかじった跡があるのに、きみの食べているものはなぜそうじゃないのだろう」

「偶然でしょう。これは確率の問題です」

私はそれだけ言って、兎の歯形がついていない自分のサラダを食べた。

二階には空き部屋があった。本棚や机、花瓶などのない殺風景な部屋だった。ただひとつだけ室内に存在するものといったら、床の中央にあるプラスチック製のおもちゃのブロックだった。子供が組み立てて遊ぶような小さなブロックだった。私は子供を実際に見たことはないが知識は持っていた。

はじめてこの部屋を入り口に立って眺めたとき窓から西日が差し込んでいた。そのため部屋中が赤色に染まっていたがそのブロックはもっと深い赤色をしていた。ブロックは帆船の形に組みあがっていた。一抱えもある大きさだった。しかし船の先端が崩れて細かく分解して散らばっていた。

「僕が躓いて壊してしまったんだ」

私のすぐ後ろにいつのまにか彼が立っていた。私は許可をもらいブロックで遊んでいいことになった。帆船を一度、すべて分解してばらばらなブロックの山にした。それから私は何かを作ろうと思った。しかしできなかった。細かなブロックを手に持ったまま動けなくなった。頭の中が急に鈍くなった気がした。

「きみたちには、作るのは難しいかもしれない……」

彼によると、私は、設計図のあるものやあらかじめ手順の決まっているものしか作ることができないそうだ。例えば、音楽や絵などは生み出せないという。だからばらばらのブロックを前にして私は何もできなかった。

私がブロックで遊ぶのを諦めると彼がかわりにブロックの山の前へ座った。彼は次々とブロックを積み重ねていった。

陽が落ちた。辺りが暗くなると庭に設置された照明が自然に点灯した。白い照明が庭のそこかしこを照らし出すと窓の外からその明かりが部屋の中へ入ってきた。

私は部屋の電気をつけた。彼が作っていたのは帆船だった。再び完成した一抱えもある赤い船を彼は様々な角度から眺めていた。彼のように私もブロックで遊べたらいいのにと思った。

井戸の周囲を照らす照明のそばにいつも蛾《が》が飛んでいた。私たちは夜の歯磨きを井戸のそばで立ったまま行なった。歯を磨いていると蛾の影がちらちらと地面を横切った。口をすすいだ水は排水溝へ吐き捨てた。排水溝は森の茂みの下を通って山の麓の川へつながっているのだそうだ。

その後それぞれが寝室へ引き上げるまでの時間、家のリビングにあるレコードで音楽を聴いた。お互いに眠るのは夜おそくなってからだった。静かな音楽の流れる中で私たちはチェスをした。勝敗はほとんど五分五分だった。私の頭には通常の人間と同じだけの機能しか与えられていないのだ。

虫が入ってくるので窓は網戸にしていた。夜の風が家に入ると台所の窓に下がっている金属製の飾りが揺れて音を鳴らした。澄んだ美しい音色だった。

「あの窓の飾りが出す音は、風の作り出した音楽なのですね。私は好きです、あの音」

彼が次の手を考えているとき私はそう口にした。彼は私の言葉を聞いて目を細めて頷いた。

はっとした。最初にこの家へきたとき、私はあの音を聞いて、規則性のないただの高い音だと思った。それがいつのまに、それだけではないのだということを知ったのだろう。この家で暮らし始めて、すでにひと月が経過していた。その間、気づかないうちに心の中が変化していた。

その夜、彼が寝室へ引き上げた後、私は一人で外を歩いた。白い照明が庭に点々とついていた。金属製の柱の上に丸い電灯が載っており、虫が光に近づこうとしてガラスの覆いにはね返されていた。夜の暗闇は濃かったが照明の足元に立つと白い光が私の上に降り注いだ。そこに立ったまま自分の変化について考えた。

いつのまにか私は井戸まで歩くとき最短距離を歩かなくなっていた。石の敷き詰められた曲がっている道を、ゆっくり時間をかけて歩き、生えている草花を踏まないよう心がけた。以前なら時間とエネルギーの無駄だと考えた。しかし今では周囲を眺めながら歩くということが楽しかった。

地下で目覚め、はじめて外へ出たとき、白くなった視界と体表面の温度でしか太陽を理解しなかった。しかし今の私が思う太陽はもっと深い意味を持ち、たぶん詩の世界でしか表現できない、心の内側と密接に結びついたものになっていた。

いろいろなことを愛しく思っていた。

壁から植物の生えた家や丘に広がる草原、そこにぽつんとある地下倉庫への扉と、その上の鳥の巣。高くつき抜けた青空や立ちあがる入道雲。苦いコーヒーはきらいだったが、砂糖を多めに入れたコーヒーは好きだった。それを冷まさずに熱いまま舌の上に広げると、甘い味で私は嬉《うれ》しくなった。

食事を用意し、掃除をする。白い服を洗濯し、穴が開いていたら糸と針で繕《つくろ》う。窓から入りこんだ蝶がレコードの上に降り立ち、風の生み出す音を聞きながら目を閉じる。

私は夜空を見上げた。照明の向こう側に、月があった。風が木を揺らし葉がざわめく。彼を含め私は何もかも好きだった。

木々の間から見える町の廃墟を見た。明かりはひとつもなく、そこには暗闇しかなかった。

「あと一週間で僕は死ぬ」

次の日の朝、起きてきた彼はそう言った。正確な検査で死期がわかっているらしかったが、私はまだ『死』がどういうものかはっきりと理解しておらず、わかりました、とだけ返事をした。

3

彼の体は弱り階段の上り下りに時間がかかるようになったので、一階の私の部屋のベッドを使うことになった。そのかわり私は夜になると二階の部屋で眠ることになった。ベッドから立ちあがったり椅子のある窓辺まで歩いたりするのを手伝おうとしたが必要ないといって彼は私を遠ざけた。私は看病らしいことは何もしなかった。彼は痛みを訴えるわけでもなく熱を出すわけでもなかった。彼の説明によると例の病原菌はそういうものではなく苦痛を与えずに『死』を運んでくるのだという。

彼ができるだけ動かなくていいように彼のいる場所で食事をした。彼が長椅子に座っていれば食事の盆を持って私は隣に腰掛けた。彼が一人用の椅子に座っていればそばの床にあぐらを組んで彼の足元でパンを頬張った。

彼は伯父の話をした。伯父といっしょにトラックで廃墟の中を進んだことや、廃墟の町からまだ使えそうなものを運んできたときのことなどの話だった。庭に放置されているトラックは、もう燃料が手に入らず動かすことができないそうだ。

「……きみは人間になりたいと思ったことはあるかい」

話の途中でふいに彼は質問した。私は頷いて、ある、と答えた。

「窓の飾りが揺れる音を聞くと自分が人間だったらいいのにと思います」

風さえも飾りを揺らして音楽を作る。しかし私は何も生み出すことができないのだ。それが残念だった。会話の中で詩のような表現を使ったり嘘《うそ》をついたりすることはできた。しかし私にできる創造はせいぜいそれだけだ。

「そうか……」

彼は頷いてまた伯父の話に戻った。伯父といっしょに何週間も廃墟の町を探索したときの思い出だった。

彼が深く伯父を愛しているのがわかった。だからその隣に埋葬されることを希望しているのだ。そのために私は作られた。人間の『死』を看取るために。

床にあぐらを組んで食事をしていた私のそばに食べかけのパンが落下して軽い音を立てた。彼が落としたものだった。

彼の右手が小刻みに痙攣《けいれん》していた。彼はそれを左手で止めようとしたが無駄だった。

彼は冷静な目で震える自分の手を見つめながら私に聞いた。

「死について、わかったかい？」

「まだです。どんなものですか？」

「怖いものだよ」

私は落ちたパンを拾って盆に載せた。衛生面を考えて食べないことにした。死ぬということがまだよくわからなかった。私は自分もやがて死ぬことを知っている。しかし怖いとは思えなかった。停止することが怖いのだろうか。停止と恐怖との間に何かひとつ抜け落ちているものがあるように感じた。おそらくそれを学ばなければならないのだろう。

私は首を傾げて彼を見つめた。彼の手はまだ震えていたがもはや彼自身気にしていなかった。彼の目は窓の外に向けられていた。私も外を見た。

庭には光が溢《あふ》れていた。私はまぶしくて目を細めた。家を囲んでいる森とその切れ目から麓の方へ延びている道がある。壊れかけの郵便ポストがあった。錆びたトラックが放置されその隣に野菜の畑がある。畑に並んでいる野菜の上を小さな蝶が舞っていた。

白い小さなものが緑色の葉の陰に見え隠れした。兎だった。私は立ちあがって窓から外に出た。行儀が悪いことは知っていたがもはやこの追いかけっこは兎の姿を見た瞬間、何よりも優先してはじまるようになっていた。

彼の死が五日後に迫ったその日、空は曇りだった。私は森の中を歩きながら山菜を採取していた。食料は倉庫に多く残っていたが栽培した野菜や自然にある植物などを料理したほうがいいと彼は主張していた。

彼の手足は時折、痙攣した。しばらくすると震えは止まるが何度も再発した。そのたびに彼は転んだりコーヒーをこぼして服を汚したりする。それでも冷静に彼は対処した。困惑はなく静かな目で言うことをきかない体を眺めていた。

森の中をしばらく歩くと崖があった。落ちると危ないので近寄らないようにと彼には言われていたが崖のそばには山菜が多く生えていた。それに崖から見える景色が好きだった。

少し離れたあたりから地面が急に消えて空になっている。私は片手に下げた籠へ採取した山菜を入れながら崖の向こう側にある山の連なりを見た。空を覆う雲に半ば山々はかすんで溶けている。ただ巨大な影が灰色の中にあるだけだった。

崖の先端に私は目を留めた。まるで誰かが踏み崩したように、少し崩れた個所があった。

首の上だけを突き出して崖下を覗いてみた。三十メートルほど下に横切っている細い線があり、それは崖下を流れる川だった。そのずっと手前の崖の上から二メートルほど下に岩壁の出っ張った個所があった。テーブルひとつ分ほどの広さを持ち草も生えていた。

そこに白いものがいた。兎だった。足場が崩れて崖から落ちたが途中で引っかかって助かったのだろう。上へ這い登れるような部分もなくどうやら岩棚から動けないらしい。

遠くの空から、雷の重い音がした。腕に、一瞬、雨粒の感触がした。

山菜の入った籠を地面に置いた。崖の先端に両手をつき後ろ向きにゆっくりと崖を下りた。靴の裏側で岩壁の凹凸を探りつま先のひっかかる場所を探す。一歩ずつ下りて足先が岩棚の上に着く。

兎のいる場所に立った。冷たい風が吹き私の髪を揺らした。これまで兎には困らされたがその場から動けずにいるのを見ていると助けなければいけないという気がした。私は兎に手をのばした。一度、身構えるようなしぐさをしたが白い毛皮の動物は静かに私に抱かれた。手の中に小さな温かさを感じた。まるで熱の塊みたいだと思った。

本格的に雨が降り出した。木々の葉がいっせいに、落下する雨滴に打たれて音を出した。次の瞬間、何かの崩れる音を聞いた。震動が私の体を襲った。今下りてきた岩壁が高速で上へせり上がり浮遊感を味わった。乗っている足場が落下していた。さきほどまで私のいた山菜入りの籠を置いた崖の上が一瞬で高く遠く小さくなった。私は兎を強く腕の中に抱きしめた。

着地の瞬間、強い衝撃が全身を貫いた。辺りを砂埃が舞った。しかし雨がすぐにそれを消した。崖下を流れていた川のそばに落下していた。

体の半分が破損していたが致命的な損害はなかった。片足がちぎれかけ腹部から胸にかけて大きな亀裂が入っていた。体内のものがあふれ出ていたがなんとか自力で家まで戻れそうだった。

腕の中に抱いていた兎を見た。白い毛皮に赤いものがついていた。血だとわかった。兎の体が冷たくなっていった。私の腕の間から体温が流れ落ちていくようだった。

家まで兎を両手に抱いたまま帰った。片足とびで歩いたあとには私の体から飛び出したものが点々と残った。強い雨が辺りをすき間なく埋めていた。

家に入り彼の姿を探した。私の滴《したた》らせる水滴が床に広がっていった。私の髪の毛は濡れて皮膚や皮膚のはがれた個所に張りついていた。彼は庭の見える窓辺のそばに腰掛けていた。私の姿を見ると驚いていた。

「直してください……」

私はこうなった理由を説明した。

「わかった、地下倉庫へ行こう」

両腕の中の兎を彼に差し出した。

「この子も治せますか……？」

彼は首を横にふった。その兎はもう死んでいる。そう言った。兎は落下の衝撃に耐えられなかった。私の腕の中で転落死したのだ。

私は野菜の間を元気に憎たらしく駆けまわっていた兎の姿を思い出した。そして目の前で白い毛皮を赤く染め目を糸のように細く閉じたまま動かない兎を見つめた。地下倉庫へ行って検査と手当てをしなければ、そう言う彼の声がやけに遠くから聞こえた。

「あ、……あ、……」

私は口を開けて何かを言おうとした。しかし言葉は出なかった。胸の奥からわけのからない痛みを感じた。私は痛みとは無縁だがなぜかそれを痛みだと認識した。力が抜けていき私は膝をついた。

「私は……」

涙を流す機能も私にはついていた。

「……この子が、意外と好きだったんです」

彼は、痛ましいものを見る目で私を見ていた。

「それが死だ」

そう言うと、私の頭に手を載せた。私は知った。死とは、喪失感だったのだ。

4

私と彼は地下倉庫まで歩いた。雨が強く視界はほとんどなかった。私は腕の中に兎を抱いたまま片足で進んだ。家を出るとき兎は残していきなさいと彼は言ったが放すことができなかった。結局、私が地下の作業台で応急処置を受けている間、兎はそばの机に寝かせていた。

作業台に寝ると天井の照明が正面にあった。この部屋でひと月と数週間前、私は同じ状態で横になっていたのだ。そして目を開けると彼がおはようと口にした。最初の記憶だった。

白い光の中で彼が私の体内を検査した。彼は時折、疲れたように椅子で休んだ。休憩をとらなければ立っていることもままならないのだろう。

私は寝かされたまま首を横に向け机の兎を見つめた。彼も近いうちあの兎のように動かなくなるのだ。いや、彼だけではない。鳥にも、私にも、やがて『死』は訪れる。これまでそのことは知識として頭の中にあった。しかし今のように恐怖をともなったことはない。

自分が死ぬときのことを考えた。それはただの停止ではなかった。この世界すべてとの別れであり私自身との別れでもあった。どんなに何かを好きになっても必ずそうなる。だから『死』は恐ろしくて悲しい。

愛すれば愛するほど死の意味は重くなり喪失感は深くなる。愛と死は別のものではなく同じものの表と裏だった。

体内から欠け落ちたものを彼が埋めこむ間、静かに私は泣いていた。やがて修理が半ばまで終わったとき彼は手をとめて椅子で休憩をとった。

「明日までには応急処置が終わる。完全に元通りになるには、さらに三日の作業が必要だ」

彼の体は限界に達していた。応急処置より後の作業は私が自分で行なわなければいけないという。私も自分自身の体内のことは一応、知っていた。経験はなかったが設計図を見ればおそらくその作業はできるだろう。

「わかりました……」

そして涙声で続けた。

「……私はあなたを恨《うら》みます」

なぜ作ったのですか。この世界に誕生して何かを好きになどならなければ、『死』による別れに怯《おび》えることもなかった。

嗚咽《おえつ》まじりの声になったが私は作業台に寝たまま言葉を口から押し出した。

「私は、あなたが好きです。それなのに、あなたの遺体を埋葬しなければならないのは、辛いです。こんなに胸が苦しくなるのなら、心なんて必要ないのに。私を作る段階で、心を組みこんだあなたを恨みます……」

彼は悲しそうな顔をした。

包帯を体中に巻きつけた私は冷たく固まった兎を抱いて地下倉庫から出た。外はもう雨がやみ丘一面に広がる草原に湿った空気が立ちこめていた。辺りは暗かったがじきに朝が訪れる時間だった。空を見ると雲が流れていた。私の後から彼が扉を出てきた。応急処置を受けた私は普通に歩くことができるようになっていた。しかし完全な修復ではないため激しい動きは禁止された。自らの手による修復作業はしばらくの間、行なうつもりはなかった。私が地下で作業をしている間、彼に食事を作る者がいなくなるからだ。

私たちが休憩をはさみながら家まで歩いているとやがて東の空が明るくなってきた。彼が森に近いところにある十字架の前で立ち止まった。

「あと四日だ」

十字架を見つめて言った。

朝のうちに私は兎を埋葬した。青い芝生の覆う庭によく鳥の集まってくる一画があった。そこなら寂しくないだろうとスコップで穴を掘った。兎に土をかぶせる間、胸が押しつぶされるような気持ちだった。同じことを彼にもしなければならない。そう考えると私は耐えられる自信がなくなった。

その朝から数日間、彼は一階のベッドへ横になったまま起きなかった。寝たきりでベッドわきの窓から外を見つめるだけだった。私は食事を作って彼のもとまで運んだ。私はもう笑うことができなかった。彼のそばにいると辛かった。

なぜ彼がいつも窓から外を眺めているのか理解できた。彼もまた私と同じように世界が好きなのだろう。だから『死』によって別れが訪れるまでよく見て目に焼き付けておこうとしているのだろう。私はできるだけそんな彼のそばで時間を過ごした。一秒ごとに彼の『死』が近づいてくるのを感じた。家のどこにいてもその気配はあった。

雨の日以降、いつも空は曇っていた。風もなく台所の窓に下がっている飾りは沈黙していた。レコードを聴く気力もなく家の中は静かだった。私が歩くときの床がわずかに軋む音だけがあった。

「あそこの照明のランプが切れかかっているね……」

ある夜、横になったまま彼は窓の外を見て言った。庭を照らしている照明のひとつが弱々しく点滅していた。しばらくついていたかと思うとふいに震えて暗くなる。

「僕は明日の正午に死ぬだろう……」

切れかかっているランプを見ながら彼は口にした。

彼が眠りについて私は二階のブロックのある部屋で膝を抱えた。床の中央に赤いブロックで作った帆船がある。彼がかつて私の目の前で製作したものだ。それを眺めながら私は考えていた。

私は彼が好きだった。その一方でまだ心に引っかかりがあった。私をこの世界に創造したということへの恨みだった。心の中にできた黒い影のように、その感情はつきまとっていた。

感謝と恨みを同時に抱いたまま複雑な気持ちで彼に接していた。しかし私はそのような素振りを見せなかった。ベッドにいる彼へコーヒーを運び手が震えるようであれば口まで運んであげた。

私がまだ心にわだかまりを持っているなどということを彼が知る必要はない。明日の正午、私は彼に、作ってくれてありがとうと感謝の気持ちだけを言い表そう。それが彼にとってもっとも心残りのない『死』に違いない。

ブロックの赤い帆船を私は両手でもてあそんだ。恨んでいるなどという気持ちは胸の奥に隠していればいいことだ。しかし私はこのことについて考えるたびに、息苦しくなった。彼に嘘をついているようで、怖かった。

帆船の持っていた部分が唐突に外れた。床に落下して胴体部分のほとんどが音を立てて分解した。ばらばらになったブロックを集めながらどうしようかと思った。私のように人間でないものは絵を描いたり彫刻をしたり音楽を作ったりすることはできない。彼が死んだらこのブロックはずっと分解したままになってしまう。

そのときひとつだけ私でもブロックで作り出せるものがあることに気づいた。思い出しながら帆船を組み立てた。一度、彼が製作する様を見て記憶していた。ひとつずつ彼がかつて目の前で行なった手順を繰り返す。そうすることで私にも帆船を製作することはできた。

そうしながら私は涙を拭った。もしかしたら。もしかしたら。心の中で幾度もそう繰り返した。

次の日、朝から空は晴れ渡っていた。どこまでも続く青色の中には雲が見当たらなかった。彼が眠っている間、井戸のそばで私は歯磨きをし、口をすすいだ。井戸から水を汲み上げて桶に移しかえるときしぶきが飛んだ。井戸の近くに生えている草花がそれを受ける。花の先端に露をつけ重みで曲がった。見ていると露は落下し空中で朝日を反射して輝いた。

曇りの日が続いていたので洗濯物がたまっていた。二人が着た数日分の白い服を洗い庭先に干した。動くと体に巻いていた包帯がずれてくる。それを直しながら物干《ものほ》し竿《ざお》に服をかけていった。

ちょうどその作業が終わったとき、彼が窓から眺めていることに気づいた。そこは彼の寝ている部屋の窓ではなく日当たりのいい廊下の窓だった。私は驚いて駆け寄った。

「起きて大丈夫ですか？」

彼は窓辺にある長椅子に腰掛けていた。

「この椅子の上で死のうと思う」

どうやら最後の力をふりしぼって歩いたらしい。

私は家に入り彼の隣に腰掛けた。正面の窓から庭を眺めることができた。たった今、干したばかりの洗濯物が白かった。風にゆらいでその向こう側にある井戸が見え隠れした。死とは無縁の気持ちのいい朝だった。

「残り何時間ですか？」

私は外に視線を向けたまま聞いた。彼はしばらく沈黙した。静かな時が過ぎた後、自分の命の残り時間を秒単位で答えた。

「病原菌による『死』は、そんなに律儀に時間を守るものなんですか？」

「……さあ、どうかな」

特に興味のなさそうな声で、彼は返事をした。私は緊張しながら、質問してみる。

「……あなたが私に名前をつけなかったのは、絵や音楽を作り出せないのと同様に、名前を生み出すことができなかったからですね？」

彼はようやく窓の外から目を離して私を見た。

「私も、自分の死ぬ時間を秒単位で把握しています。私のような存在には、あらかじめ生きていられる時間が設定してあるからです。そして、あなたも……」

本当は、病原菌になんか感染していない。彼はおそらく、以前に他の人間がブロックから帆船を作り出したところを見ていたのだろう。だから、帆船を組み立てることができた。人間がすべていなくなった世界を、彼だけが死なずに今まで生きてきたのだ。彼はしばらく私の顔を見つめてからうつむいた。白い顔に陰ができた。

「だましていて、すまない……」

私は彼に抱きつき胸に耳を当てた。彼の胸の中からモーターのかすかな音が聞こえた。

「なぜ人間のふりを？」

彼は落ちこんだ声で伯父にあこがれていた心の内側を説明した。伯父とは彼の製作者だった。自分が人間だったらいいのにと私は時々思った。彼もまた同じことを感じていたのだ。

「それに、きみが納得できないだろうと考えた」

自分と同じ存在に作られたというより、人間に作られたことにしたほうが、私の苦しみが少ないと考えたそうだ。

「あなたは愚かです」

「わかっている」

そう彼は言って、胸に耳をあてたままの私の頭に、そっと手を載せた。少なくとも私には彼が人間だろうとそうでなかろうと違いはなかった。私は彼の体を強く抱きしめた。残り時間が減っていく。

「僕は、伯父の隣に埋葬されたかった。自分の上に土をかぶせる存在が必要だったのだ。そのような身勝手のためにきみを作り出してしまった」

「何年間、あなたは一人きりでこの家にいたのですか？」

「伯父が死んで二百年が経つ」

彼が私を作った気持ちはわかった。死の訪れる瞬間、自分の手を握ってくれる人がいればどんなにいいだろうか。だから私は、彼の上に死が訪れるまで、抱きしめていようと思った。そうしていれば彼は、孤独ではないと知るだろう。

私も、自分が死ぬときに彼と同じことをする可能性があった。設計図や部品、工具などは地下倉庫にそろっているのだ。まだそのときになってみなければわからないが、孤独に耐えかねたとき、寄り添うための新たな命を私は生み出すかもしれない。だからこそ、私は彼を許すことができた。

私と彼は、長椅子の上で、静かな午前を過ごした。私はずっと、彼の胸に耳を当てていた。彼は何も話さず、窓の外で風に揺らめく洗濯物を見ていた。

私は応急処置を受けて以来、体中に包帯を巻いている。首に巻かれていた包帯のずれを、彼がそっと直した。窓から入る日差しが膝にあたっていた。暖かい、と思った。何もかも暖かい。やさしくて、やわらかい。そう感じたとき、私の胸につかえていたものが、次々と解き放たれていくような気分を味わった。

「……作ってくれたこと、感謝しています」

ごく自然に、思っていることが唇の間からこぼれた。

「でも、恨んでもいたのです……」

胸に耳を当てていると、彼の顔は見えなかった。それでも、彼が頷いたのはわかった。

「もしもあなたが埋葬のため、死を看取らせるため、私を作らなければ、私は死を恐れることも、だれかの死による喪失感に苛《さいな》まれることもなかったでしょう」

彼の弱々しい指が、私の髪の毛に触れた。

「何かを好きになればなるほど、それが失われたとき、私の心は悲鳴をあげる。この幾度も繰り返される苦しみに耐えて残り時間を生きていかなければならない。それはどんなに過酷なのだろう。それならいっそのこと、何も愛さない、心のない人形として私は作られたかった……」

鳥の鳴き声が、外から聞こえた。私は目を閉じて、青空を数羽の鳥が飛んでいる場面を想像した。瞼《まぶた》を閉じたとき、目の縁にたまっていた涙がこぼれた。

「でも、今、私は感謝しています。もしもこの世界に誕生していなければ、丘に広がる草原を見ることはなかった。心が組みこまれていなければ、鳥の巣を眺めて楽しむことも、コーヒーの苦さに顔をしかめることもなかった。そのひとつひとつの世界の輝きに触れることとは、どんなに価値のあることでしょう。そう考えると、私は、胸の奥が悲しみで血を流すことさえ、生きているというかけがえのない証拠に思えるのです……」

感謝と恨みを同時に抱いているなんて、おかしいでしょうか。でも、私は思うのです。

きっと、みんなそうなのだと。ずっと以前にいなくなった人間の子たちも、親には似たような矛盾を抱えて生きていたのではないでしょうか。愛と死を学びながら育ち、世界の陽だまりと暗い陰を行き来しながら生きていたのではないでしょうか。

そして子供たちは成長し、今度は自分が新たな命をこの世界に創造するという業を、背負っていたのではないでしょうか。

あの丘の、あなたの伯父が眠る隣に、私は穴を掘ります。そしてあなたを寝かせて、布団をかぶせるように土を載せようと思います。木で作った十字架を立てて、井戸のそばに咲いていた草花を植えようと思います。毎朝、あなたに挨拶をしに行くでしょう。そして夕方には、一日に何があったのかを報告しに行きます。

静かな時間が長椅子の上を通りすぎ、正午近い時刻になった。私の耳に聞こえていた彼の体内のモーター音が小さくなり、やがて聞こえなくなった。おやすみなさいと私は心の中でつぶやいた。

金鵄《きんし》のもとに

浅田次郎

浅田次郎（あさだ・じろう）

一九五一年東京都生まれ。九五年『地下鉄《メトロ》に乗って』で吉川英治文学新人賞、九七年『鉄道員《ぽっぽや》』で直木賞、二〇〇〇年『壬生義士伝』で柴田錬三郎賞、〇六年『お腹召しませ』で中央公論文芸賞と司馬遼太郎賞、〇八年『中原の虹』で吉川英治文学賞、一〇年『終わらざる夏』で毎日出版文化賞を受賞。その他に「天切り松　闇がたり」シリーズ、『プリズンホテル』『蒼穹の昴』『シェエラザード』『オー・マイ・ガアッ！』『降霊会の夜』など著書多数。

染井俊次《そめいしゆんじ》がその兵隊を見かけたのは、凩《こがらし》が曠《あ》れた街路に砂埃《すなぼこり》を巻き上げる夕まぐれであった。

窓ガラスの代用に張った藁筵《わらむしろ》がはためき、ほんの一瞬、街頭に蹲《うずくま》る白い病衣が見えたのだった。とたんに染井は人ごみをかき分け、乗客たちの顰蹙《ひんしゆく》を物ともせずに電車から降りた。

乗車賃を払えと言う車掌を停留場から睨《にら》み上げ、染井は二十銭のかわりに戦闘帽の庇《ひさし》をつまみ上げた。

「新橋から乗ったばかりだ。面倒を言うな」

片頬の肉を骨ごとこそぎ落とされた顔は、こんなときにたいそう便利ではある。褐色に灼《や》けた戦闘帽も開襟の夏用軍衣も、この冬を凌《しの》ぐには心細いが、いかにも南方戦線の生き残りというふうだった。

都電が行ってしまうと、染井はしばらく停留場に佇《たたず》んで、向こう辻の枯柳の下に蹲る傷痍《しょうい》軍人を見つめた。

暦はとうに生活から喪《うしな》われているが、どうやら今日は日曜であるらしい。銀座の街路には米兵の姿が目立った。

「やれやれ、世も末だの」

染井のせいで電車に乗りそびれたのであろうか、手拭《てぬぐい》で頬かぶりをした老人がかたわらで呟《つぶや》いた。

「何でもこの冬にァ、一千万人が飢え死ぬらしい。俺のような年寄りが生き延びられるはずはねえやな」

「戦に負けたんだから仕方あるまい」

染井は邪慳《じゃけん》に言った。この冬に一千万人の餓死者が出るという噂《うわさ》は、少なくとも一つい四ヵ月ばかり前の、「神風が吹く」という噂よりは信じられる。

乾いた北風が銀座通りを突き抜けて、染井は老人の小さな体を砂埃からかばった。

「世も末だてえのは、お前さんのことじゃあねえよ。あの兵隊のこった」

染井の袖を引いて、老人は街路に蹲る白衣の病兵を指さした。

「ああ。実は俺もあの野郎が気に障って、電車から降りちまったんだ」

「張り倒そうてえのかい」

「いや、それも大人げない」

「世も末だの」

「まったくだ」

「お国のためにあんな姿になっちまったのは、たしかに気の毒だがの。したっけ米兵から お情をちょうだいしようてえ性根は気に入らねえ」

傷痍軍人は戦に勝ってこその英雄なのだと染井は思った。

往来にひたすら頭を下げ続ける病兵に、情をかける日本人はいなかった。気の毒に思いこそすれ、誰も他者に施しを与える余裕はないのだ。しかし、米兵が彼を無視することはなかった。セーラー服を着た水兵も、GIキャップを斜《しゃ》に冠《かむ》った若い兵隊も、みな何がしかの金を、病兵の指先に置かれた飯盒《はんごう》に投げ入れていた。

「帝国軍人のなれの果てってわけだねえ」

「それをいうなら、俺だって帝国軍人とやらのなれの果てだ」

胸糞《むなくそ》が悪くなった。進駐軍のPXは四丁目の服部時計店と、そこから一丁北の松屋デパートにある。つまり傷痍軍人はその間を往還する米兵を、はなから目当てにしているにちがいなかった。

「お前さん、いい体をしているが、どこでご苦労なすった」

「どこでもよかろう」

奥歯に砂が障って、染井は街灯を映す電車の軌道に唾を吐いた。親しげに語りかけてくる老人の目論見が、ようやくわかったのだった。

「一千万人がのたれ死ぬてえのに、こんな年寄りが冬を越せるはずはねえやな」

老人の掌になけなしの五円を握らせたとき、染井はついさきほど新橋の闇市で食った鰯《いわし》の顔を思い出した。一尾で五円の塩焼は、残った片頬が落ちるかと思うほど旨かった。

老人を停留所に置き去って、染井は大通りを渡った。筵の上に土下座したまま動かぬ病兵の姿が近付いてくる。

物乞いをする傷痍軍人を見たのは初めてである。復員兵の大方は内地で武装解除された兵隊たちで、激戦地から帰還した者はほとんどいないはずだった。ならばその兵隊は何者だという疑念が、とっさに頭をかすめて、染井は電車から飛び降りたのだ。

何日か前に数寄屋橋のたもとで、生業資金を募る衛戍《えいじゅ》病院の病兵たちを見かけた。むろんそれは正当な募金活動である。戦で手足を失った兵隊たちはみな堂々と背筋を伸ばし、メガホンを握って往来を行く人々に訴えかけていた。なけなしの金を据えられた木箱に入れ、労《ねぎら》いの言葉をかける通行人も多かった。

それですら染井は、不快な気分になったものだ。たとえ手足を奪われたにせよ、内地送還になって衛戍病院に養われているのだから、不幸などころか果報なやつらだと思った。染井が這《は》い出してきた戦場では、万に一つも考えられないことだった。

通りを渡り切ると、染井は足元から吹き上がる地下鉄の温気《うんき》に冷えた体を焙《あぶ》りながら、しばらく目の前の傷痍軍人を見つめた。見るほどに怒りがこみ上げてきた。

こいつは生き恥を晒《さら》している。今さら戦で死ぬことが誉れだなどとは思わないが、生き残った果報を看板にして、あまつさえかつての敵兵から施しを受けるこいつは、人間の屑《くず》だ。

松葉杖《まつばづえ》をこれ見よがしに膝元に引き寄せ、病兵は身じろぎもせずに頭を下げ続けている。飯盒の中に硬貨を投げ入れ、米兵が屈みこんで何やら語りかけても、感謝の言葉ひとつ返すわけではなかった。まるで砂埃の中に置き去られた木偶《でく》のようだった。

染井は病兵に歩み寄ると、軍靴の爪先で飯盒を押した。それでも男は、まるで動かずにいることが命令であるかのようにじっとしていた。

「おい」

病衣の襟を吊《つ》るし上げたい衝動に耐えながら、染井は声をかけた。

「商売をするのは勝手だが、この看板は下ろせ」

まるで聞こえぬふうである。染井は路上に差し延べられた指を軽く踏んだ。

「耳がないとは言わせんぞ」

飯盒の脇には、軍歴を書いた小さな木札が置かれていた。要するに、お国のためにこういう体になったという来歴である。

染井は屈みこんで、病兵の耳にきつく囁《ささや》きかけた。

「南方派遣独立混成第三十八旅団、通称号『月七三八六』部隊か。おい、兵隊。お前さん何様だか知らんが、この『月七三八六』の編成地はどこだ。言ってみろ」

兵隊は答えなかった。答えられぬかわりに、白衣の肩がわずかにすぼんだ。

「忘れたのなら教えてやる。『月七三八六』部隊はな、姫路の歩兵八十一連隊の通称だ。看板を下げるつもりがないのなら、もっともらしく書き足しておけ。十三年七月に動員下令、蘇州《そしゅう》、徐州《じょしゅう》、宜昌《ぎしょう》、魯南《ろなん》と転戦して、南方に持っていかれたのは十九年の七月だ。去年の話が十年も昔のような気がするがな」

兵隊は路上に差し延べた手を拳に握った。戦闘帽を冠った頭を上げようとはしない。上げられるはずはないと染井は思った。

「その八十一連隊の、第二大隊にいらしたってわけだな、お前さんは」

うなじを垂れたまま、病兵はかろうじて肯《うなず》いた。耳元にいっそう口を近付けて、染井は声を絞った。

「だがあいにく、その第二大隊はブーゲンビル島で玉砕した。生き残りは俺ひとりさ。もうひとりいたというのなら、いったい誰なのか顔が拝みてえもんだ」

兵隊は震える拳を解くと、許しを請うように合掌した。染井は俯《うつむ》く顎の先をつまんで引き上げた。

「こんな面《つら》は知らん。九百人の員数の中には知らん顔もいたろうが、俺は編成完結から七年も第二大隊を動かなかった古株だ。お前さんは見覚えがあろう。もっとも、こんな顔になっちまったんじゃ、見分けもつかんか」

染井は肉の欠けた片頰を、ぐいと男の顔に寄せた。

「お名前は」と、兵隊は嘘《うそ》を絞るように呟いた。

「六中隊の染井軍曹だ。知らんか」

「自分は、補充兵でありましたので」

「地獄のブーゲンビルに、どこから補充兵がくる」

「ラボウルから」

「いいかげんにせい」

病兵は観念したらしい。不自由な身を片手で横座りに支え、黙りこくってしまった。あたりが暗むほどに、街灯が凩に騒ぐ柳の葉影を病衣の肩に落とした。まるで蠢《うごめ》く無数の蛇のように、縞紋様《しまもよう》の影は男の体を縛《いまし》めていた。

不様な土下座が、実は男にとって楽な姿勢であることを染井は知った。片足を喪った体で背筋を伸ばそうとすれば、片手を地について支えなければならないのだった。

「こいつは書き直しますから、きょうのところは勘弁して下さい」

か細い声を震わせて、男は許しを請うた。

闇市で買った再生タバコに火をつけ、染井は少し考えた。男の嘘を責める権利があるのは、世界中で自分ひとりなのだが、だからこそ尚のこと、その権利を行使するのは大人げないような気もする。むしろ全滅した部隊の兵を名乗るのは、物乞いの知恵であろう。自分が嘘に憤った以上に、男は驚いたにちがいなかった。

そう考えれば、怒りは萎《な》えた。

「書き直さんでいい。別の筋書きにしたところで、また生き残りに見とがめられたら面倒だろう。俺はもう、お前さんを殴りとばす気力もないが、はんぱな戦をした兵隊はまだ威勢もいい」

喫《す》うか、と染井は細く巻き直した再生タバコを病兵に向けた。

「いただきます」

おし戴く身のこなしに嘘はなかった。支那の戦線で、そうして一本のタバコを分かち合った若い兵の姿を、染井はありありと思い出した。転進したブーゲンビル島にはタバコなどあるはずもなく、部下たちはみな緩慢な死を怖れるように、敵の圧倒的な砲弾に立ち向かっていった。

ブーゲンビルでなければどこから復員してきたのかと訊《たず》ねようとして、染井は問うことの愚かしさに唇を嚙《か》んだ。もし見知らぬ人間から顔の傷の来歴を訊《き》かれたら、自分は真実を答えはすまいと思ったからだった。

身を支えきれずに、男は元の土下座の姿勢に戻ってタバコを喫った。まるで九死に一生を得た命のありかを、銀座の路上に吹きこむようなしぐさだった。

雑嚢《ざつのう》の底を探って、染井は残りのタバコを飯盒に投げこんだ。金は一文もなかった。

「迎えの者が来たようですが、どうか関り合いにならんで下さい」

男は目だけをもたげて呟いた。

「家族か」

「いえ、そうじゃありません」

意味がわからずに、染井は街路を見渡した。すっかり日の昏《く》れた辻にトラックが止まっていた。荷台の幌《ほろ》をはね上げて、緑色の将校マントを着た男が降りてきた。あたりを窺《うかが》い、マントに付いた頭巾を冠って顔を被うしぐさが怪しい。

「あいつに関り合っちゃなりません。行って下さい」

病兵はもういちど言ったが、立ち去る気にはなれなかった。マントの男はまっすぐに染井を睨みつけながら歩み寄ってきた。

「何だ、てめえは」

立ち上がって胸を合わせると、大柄な染井の肩あたりまでしか丈のない小男である。その言いぐさよりも、腹一杯に飯を食っているにちがいない顔色の良さに、染井は怒りを覚えた。

「南方から復員してきた者だ」

小男は顔を顰《しか》めた。

「そりゃあ、お早いお着きで。マッカーサーの粋なお計らいで、ヒリッピンや南方の兵隊はさっさと引き揚げてこられるらしい」

粋な計らいといえばそうであろう。ラバウルの野戦病院にいた傷病兵は、まっさきにカロリン諸島のメレヨン島に運ばれ、九月末の復員船に乗って内地に帰された。

「店じまいだ。さっさとしねえか」

小男は病兵を叱咤《しった》した。手を貸そうとする染井の肩を引き戻し、飯盒の中の稼ぎをマントのポケットに押しこむ。

「きょうはドルが少ねえな。まあ、他人様《ひとさま》のお情に円だドルだと文句もつけられめえ。おあとは、闇のタバコにチューインガムか。しみったれの米兵《へいたい》もいたもんだ」

病兵は藁筵と能書きを書いた看板を抱え、松葉杖をついて立ち上がった。小男の背ごしに、戦闘帽を脱いで頭を下げる。礼などいいから行け、というふうに染井は顎を振った。

「何だ、知り合いか」

小男が振り返ると、病兵は逃げるようにトラックへと向かった。幌の中からいくつもの白い袖が差し出されて、病兵を荷台に引きずり上げた。

「どういうことだ」

染井は気色ばんだ。

「てめえ、あいつの知り合いかよ」

「知らん。ただの行きずりだ」

「だったら関係なかろう。行きずりに用はねえよ」

トラックに戻ろうとする男の腕を摑《つか》んだ。憤りではない怨嗟《えんさ》の声が、染井の唇を震わせた。

「俺はブーゲンビルから復員した。あの男の嘘にとやかく文句は言わん。しかし傷痍軍人の上前をはねるのは、ひどすぎやしないか」

小男は染井の傷ついた顔と風体をしげしげと見つめ、ほう、と感心したような声を上げた。それからトラックに向かって、追うようなしぐさで手を振った。トラックは砂埃を蹴立てて、たちまち走り去ってしまった。幌が風に巻き上がった一瞬、荷台に蹲った何人もの病兵の姿が見えた。

たぶん自分は、見てはならないものを見、咎《とが》めてはならないことを咎めたのだろうと染井は思った。復員してから二ヵ月の間、目に触れるものはみな見て見ぬふりをしてきた。生き延びるためには、正義も道徳も口にしてはならなかった。

だがこれだけは、黙って看過《みすご》すことができなかった。

「いかに行きずりでも、名前も知らねえ野郎に殴り殺されたんじゃあ後生《ごしょう》が悪い」

小男は薄い唇の端を歪《ゆが》めて笑った。

「染井俊次だ。おまえは」

「お染ちゃんか。だったら俺ァ、久松ってことにしておこうか」

いちいち人を食った物言いに腹は立つが、男の名前などどうでもいいことだった。

染井はあたりに目を配った。たぶんこの男は闇市の顔役で、厄介な復員兵を叩《たた》きのめすだけの子分を連れているのだろうと思った。

「誰もいやしねえよ。俺が車から降りるところを見てたろうが」

久松と名乗った男は、将校マントのポケットを探ってドル札の中から円を選《よ》り出し、染井の軍衣の胸に押しこんだ。穢《けが》れた金にはちがいないが、あえて拒むだけの正義も道徳も、染井は持たなかった。戦を生き延びたあとの思いもよらぬこの戦場を、もういちど生き延びることが唯一の正義であり道徳なのだと、染井は考え始めていたのだった。

「すまんな。ゆすりたかりの類いじゃないんだが」

「お堅いことは言いなさんな。相身たがいってやつだ。ともかく食わねえことにァ生きられねえ」

焼跡では持て余し気味の大きな体が、空気の抜けるようにしぼんでいくような気がした。何日かを食い凌げるだろう金は、正当な怒りをたちまち吹きさましてしまった。

「こうして会ったのも何かのご縁だ。一杯やってくかい」

ふと、病兵の声が甦《よみがえ》った。「どうか関り合いにならんで下さい」と言ったのは、悶《もん》着《ちゃく》を起こすなというだけの意味なのだろうか。

久松というこの男が「関り合ってはいけない人物」というような気がして、染井は踵《きびす》を返した。

「おいおい、お染ちゃんよォ。つれねえことは言いなさんな。くれてやった銭で飲もうなんて気はねえよ。それはそれとして、明日からのことでも語り合おうじゃねえか」

明日からのこと、という台詞《せりふ》に、染井は心を動かされた。復員してこのかた、いや軍隊を志願してから八年の間、明日という日を考えたためしがなかった。

「なあ、染井さんよ。お前さん、もともとそんな朴念仁《ぼくねんじん》なんか。それともまだ戦地ボケで、てめえがどこの誰で、いま何をしてるかもわかってねえんか」

正体不明の酒をおそるおそる啜《すす》りながら、「戦地ボケ」という露骨な言葉に染井はひやりとした。

有楽町の屋台で、久松と肩を並べて飲んだ。上等な毛の将校マントは陸軍の退蔵物資なのだろうか、アーク灯の光を浴びると、おろしたてのような眩《まばゆ》さだった。酒を飲み始めてからも、久松は顔を被う頭巾をはずさなかった。

そのマントの鮮やかな緑色が、染井を憂鬱な気分にさせていた。ブーゲンビルは緑色の地獄だった。

「おまえはお尋ね者か。頭巾ぐらいとったらどうだ」

「なに、寒《さぶ》いだけさ。頭巾を脱いだとたんに耳が凍っちまう」

「まだ十一月だ。大げさなことを言うな」

「そういうおめえだって、この空ッ風の中を七分袖の軍服でよ、よく寒くねえもんだ」

気温はいったい何度ほどなのだろう。熱帯の気候に慣れてしまった体は、寒さを痛みと感ずるだけだった。街なかの人々も夏以来の着のみ着のままが多いから、自分の身なりを不自然にも思わない。

「ところでおめえ、国はどこなんだい」

「兵庫の山の中だ」

久松は茹蛸《うでたこ》の足をかじったまま、チッと舌打ちをした。

「どうして国に帰らねえんだ。百姓なら食うに困るめえ」

「復員船が横浜に着いた。帰るのが億劫《おっくう》でな」

億劫という言葉は便利だが、嘘である。横浜の焼野原に立ったとたん、国に帰る気はなくなった。

「親は」

「おふくろは早死にして、おやじは俺が徐州にいるころに死んだらしい」

「なるほど」と少し考えてから、久松は獣のような声で笑った。

「おめえも死んだことになっちまってるんじゃねえのか。なるほど、幽霊にとっちゃ敷居は高《たけ》えや」

たぶんそうだろうと思う。ブーゲンビルに転進したあと、タロキナの飛行場の争奪戦で、自分の大隊は全滅した。密林をさまよっていた生き残りは、作戦の主力であった第六師団の兵ばかりで、終戦の呼びかけに応じて武装解除されたときも、姫路連隊の兵はひとりも見かけなかった。大隊の玉砕はラバウルに集結してから聞いた。

いかにソロモンの孤島でも、戦闘経過ぐらいは内地にもたらされているだろうから、郷里に自分の戦死が伝えられていることにまちがいはなかった。

「なあるほどなあ」と、久松は口癖のように言った。頭のいい男であるらしい。肚《はら》の中をすべて見透されているような気がして、染井は頭巾にくるまれた横顔を窺った。

猫の額のような田畑にしがみついて暮らしている兄の一家が、生還を手放しで歓ぶとは思えなかった。もとを正せば軍隊を志願したのも、小作の口べらしである。

「てことは、現役のバリバリか」

「なぜわかる」

「そのごたいそうな体を見りゃわかるさ。赤紙一枚でしょっぴかれた兵隊とは物がちがわあ。さぞかし鬼軍曹でならしたことだろうぜ」

「鬼が仏になった」

「ハハッ、そいつァいい。ひでえ負け方をしたもんだが、職業軍人の軍曹殿なら、お国から何がしかの銭も出るべい。死んだことにしておくってのも、孝行のうちかもしれねえな」

染井が横浜の焼け跡で考えたままを、久松はそっくり代弁した。郷里に帰ろうとせずにこうして日々を凌いでいるのは、久松の言った「戦地ボケ」ではないということになる。染井の気持ちはいくらか楽になった。

「あの傷痍軍人の軍歴についてだが——」

と、染井は気にかかってならないことを口にした。

「あの能書きは誰が書いたんだ」

しばらくためらってから、久松は答えた。

「俺だ。おつむがいいだろう。全滅した部隊を騙《かた》るのなら、文句をつけるやつはいねえ」

染井は混乱した頭の中を整理しなければならなかった。軍歴を読んだときは怒りが先に立って、病兵が玉砕部隊の生き残りを正確に騙るという謎にまで、頭が回らなかったのだ。

どうしても得心できぬ謎がふたつあった。

ひとつは、なぜ南方派遣独立混成第三十八旅団、通称号「月七三八六部隊」の第二大隊なのかである。嘘にしては正確すぎる。独立混成第三十八旅団は、支那派遣軍の第十七師団から姫路の歩兵第八十一連隊を抽出し、これを基幹として編成された。その兵力のうち、タロキナ作戦で玉砕したのは姫路連隊の一部、すなわち「月七三八六部隊第二大隊」である。

生き残りの目を怖れて玉砕部隊の名を騙るのであれば、名高い硫黄島守備隊やアッツ島守備隊を名乗ったほうが、人の情は受けやすかろう。それがなぜあえて、おそらく国民の誰も知らぬ玉砕部隊なのか、合点がいかぬ。

謎はもうひとつある。

片足を戦地で喪った傷痍軍人ならば、べつだん軍歴を騙る必要はあるまい。ありのままの事実を看板にすれば、かつての戦友に出くわしたところでどうということはない。つまりあの病兵は、おのれの真実を意味なく隠したうえに、偽りの筋書を騙っているのである。

生きんがための嘘は仕方がないと思う。しかし理由なき嘘の正確さが、染井には気味悪くてならなかった。

思い悩むうちに苛立ちを覚えて、染井は久松のマントの頭巾を、鷲摑《わしづか》みに引きおろした。

「なにしやがる。酒をこぼしちまったじゃねえか」

けっして言うまいと思っていたことを、染井は毒でも吐くように口にした。

「俺はブーゲンビルにいたんだ。たしかにおまえの書いた通り、俺の大隊は全滅した。生き残りは俺ひとりだ」

久松はコップを叩き置くと、驚くよりも怒りをあらわにして向き直った。

「そんなはずはねえ。野郎、難癖つける気か」

「どこで調べたかは知らんが、本人が言うのだからまちがいはなかろう。おまえこそそんなはずはないなどと、なぜ言える」

脅すつもりはなかった。あんぐりと口をあけたまま染井の顔に見入る久松の肩を宥《なだ》めて、酒を勧めた。

「もしおめえの言うことが本当だとすると、こいつは奇跡だぜ。いるはずのねえ生き残りの兵隊が、こともあろうに俺の看板を見ちまったってわけか」

あのとき、なぜとっさに電車から飛び降りたのだろうと染井は思った。街角の傷痍軍人が気に障ったというだけでは、そこまでする理由にはなるまい。むろん軍歴を書いた看板など、都電の窓から見えはしなかった。

もしや――きつく目をとざして、染井は酒を呷《あお》った。

もしや支那戦線から苦楽を共にした九百人の戦友があの男の後ろに犇《ひしめ》いて、こいつの嘘をあばけと自分を呼んだのかも知れぬ。

「偶然ってことで、了簡《りようけん》しろ」

開き直るように久松は言った。染井に難癖をつける意志はないのだから、その偶然すらも何ら意味のあることではなかった。死に絶えたはずの兵隊のひとりが生きていて、死に絶えたゆえの嘘にたまたま気付いた。それだけの話だった。

「その傷はどうしたんだい」

「酒の肴《さかな》にするつもりか」

「蛸よりァ味があろう」

染井はとつとつと、片頬をえぐった傷の由緒を語った。

第二大隊の夜間総攻撃は、敵の戦車と機関銃の集中砲火を浴びた。生き残った兵がたがいに呼び合いながら退路を探った。右往左往するうちに、迫撃砲弾が襲いかかってきた。戦車に包囲されたまま、大隊は飛行場から撃ちこまれる正確な迫撃砲で殲滅《せんめつ》された。

ジャングルに遁《のが》れた染井は方向を見失い、ブーゲンビルの深い緑の中をあてどもなくさまよう遊兵となった。タロキナ作戦は十九年の三月であったから、そののち一年半を密林の中で生き延びたことになる。

「ジャングルの中で出くわして怖いものは、味方の兵だった」

口を滑らせた一言を、久松は問い質そうとはしなかった。

生きるために必要なものは肉だった。だから友軍の兵に行き合うと、言葉をかわすでもなく名乗るでもなく、たがいに銃を構えて遠ざかった。

頰の傷は銃創ではなく、多くの兵たちが苦しめられた熱帯性潰瘍である。傷に湧く蛆《うじ》も貴重な食料だった。

終戦の呼びかけに応じて密林からよろぼい出たあと、米軍の野戦病院で腐った頰をえぐり取られた。

「明日からのことを、考えたいんだが」

あらましを語りおえたあとで、染井はまるで愛の告白でもするように、恥じながら言った。

病兵はこの男と関り合うなと言ったが、久松がどれほど素性の悪い人間でも怖くはなかった。食い物を求めて焼跡をさまよう自分は、ブーゲンビルの密林にいたころとどこも変わりがないような気がした。ここがいったいどこで、自分がいったい誰なのかもよくはわからなかった。

「おめえ、このさき生きるつもりはあるんか」

ある、と染井ははっきり答えた。

「そうだな。たったひとりの生き残りが、命を棒に振っちゃならねえ。たいそうなことを考えちゃならねえよ。ともかくこのさき生き残ることがたいそうなんだから」

饐《す》えた凩が足元から吹き上がってきた。この祖国の風を痛いと思わずに、寒いと素直に感じるまでには、まだ当分の時間がかかるのだろう。

明日という日について語り始めた久松が、その話の是非はともあれ、染井には戦場に姿を顕《あらわ》した神に見えた。

トタン板の天蓋《てんがい》を軍靴で蹴り上げると、防空壕《ぼうくうごう》の上に鈍色《にびいろ》の空が豁《ひら》ける。南洋にはありえぬ、この低く重い空が染井は好きだった。同じような防空壕の住人の話によれば、ここは東京の深川とかいう下町であるらしい。しかし草木ひとつない見渡すかぎりの瓦礫《がれき》の山なのだから、町の名など何の意味もあるまい。

軍隊毛布にくるまってしばらく空を見上げ、それから壕の中を埋めつくした古新聞を読むのが朝のならわしである。染井の家財は横浜に上陸したときに支給された軍隊毛布と、古新聞の山だけだった。

新聞紙を軍衣の胸や腹に入れるのは、寒さを凌ぐ兵隊の知恵である。ならば壕の中を新聞で埋めれば温かいだろうと拾い集めたのだが、存外の効果があった。

そんな暮しを始めてから、古新聞のもうひとつの値打に気付いた。なるたけ古い日付のものを探して読む。すると自分の与《あずか》り知らぬ戦時中の世間がわかった。敗戦のまぎわまで赫々《かっかく》たる戦果を報ずる記事の真偽はともかく、新聞は世間を俯瞰《ふかん》している。少なくともおおよその戦争の有様を知ることはできた。新聞を通して内地の国民は戦の概要を知っていたのに、その戦をしていた外地の兵隊は何も知らなかった。

古い日付の紙面に、南方戦線の略図を発見したときは驚いた。ソロモン諸島というのは、赤道をはるかに越えたニューギニアの先のビスマルク諸島の、そのまた先にあった。ブーゲンビルが戦略上どのような意味を持つ島であったかは知らない。しかし新聞の略図で見ても「南溟《なんめい》」を感じさせる、その遥かな海の果てのちっぽけな島を、アメリカと日本は奪い合ったのだった。投入された兵の多くが敵弾に倒れ、あるいは飢餓と熱病で死んだ。

自分がどこで何をしてきたのかというあらましがわかったとたん、今かくある自分がかえってわからなくなった。生還したのではなく、とうに死んでいる自分の魂が、焦土をさまよっているような気分になった。

古新聞を読み飽いてぼんやりと風の鳴る空を眺めていると、見知った髭面《ひげづら》が壕を覗《のぞ》きこんだ。

「染ちゃん、仕事だぜ」

関という名前が本名なのか偽名なのか、あるいは関口とか関根とかいう名の通称なのかは知らない。むろん知る必要もない。

わかっていることは、九十九里浜に展開していた本土決戦用の「磔《はりつけ》師団」から復員した老兵で、このあたりに住んでいた家族は空襲で皆殺しになった、という身の上だけである。稼業は大工だそうだ。

「きょうはその気にならん。ゆうべ稼ぎがあったもんでな」

壕の底に寝転んだまま、染井はすげなく答えた。

「稼ぎだと？」

「ああ。甲府まで伸《の》して、芋を運んできた」

「なんだ、担ぎ屋か」

「なんだはなかろう。バラック詐欺よりよほど堅気の仕事だ」

ちかごろ意味のない嘘をつくことが習い性になっている。傷痍軍人の兵歴に難癖をつけて、顔役から銭をせしめたと言えばよさそうなものだが、関と余分な会話をかわしたくはなかった。説明をしなくてすむ分だけ、運び屋のほうが堅気という気がした。

「まあ、そうつれねえこたァ言うな。うまくことが運べァ、分け前は百円くれてやる。運び屋の日当だって、せいぜい二十か三十だろう」

「うまくことが運べば、の話だろう。あんたの仕事はうまくいって千に三つだ」

「きょうの客はまちげえねえ。たいそうなお大尽だ」

染井はのそりと身を起こした。胸の高さの防空壕から這い上がり、トタンで蓋をする。

関の曳《ひ》いてきた荷車には、真新しい材木が積まれていた。

「これでバラック一軒分か」

「なに、土台を置いて床だけこしらえりゃいい。これで十分だ」

手に職があるのなら、まともな家を建てればよさそうなものだが、関はまるで堅気に生きることが罪であるかのように、悪い仕事に手を染めていた。

「どこまで行く」

「本郷さ。焼け出された一家が防空壕に住んでやがる。ちょいと声をかけたら乗ってきァがった。おい、染ちゃん、ちったァ車の尻《けつ》を押せ。こちとら年寄りなんだぜ」

齢《とし》は四十かそこいらであろうが、年寄りといえば関はそうも見える。

小ざっぱりとした国民服にゲートルを巻き、「昭和建築復興協会」なる腕章を嵌《は》めた出で立ちは、いかにも公人を臭《にお》わせる。この身なりで怪しげな名刺を差し出し、相身たがいの善良な笑顔を向けて、関はこんなことを言うのだ。

（六坪で六千円てえ、東京都の斡旋《あっせん》するバラックはね、いつまで待ったたって順番なんざ回ってきやしません。少々お高くつくが、一万円ばかしご用意下さりゃあ、八坪のしっかりした家を建ててさしあげます。ただし材木は闇で手配しますんでね、土台と床だけこしらえましたところで、全額いただかねえとお後が続きません。なになに、闇といったって復興が遅れているのはお国の責任なんだから、むろん役所は承知の上でさあ。まあったく、おたがい何の因果でこんなことに――）

と、ごく自然に自分の身の上話を続ける。四十を過ぎてから本土決戦の礫部隊にしょっぴかれて、その留守中の三月十日の大空襲で家族は皆殺し、幸い手に職があるもんで、こうして復興のお役にたっている――。

染井が関の境遇を知っているのは、何度もその口上を聞かされているからである。むろんその正体は、床だけ張って一万円をかすめとる詐欺なのだが、泣き泣き語る関の身の上が嘘だとは思えなかった。

染井は力をこめて荷車を押した。梶棒から荒縄をかけて、関も唸《うな》りながら荷を曳く。

痩せた鶴首を見ていると、こいつはいっそ九十九里の海岸に礫になったまま、アメリカの艦砲射撃で粉々にされたほうがましだったのではなかろうかと思う。

「相方は俺じゃなくてもよかろう」

「染ちゃんは体がいいからな。体のいいやつは信用されるんだ」

たしかに染井の屈強な体を人は羨《うらや》む。口には出さなくとも、しばしば視線を感じる。

だがこの灼《あらたか》な肉の来歴は、誰も知るまい。

「外地にいたのかい」

「ああ。中支にいた」

「支那の兵隊は勝ち戦続きで終戦だってなあ。さぞかし無念だったろう」

廃墟の中に、ブーゲンビルの密林の緑が拡《ひろ》がった。


その人間に出会ったのは、タロキナの飛行場からジャングルに逃げこんだ何日か後だったと思う。鹿児島連隊の若い将校に率いられた残兵は、すっかり方向を見失っていた。蔓《つる》の生い茂る窪地で、煮炊きをする一人の兵に出会った。その兵が何を食おうとしていたのか、染井はひとめでわかった。

将校に詰問されて、兵は答えた。

(これは野豚の肉であります)

かたわらの茂みから、俯《うつぶ》せに倒れた兵隊の足が見えていた。将校は拳銃を抜いて兵に迫った。

(軍命令により、人倫に悖《もと》る行為を処断する。命令は知っていたな)

はい、と兵は神妙に答えた。

人倫に悖る行為は即刻処断すべしという軍命令が、具体的にどういう意味であったのか、染井はそのとき初めて知ったのだった。支那戦線でのその種の命令は、無抵抗の現地住民をみだりに殺傷するなとか、婦女子を犯すなという意味だったが、ブーゲンビルではまったくちがっていた。つまり、飢えても人の肉は食うなということだ。

兵はことさら抗《あらが》おうとはせず、きちんと正座をして将校のかざす銃口に背を向けた。密林の木洩れ陽が痩せこけた軍衣の背に、縛めるような縞紋様を描いていた。いかにも土壇場に臨む罪人のようだった。

（所属階級氏名は）

（勘弁してほしくあります）

（戦死と報告するぞ）

兵隊は少しためらってから名乗った。熊本連隊の二等兵だった。

よし、と将校は言った。引金を絞りかけてためらい、きつく目をつむってから将校はもういちど訊ねた。

（言いおくことはあるか）

（戦友が、日本に連れ帰ってくれと言ったのであります。貴様の腹におさめて、熊本に帰ってくれと――）

言い終わらぬうちに将校は引金を引いた。処刑執行者が死体を密林に引き入れ、煮えたぎる飯盒の中味をぶちまけるさまを、周囲の兵たちは誰も手を貸さずに見つめていた。

殺された兵よりも、食われた兵よりも、染井はなぜか孤独な作業を続ける若い将校に同情した。

（戦死だ。こいつら二人とも、戦死だ。いいな）

立ちすくむ兵たちを見渡して、将校は吐き棄てるように言った。

「それによ、染ちゃんは見るからに歴戦の下士官てえ感じでよ。お客が何となく安心するんだ。この人なら万にひとつもまちげえはなかろうって。俺ひとりじゃ、そうはいかねえ。何せこの貧相な面だからよ」

荷車を曳きながら、関は細い首を振り向けて笑う。前歯の欠け落ちた顔は、たしかに安心とはほど遠い。

ブーゲンビルの残兵たちが、あれからちりぢりになってしまったのは、はぐれたわけではなかった。自由にならなければ飢え死ぬと、それぞれが考えたからだった。

初めて肉を食ったとき、これは野豚の肉だと自分に言いきかせた。その嘘もお題目になってしまってからは、あの熊本の兵の言ったことを思い出した。

こいつは俺の腹におさめて、日本に連れ帰るのだ。俺の肉になって、一緒に帰るのだ――。

焼跡に母と娘らしい女が畑を養っていた。

立派な石の門柱と、空地を繞《めぐ》る焦げた大樹が、かつての豊かな暮しぶりを偲《しの》ばせる。

「女所帯なのか」

「亭主は海軍大佐だったとよ。蓄えもあるし、親類に預けておいた着物を売れァ、一万円はできるそうだ。おとついの話だから、銭が揃《そろ》っているかどうかはわからねえけどよ」

「揃ってなかったらどうする」

「のちほどってわけにもいくめえ。あるったけいただいて手じまいにするしかねえな」

亭主に死なれ、屋敷を焼かれた女所帯を欺《だま》すのは気がすすまない。せめて着物が売れていなければいいと染井は思った。

「今度ばかりはまちげえねえ。染ちゃんにもずいぶんと無駄足を踏ませちまったがよ、きょうこそは残念でしたの雑炊だけじゃあねえぞ」

「一万くすねて百円か。考えてみれば割に合わんな」

「多少の色は付けるぜ。第一、おめえが何をしたってんだ。荷車押して、材木かついで、あとはボーッとその下士官ヅラをさらしてるだけじゃねえか。それに、万々が一パクられたって、おめえは何も知らねえ人足だとしらばっくれりゃいい。こちとらそうはいかねえんだ」

床だけを張る材木代も、闇値では相当のものだろう。捨て身の危険を考えれば、関の言い分はもっともだと思う。

「お待たせしましたァ、はあい御殿のご到着でござんすよ。見たってくんない、きょうびどこにもねえまっさらの松板でござんす」

陽気な大工の声を張り上げて、関は焼け残った門柱をくぐった。

「関さんよ」

荷車を引き戻して染井は囁いた。

「人がいるぞ。用心しろ」

欅《けやき》の幹から、帽子が覗いたような気がした。

「いらぬ着物を買わされた親類じゃねえのか。四の五の言うんなら、もう一芝居打ってやる。ほれ、こうしてちゃんと床も張るんだ」

「警察かも知れんぞ」

「だったら何だってえんだ。一万できちんと家を建てりゃ文句はあるめえ。こちとらそれだって商売なんだぜ」

畑に佇む女たちの愛想のなさが、悪い予兆を感じさせた。

ふと、申し合わせたように女たちが逃げ出した。入れかわりに私服刑事らしい男と何人もの巡査が、木立ちから駆け出してきた。

染井は走った。関をかばう理由は何もなかった。来た道を一目散に駆け戻って、入り組んだ本郷の路地に逃げこみ、見通しのきく焼跡に出ぬようにして、辻から辻へと走った。

駆足は歩兵の本領だが、思えばずいぶん長い間走ることを忘れていた。

意外なことに、逃げ出したとき制止の声を上げたきり、巡査は追ってくる気配がなかった。必死で逃げる者をまた必死に追うほど、巡査も物を食ってはいないのだろうと思った。

坂道を駆け下りて電車通りに出ると、つごうよくやってきた都電のデッキに飛び乗った。

「無茶しなさんな」

と、老いた車掌が叱った。当たり前の言葉が陳腐に聞こえた。戦に出てから今日までの無茶を、車掌がすべて知っているような気がしたのだった。無茶ではない戦などなく、その無茶はずっと、走る電車に飛び乗るまで続いている。たぶんこのさきも、生きんがための無茶は続く。

「この電車はどこへ行くんだ」

車掌は怪訝《けげん》そうに染井を見つめた。

「あんたはどこへ行くんだね」

行くあてはなかった。ブーゲンビルの密林に迷いこんでから、一日を食い凌ぐほかに目的は喪われていた。行くあてとは、明日という確実な未来のことだった。だから染井には、横浜の地を踏んだときも、銀座の焼跡に立ったときも、行くあてがなかったのだった。

しいて行先を口にするなら——染井は訝《いぶか》しむ車掌から目をそむけて、行先を告げた。

「銀座の松屋の角まで行きたいのだが」

「松屋デパートは進駐軍に接収されているがね」

「いや、その角で人と待ち合わせている」

「だったら本郷三丁目で乗り換えて、新橋行の電車にお乗んなさい」

車掌の目から怪しむいろが薄れると、染井は割れ窓に向き直って、頬の傷を隠した。

「外地から復員されたのかね」

自分の顔のどこに、外地からの復員兵と書かれているのだろう。闇市でもしばしば同じことを訊かれる。いつものように染井は答えた。

「中支に行っていた。顔の半分は匪賊《ひぞく》にくれてやった」

「そうかね。ご苦労なすったな」

討伐には何度も出て、匪賊の顔ならいくらも知っている。しかしブーゲンビルで敵兵の顔を初めて見たのは、両手を挙げてよろぼい出たタロキナの海岸だった。すでに銃もなく靴さえなく、身につけていたものは軍袴《ぐんこ》の腰にくくりつけた、銃剣と飯盒だけだった。

手を挙げたまま、食い物をくれと米兵にせがんだ。投降すれば殺されるものと覚悟していたのだから、冥土のみやげに食わせてくれるかもしれぬ一切れのパンと、命とを引きかえたようなものだった。

米兵はすぐに水筒の水を飲ませてくれたが、食物を与えようとはしなかった。まず水をたらふく飲ませ、それから薄く延ばした粉ミルクを与え、日も昏れかかるころ魚雷艇に乗りこんでから初めて、オートミールの缶詰を半分だけ食わせてくれた。

後で聞いた話だが、飢えた人間にいきなり物を食わせると、大方はそのとたんに死んでしまうということだった。

人なつこい米兵は缶詰を貪り食う染井の体をふしぎそうに眺めて、たぶんこう言ったのだと思う。

おまえはいい体をしている。いったいジャングルの中で、何を食っていたんだ、と。

さあて――酒も回ったことだし、おめえさんのいう明日からの話とやらを、ぼちぼち始めようじゃねえか。

なあ、染井さんよ。おめえが俺の話をマブに聞くのもよし、聞かざるもよし、ただし水にするってえんなら、金輪際、他言は無用だぜ。死ぬのは簡単だが生きるのは難しいって、人間、生きていくためなら何でもありさ。死ぬのは簡単だが生きるのは難しいって、その理屈は他でもねえおめえさんが、一等よく知ってるだろう。死ぬ気になって頑張れってか。どうせ一度は死んだ体だってか。世間のやつらは呑気《のんき》なこと言いやがるよな。その程度の覚悟で生きていけるんなら、死ぬ人間なんていやしねえよ。そうだろ。

本題にへえる前に、おめえがずいぶんと怪しんでる俺の素性を明かしとこう。ま、礼儀ってこともあるが、話のなりゆき上、俺にはおめえの明日について水を向けるだけの資格があるってことをな、まずわかっておいてほしいのさ。

俺は、ブーゲンビルにいた。

おいおい、のっけから嘘だと決めつけることァねえだろう。

落ちつけって。さあ、飲め。どうせあの島の話なんてのは、しらふじゃ聞く気にもしゃべる気にもならねえ。

証拠だと？　そんなものあるか。証拠はこのおつむの中の、記憶だけだよ。

久松なんて名前は口から出まかせだが、嘘は苦手なんだ。

ブーゲンビルなんて島が太平洋のどこにあるのかも知らねえけど、証拠を出せというんなら、あの島に行った者じゃなけりゃわからねえ話をしてやろう。

島じゅうが膝まで埋まるぬかるみだ。草の上に立っていても、たちまち軍靴のまわりに泥水が湧いて、ズブズブと脚半《きゃはん》の脛《すね》まで沈んでいく。ジャングルには網の目のように蔓が茂っているから、歩くときは足を使うんじゃなくって、手で歩くようなものさ。鉈《なた》や銃剣で蔓を伐開《ばっかい》しながら、体のあとに足を引き抜いて歩くんだ。

あんなところに四万人の兵隊を送りこんで、食料は現地調達しろってんだから、はなっから敵はアメ公じゃねえや。

空腹のうえに、マラリアと熱帯性潰瘍と寄生虫と。敵はてめえの体だった。

野戦病院じゃ、まだ生きている兵隊にも蛆が湧いた。薬なんか何ひとつねえから、蛆を取ってやるのが唯一の治療さ。

俺ァその蛆虫を食って生き残ったようなもんだ。あれだってまあ、蛋白質《たんぱくしつ》にァちげえねえんだから。

どうだい、染井さん。これだけ話しゃ、嘘のねえことはわかったろう。

俺は、第六師団の野戦病院にいた。おめえさんみてえなバリバリの現役兵じゃあねえよ。ごらんの通り身長は五尺そこそこで、おまけの第二乙種ってやつさ。それでも召集されて、体の足らねえぶん衛生兵に回された。

熊本の第六師団は帝国陸軍最強といわれていた。その四個連隊のうちの三つが、師団司令部とともにブーゲンビルに行った。ラボウルを守るためには、どうしたってブーゲンビルを敵に渡しちゃならなかったんだろうな。三つの連隊は「明九〇一八」「九〇一九」「九〇二〇」——熊本と都城と鹿児島の兵隊たちだった。

俺の国は鹿児島だ。おやじはいねえけど、おふくろは今でも市内で莨屋《たばこや》をやってる。一番上の兄貴は役所勤めだが、すぐ上の兄貴はガダルカナルで死んだ。いや、死んだかどうかはわからねえんだけどな、ブーゲンビルに撤収してきた鹿児島連隊の中にァ、探しても見つからなかった。

ひでえもんだ。ガダルカナルを撤収してブーゲンビルだとよ。かくいう俺も、ガダルカナルで生き残ってラボウルに帰るのかと思いきや、地獄の釜に二度放りこまれちまった。

野戦病院の軍医が言ってたっけ。負けた兵隊はどうあっても死なにゃならんのだろうなって。負け戦の有様を、ラボウルに控えている十万人の兵隊に聞かせるわけにゃいかんのだろうな、って。

まあ、そんなことはどうでもいいや。大本営参謀のお考えを、今さらどうこう言ったって始まるめえ。

第一野戦病院は師団司令部について回った。だからタロキナ作戦の経緯も、逐一耳に入ってきたってわけさ。おめえさんの部隊が、まっさきに全滅したってこともな。

医大の委託学生あがりのおしゃべりな軍医がよ、てめえの聞いたことをいちいち衛生兵に話すんだ。勝手に腹を立てながらな。

おめえさんが斬りこんだタロキナの飛行場に、どれくらいの敵がいたか知らねえだろう。俺は知ってるぜ。鉄条網が数線に重機を構えたトーチカ群。戦車が二十。火砲約二百に、重砲が四十門だ。司令部は斥候の報告で、ちゃんと知っていたのさ。

軍医は腹を立てながら、しまいにはしょぼんとして言いやがった。飢え死にするよりもましだがな、って。

まったくご苦労なこったぜ。そんな親心で楽に死にに行ったはずのおめえは、死にきれずにその後一年半も密林をさまよったってわけだ。

司令部にも糧秣《りょうまつ》はなかった。これが精鋭第六師団のなれの果てだと思うとな、飛行場に斬りこんで死んだやつらがうらやましかった。

野戦病院での俺たちの仕事は、生きている兵隊の体の蛆虫を拾うことと、死体をなるたけ幕舎から離れたジャングルに捨てに行くことだけだった。こっちも骨と皮ばかりだから、しまいには面倒くさくなって、生きている兵隊も捨てることにした。

軍医の仕事は、潰瘍で腐った手や足を切り落とすことだけだ。麻酔もねえのに、何であんなことをしたのかな。たぶんあいつらは、いくらかでも医者らしいことをしたかったんだろう。

例のおしゃべりな委託学生あがりの軍医は、とうとう頭がおかしくなって、ある晩に褌《ふんどし》一枚でジャングルに駆けこんだまま帰らなかった。

闇の中から、こんな叫び声が聞こえていたな。

「わたくしは、非戦闘員であります。日本赤十字社の医師であります」

誰も連れ戻そうとはしなかったよ。

顔見知りの若い将校が司令部にたどりついたのは、タロキナの戦から何ヵ月もたったころだったと思う。

そいつは鹿児島の師範学校出で、召集される前は小学校の教員だったそうだ。俺の甥《おい》ッ子の恩師だということがわかって、輸送船の中で親しくなったやつだった。

ジャングルから出てきたときは、片方の目を蛆に食い潰されていたんだから、もう長いことはねえさ。だがかりそめにも中尉殿だし、見知った仲でもあるし、手当は何もできねえが介抱ぐれえはしてやった。

見舞にやってきた参謀に、こんな報告をしていた。

「歩兵十三連隊第三大隊の小松二等兵、中村二等兵の二名は、敵戦車に肉薄攻撃をし、戦死いたしました。格別のご配慮をお願いします」

部下でもねえ兵隊の殊勲を、なんでそんなふうに報告するのか、俺には合点がいかなかった。第一、格別のご配慮をどうやってすりゃいいんだ。こうなっちまったら、戦闘経過もくそもあるめえ。師団長も参謀も、どのみち死ぬんだ。

参謀は何やら手帳に書きこんではいたが、あれァ死ぬやつへの気休めだな。ところが、その参謀が帰っちまったあと、中尉は俺の顔を枕元に呼び寄せて妙なことを言い出した。

「今の報告は嘘なんだ。俺は、小松二等兵を処刑した」

「処刑、でありますか」

意味がわからずに、俺は独りごとのような中尉の呟きに耳を寄せた。

「ああ。戦友の肉を食っていたんだ。軍律違反というより、俺は人間として許せなかった。人肉を野豚の肉だと言った嘘も許せなかった」

「ならばなぜ、中尉殿は今しがた嘘の報告をしたのでありますか」

片方のまなこから、ぽろぽろと涙を流して中尉は言った。

「俺も、小松二等兵と同じことをした」

もう誰も、この命は救えねえ。だが俺は衛生兵として、同郷の兵として、あるいはふるさとの子らに学問を授けてくれたせめてもの感謝の気持ちを言葉にかえて、この若い教員の魂を救わにゃならなかった。

「中尉殿は、野豚の肉を食ったのであります。おおかたジャングルで、悪い夢でもごらんになったのでしょう」

慰めにもならなかった。俺の手を探り、思いがけねえくらいの強い力で引き寄せながら、中尉は呻《うめ》くように言った。

「あなたに、お願いがある」

それは軍人ではない、忘れかけていた教員の声だった。

「僕を、あなたの腹におさめて、国に連れ帰って下さい」

俺はその晩、まだ息のある中尉を背負って、遠く離れた谷まで捨てに行った。誰にも見つからねえ、煮炊きの煙も目につかねえ深い谷の底で、俺は中尉の願いを聞き届けてやった。

それからほどなく野戦病院は解散した。

「以後は各個に自活し、再起のときを待て。どのような苦境に立たされても、それぞれが皇軍の兵士であるという矜《ほこ》りを忘れるな」

腹がへっても戦友の肉は食うな、という意味だろうと俺は思った。たぶん、まちがいじゃなかろう。

なあ染井さん。あんた、子供の時分に教わったことを覚えているか。

神武東征のとき、金色の鵄《とび》が天皇の弓の先に止まって、長髄彦《ながすねひこ》の軍卒たちの目を眩《くら》ませたとかいう。

皇軍というのは、その金色の鵄の下に集う兵隊たちのことだな。

タロキナの海岸に迷い出て、米兵にとっつかまったとき、ああこいつらが長髄彦の兵隊なんだと俺は思った。たしかに背が高くて、脛も長かったからな。お笑いだぜ。目が眩むわけがねえや。あいつらは真黒な色眼鏡をかけてやがったんだから。

俺はブーゲンビルの雲ひとつねえ空を見渡して、金色の鵄を探した。当たりめえのことだが、輝くものは南洋のお天道さんだけだった。

俺は腐れ肉の詰まった飯盒を腹に抱きしめて、米兵たちに懇願した。

「俺たちを、日本に帰してくれ」と。

なあ、染井さんよ。

俺ァ、いま俺のやっていることが、悪いことだとはどうしても思えねえんだ。

この冬には一千万人が飢えて死ぬんだぜ。飢餓地獄から生きて帰った俺たちが、なぜ日本に戻って死なにゃならねえんだ。ましてや俺もおめえも、てめえひとりの体じゃなかろう。何人もの兵隊を腹におさめて帰ってきた俺たちは、もうお国の勝手で飢え死んじゃならねえんだ。何としてでも生き抜かにゃならねえんだよ。

いつでもいいや。よく考えて肚が決まったなら、日の昏れるころに松屋の角まで来な。

難しいことは何ひとつねえ。俺は医者じゃねえが、門前の小僧てえやつで、腕はたしかだ。足がいやなら、手でもいいさ。

進駐軍の横流しのモルヒネもたんとある。

なあ、染ちゃん。そうすりゃおめえさんは、もう金輪際、嘘をつかなくていいんだぜ。嘘はつかねえ、盗みはしねえ、てめえの体を張って生きていく。それが皇軍の矜りってやつじゃねえのかよ。

ちがうか。ちがうんなら、ちがうって道理を、俺に聞かしてくれ。

「お迎え、遅いですねえ——」

不自由な体をひねり起こして、四丁目の時計台を仰ぎ見ながら、兵隊は言った。

ハモニカをおろすと、たちまち唇が凍えそうな冬の夜だった。

「クリスマスイブだから、渋谷も新宿も実入りがいいんだろう。年に一度の稼ぎどきってやつだ。文句は言うな」

できれば足のほうがいいと久松は言ったが、ハモニカを吹くのなら片腕のほうがむしろ哀れをさそう。支那戦線で覚えたハモニカが、今さら食うための役にたつとは思ってもいなかった。

「染井さんのおかげで、この軍歴も嘘じゃなくなりました」

「めったなことを言うな。誰が聞くかもわからんぞ」

染井は藁筵の上に背筋を伸ばして、ことさら哀しげに軍歌を吹いた。

食い物と乾いた寝床があれば、人間は生きていける。他人を欺す必要もなく、意味のない嘘もつかなくていい。そして何よりも、ブーゲンビルで死んだ戦友を忘れずに、生き続けることができる。

もし彼らが犬死にをしたのではなく、皇軍も聖戦もまぼろしではないと言い張るのならば、生き続ける方法はこれしかないのだと、染井はもういちどおのれに言い聞かせた。

戦陣訓に曰《いわ》く。

万死に一生を得て帰還の大命に浴することあらば、具《つぶさ》に思《おもい》を護国の英霊に致し、言行を慎みて国民の範となり、愈々《いよいよ》奉公の覚悟を固くすべし。

久松は、これが悪いことだとはどうしても思えないと言ったが、物事のよしあしではなく、これは最善にして唯一の方法だと染井は思った。少なくとも軍人の本分を全うする矜りが、他人の情にすがる屈辱より軽かろうはずはない。

「ところで、その勲章は」

「功七級、金鵄《きんし》勲章だ」

「へえ……そいつァすげえ。大したもんだ」

「なに、小道具さ。新橋の闇市で買った」

なんだ、というふうに病兵は白い息を吐いた。

「まったく、嘘を知らん人だな、染井さんは」

「嘘をつきたくないからここにいる」

「勲章は嘘じゃねえか」

「本物なら里にある」

「ひえっ、ほんとかよ」

「仏壇の供え物だがな」

病兵は染井の横顔を見つめて、しばらく考えるふうをした。

できればそんなものは後生大事にせず、道具屋にでも売りとばしてくれていればいいと思う。染井の家に、支那戦線の武勇伝など語り継いでほしくはなかった。

「きょうは水炊きを食わしてくれるってよ。闇の鶏肉が入るんだと」

「そうか。楽しみだな」

「アメ公は七面鳥を食うんだぜ、丸焼きにして。あいつら何たってやることが派手だ」

乾いた砂埃を巻き上げて、銀座通りを北風が吹き抜けた。かじかんだ片手に息を吹きかけ、染井はハモニカを構えた。

ふと、日本の冬の寒さを、体が初めて感じたように思った。

何日か前、関東軍が着るような毛付の防寒外套《がいとう》を、久松が持場に届けてくれた。米兵の投げるわずかなドルをいくらかき集めたところで、買えるはずのない代物だった。病衣の上に温かな袖を通したとき、久松は何のためにこんなことをしているのだろうと思った。

PXのショウ・ウィンドウにはクリスマス・ツリーが飾られていた。日昏れを待つように、赤や青の豆ランプが瞬き始めた。

「メリー・クリスマス」

ランチコートを着た水兵が、目の高さに屈みこんでドル札を飯盒に入れた。投げ込むふうではなく、いかにも喜捨するようなうやうやしさだった。

水兵と目が合ったとき、染井は胸苦しくなって軍歌を吹くのをやめた。久松の教えによると、傷痍軍人は物乞いではないのだから、感謝の言葉を口に出してはならないのだそうだ。

やり場のない気持ちをこめて、染井はうろ覚えの讃美歌を吹いた。

サイレン、ナイ。ホーリー、ナイ。オーリズ、カーム。オーリズ、ブライ。

ハモニカに合わせて、水兵たちは唄った。両手をついて俯《ふ》したまま、相棒の兵隊も日本語で唄った。

「スノウ」

水兵が指さす夜空を見上げる。降り落ちるひとひらの雪を認めたとたん、染井はたどたどしいハモニカの音を慄《ふる》わせて泣いた。

雪の降る祖国に、自分は生きて返ってきたのだと思った。

「染井さん、雪だ」

ハモニカをくわえたまま、染井は強く肯いた。

クリスマス・ツリーの灯がにじむ。

樅《もみ》の木の頂きに輝く星の飾りが、雄々しく翼を拡げる鳥の姿に見えた。

伝説の金色の鵄《とび》は、けっしてまぼろしではなかった。

しんちゃんの自転車

荻原　浩

荻原浩（おぎわら・ひろし）
一九五六年埼玉県生まれ。成城大学経済学部卒業後、コピーライターを経て、九七年『オロロ畑でつかまえて』で小説すばる新人賞を受賞しデビュー。〇五年『明日の記憶』で山本周五郎賞受賞。その他に『なかよし小鳩組』『さよならバースディ』『千年樹』『花のさくら通り』など著書多数。

からからから。

坂道を下りてくる自転車の音がします。

しんちゃんの自転車です。

からからからから。さびたチェーンを油の足りないペダルがまわす音。

なにしろ、いまから三十年も前のことですから、自転車はみな重くてごつごつしていて、子どもたちが使うものは、たいてい誰《だれ》かのお古で、きっとどこかがこわれているのです。

私はふとんの中で耳をすまして、その風ぐるまみたいな音を聞いていました。しんちゃんが涙目になりながら、歯をくいしばっている様子が目に浮かぶようです。

当時、私の住んでいた家の脇道《わきみち》は、長い長い急坂で、自転車に乗りはじめた子どもたちからは「ちびり坂」という名で恐れられていました。五年生にもちびった子がいるという噂《うわさ》まであるのに、しんちゃんは意地っぱりだから、三年生なのに、いつもブレーキをかけずに下りてくるのです。

きぃぃぃぃ〜っ。

坂の下でブレーキの音がします。私はふとんの端をぎゅっとつかみました。それまでは、てっきり空耳だと思っていたから。だって、ついさっき、柱時計が十一回鳴ったのを確かに聞いたのです。午後十一時すぎ。八歳だった私には、とんでもない真夜中です。

まさか、しんちゃんのはずがない。

でも、そのまさかでした。

こつん。

窓を叩《たた》く小さな音が、真夜中のしんしんとした静けさの中にこだましました。

いつもの合図です。

私はふとんの中で両方の耳を引っぱりました。寝ぼけているのではないかと思って。

あ、痛い。夢ではありません。

そっとふとんを抜けだして、窓辺に近寄りました。しんちゃんが玄関から私を誘いに来たためしは一度もありません。母がいい顔をしないことがわかっていたからです。私を遊びに誘う時は、いつもこうして二階の隅っこの、私の部屋の窓に木の実をぶつけて、こっそり呼ぶのです。

春の終わりには、きいちご。

夏の間は、青いちじく。

いまのは、たぶん、どんぐり。

窓を開けたら、やっぱり。

月に照らされた裏庭で、しんちゃんの坊主頭が光っています。私の目は、きっとまんまるになっていたでしょう。もう一度、耳を引っぱってみました。痛いです。

しんちゃんは前歯の欠けた口を八つ切りすいかのように開けて、にかっと笑いました。

「おはよう」

念のためにもう一度いいますが、いまは真夜中です。おはようと言われても困ります。

私は唇に指をあてて首を振りました。家の中はもう寝静まっていましたが、隣の部屋で寝ている母は神経質なたちで、物音や光にとても敏感な人なのです。私が口にする食べ物や、私の学校の成績や、私がつきあう子どもたちの素性にも。

しんちゃんは両手をほほにあてて、唇を「あ・そ・ぼ」というかたちに動かしました。私が「え？」というふうにまた目を見開くと、今度は「おりてこいよ」と唇のかたちだけで言い、手招きをします。その様子があんまり普通だったから、思わずこくりとうなずいてしまいました。

急いで着がえて、窓ぎわまで伸びている柿《かき》の木の枝にしがみつきました。おさるのように両手両足で枝にぶらさがって、腰を伸びちぢみさせると少しずつ前に進みます。幹までたどりついたら、あとは枝をつたって下りるだけ。しんちゃんに教えてもらったワザです。母さんが目を覚ましませんように。私のこんな姿を見たら、きっと卒倒してしまうに違いありません。

「パン・ツー・まる・見え」

しんちゃんが手を叩き、指を二本つき立ててから丸をつくり、そして遠くを見るようにおでこに手をあてました。

しんちゃんお得意の、古めかしいギャグです。パンツなんか見てやしないくせに。小学三年生のしんちゃんの目を釘《くぎ》づけにしているのは、私のスカートの中なんかではなく、赤くなりはじめた柿の実のほうに決まっています。

「どうしたの、いったい」

柿の木の下で声をひそめて聞きました。私につられて、しんちゃんもひそひそ声を出しましたが、まるで答えになっていません。

「今日はどこ行く？」

「いまから？」

「うん」

「うんって、もう真夜中だよ」

「そうだ、おたま池のほこらにしよう」

どんぐりみたいな目をくりくりさせて言います。そうです。いつだって、人の言うことなんかまるで聞かない子なのです。

月の光の中で、しんちゃんの自転車がさん然と輝いています。がっしりとした荷台のある黒くて大きな自転車。廃品回収の仕事をしていて、いつもリヤカーを引いているお父さんのおさがりだと聞きました。サイズは二十六インチ。低学年の子どもたちなら誰もが憧《あこが》れる大人のあかしです。

「さ、乗れよ」

しんちゃんが指をくいっと動かします。テレビのヒーロー物の、主役の人の口調としぐさをまねしたらしいのですが、片方の鼻の穴からハナをたらしてそんなことを言ってもだめです。私がちり紙を渡すと、ぷうっとハナをかんで、もう一度言いました。

「乗れよ。レッツ・ゴーゴー」

すぐには返事ができませんでした。先週の木曜日のことがあったからです。でも、しんちゃんがおたま池に行きたがっているのは、先週のことがあったからに違いないのです。とにかく意地っぱりだから。嫌とは言えません。

「しっかりつかまってろよ」

「うん、わかった」

二十六インチに乗れるとはいっても、サドルに全部お尻《しり》をつけてしまうと、しんちゃんの足はペダルに届かなくて、立ちこぎ。自転車は少しの間、私の重さにふらふらします。からからとチェーンが回転するうちに、ようやくスピードをまして、すべるように夜道へ走り出しました。

さすがにちびり坂は登れないと思ったのでしょう。遠まわりをして、郵便ポスト通りと呼ばれる農道の方角へ向かいます。

月の明るい晩でした。なにしろ三十年も前で、しかも田舎のことですから、外灯などなく、電信柱の上に裸電球が光っているだけの道だったけれど、自転車のライトが消えかかっているのも気にならないほど。灯《あかり》がないぶん、あの頃の月はいまより明るかったのです。私と自転車の影が、田んぼ道に黒々と映っていたのを覚えています。

二人でこっそり遊びに行く時には、いつもしんちゃんの自転車の後ろに乗りました。私が小学三年生になっても、自転車に乗れなかったからです。乗れるようになったのは、みんなしんちゃんのおかげです。

この日がいつだったのか、正確な日づけはいまでも思い出せません。風は少し冷たかったけれど、秋の早いあの地方のことだから、たぶんまだ九月の末だったと思います。

あの地方、なんて私がよそよそしい言い方をするのは、そこで暮らしていたのが、その年の春から秋にかけての半年間だけだったからです。

母の生まれ故郷でした。やっかいな小児ぜんそくだった私のために、一時的に転居したのです。二十歳まで生きられるかどうか、お医者さんにそう言われるほどだったとか。あの頃の私は、毎晩目を閉じる時に、次の朝も目覚めることができるのかどうかさえ不安で、びくびくしながら暮らしていました。それからもう三十年、いまの私は自転車をすいすい。とんだ藪《やぶ》医者ですね。

たぶん本当に悪かったのは、私の体より母と父の関係だったのだと思います。父はその頃、母や私とは別のところで、ほかの女の人と暮らしていました。お医者さんでも治せない重症。いま思えば、母が私を連れてあの家に戻っていたのは、そんな事情もあった気がします。

からからからから。

夜の郵便ポスト通りに人影はありません。道の両側では稲の穂が重そうに首をたれ、その向こうにぽつぽつとわらぶき屋根が見えるだけ。朝が早い農家ばかりでしたから、家々の灯《あかり》は、とっくに消えています。

小さな郵便局と赤いポストを過ぎると、あたりはさらに寂しくなってきました。雑木林を騒がす風の音が、たくさんの人の囁《ささや》き声に聞こえます。

ざわざわざわ。

月の光に白く照らされたすすきの穂は、たくさんの腕が手招きをしているよう。

ゆらゆらゆら。

私の胸もざわざわ、ゆらゆら。しんちゃんの自転車の後ろで小さく体をまるめていました。荷台をぎゅっとつかみながら、やっぱり来るんじゃなかったと後悔しました。なにしろ鎮守の森のおたま池は、ここに住む子どもたちにとって、それは恐ろしい場所なのです。

人がいなくなって荒れ果てた神社の中にある、ひっそりとした池です。池のまん中に中洲《なかす》があり、そこにぼろぼろに古びたほこらが建っています。

ほこらの中には五年前に行方不明になった神主さんがいる。子どもたちはそう噂していました。どういうふうに「いる」のかは謎《なぞ》です。ある子はミイラになっていると言い、別の子はすっかり骸骨《がいこつ》になっていると大人から聞いたと言い、雨水を飲み、ムカデを食べてまだ生きていて、誰かがのぞくと「見るな」と大声をあげる、なんていう恐ろしい話もありました。本当のところは誰も知りません。誰ものぞいたことがないのですから。

昼間でも怖いおたま池のことを考えただけで、体がぶるりと震えます。しかもそこへたどりつく前には、もうひとつ、恐ろしい関門が——。

ざわざわざわ。

ゆらゆらゆら。

私の不安をよそに、自転車は夜の中をぐんぐん進みます。自転車に乗れない私は、いまさら一人で帰るわけにもいかない。

自転車に乗れなかった理由のひとつは、激しい運動を禁止されていたため。もうひとつ理由があるとしたら、五歳の時、初めて買ってもらった二十インチの補助輪付き自転車が、すでにほかの女の人のところにいた父から届いたプレゼントだったせいかもしれません。私が喜んでそれに乗ると、母が悲しむ気がしたのです。

母の話だけを聞くと、父はひどい人ですが、大人になって事情をくわしく知った私の最初の感想は、「どっちもどっち」。私をどちらが引き取るかで、父と母は何年ももめていました。

どっちについていく？　そう聞かれたこともありました。でも、八歳の私に答えろというほうが無理です。その頃の私はそれこそ、自分がどこへ行こうとしているのかもわからず、人の自転車の後ろに乗っているようなものだったのですから。

からからからから。

しばらく進むと左手に桑畑が見えてきます。その先には、子どもたちの夜歩きをはばむ恐ろしい関門。このあたりの墓地です。

桑の葉の間からにょきにょきと顔を出している卒塔婆《そとうば》や石灯籠《いしどうろう》が、人の頭に見えました。その頭がみんなこっちを向き、私たちを睨《にら》んでいるように思えました。目を閉じてしまいたいのですが、目をつむると、開けた時に目の前に何かが現れそうで、もっと怖い。

「なんだかこわい。誰かがいるみたいだね」

私は口に出して言ってみました。言葉にすれば、少し恐ろしさが薄れる気がして。だけど、しんちゃんのひと言で、その努力も水のあわ。

「うん、いるんだ」

「……………誰が？」

「坂田のおばあ。さっき来る時に見た。おそなえまんじゅうでお手玉してた」

坂田さんちのお婆さんはすっかりぼけてしまっていて、毎晩ふらふら出歩くから困っている、と坂田のお嫁さんが母の実家のお嫁さんにこぼしているのを聞いたことがあります。でも、坂田のおばあがいるはずがない。だって——。

「ね、坂田さんとこのおばあさんって、先月——」

「ああ、自分が死んだことも忘れちまってるんだよ」

当時、その土地ではまだ土葬でした。死んだ人は丸いオケのような柩《ひつぎ》に入れて、そのまま葬るのです。死者が迷い出ないよう、盛り土の上に大きな石を置くという土地柄でしたから、なにがあっても不思議はないのです。

「ほんとに？」

「ほんまちよこ」

しんちゃんのギャグはいつも古くて笑えません。いまはとくに笑えない。闇《やみ》のむこうから、坂田のおばあが歌う数え唄が聞こえてくる気がして、私は自分のこぶしだけを見つめ、指のつけ根にでこぼこができるまで荷台を握りしめました。

墓地を過ぎると、いよいよ鎮守の森。熊笹の中をいつまでもだらだら坂が続きます。しんちゃんは海老《えび》のようにそり返って自転車をこいでいます。

「だいじょうぶ？　私、降りようか」

「うぎぎ」

「後ろで押そうか」

「うぎぎぎ」

しんちゃんは意地になって返事をしません。

「手がもげちゃうよ」

本当にもげそうなんですもの。

坂道をようやく登り切ると、しんちゃんは自転車を停め、道ばたにお尻から座りこみました。酸素不足の金魚みたいに目をふくらませ、息をはずませて、唇をつき出しました。

「お前、重い」

いまの私だったら、そんなことを言われたら、蹴《け》とばしてやるところですが、八歳の私は嬉《うれ》しくて、荷台に乗ったまま声をはずませました。

「体重、一キロふえたんだよ」なにしろダイエットなんて言葉もなかった頃のことです。病弱でやせっぽちの私は、学年の標準体重をこえるのが夢でした。「ずっと寝てたからかな」

ずっと寝ていたのは、先週の木曜日のことがあったからです。先週の木曜日、こっそりおたま池に行った私たちは、池に落ちて溺《おぼ》れてしまったのです。私は病院に運ばれて、何時間も意識不明のままでした。退院してからも大事をとって、学校を休み続けていたのです。

「お前、もう後ろに乗るな。自分でこげよ」

しんちゃんの自転車で何度か練習したことはあったのですが、まったくだめでした。二十六インチなどいきなり乗れるはずがありません。

「俺、いつまでも乗っけてやれないぞ」

「うん、わかってる」

わかっていました。

「荷台っていうのは、荷物を置くとこで、人を乗せるとこじゃないんだ。父ちゃんがそう言ってた。俺なんか、小学校に上がる前から二十六インチに乗ってたんだぞ」

「練習するよ」

「ホジョリンなしでだぞ」

「わかった」

「だめだな」

「え、何がだめ」

「返事がだめ。迫力足んない。そういう時は、わかったじゃなくて、こう言うんだ」しんちゃんが重大な秘密を打ち明ける顔で言いました。「がってんしょうたくん」

「なにそれ」

「いいから、言ってみ」

「がってんしょうたくん」

「なんか違うな」

「がってんしょうたくん」

五回目くらいでようやくしんちゃんは、うん、まあいいか、とうなずきました。

「俺が教えたなんて誰にも言うなよ。また先生におこられちゃうから。約束だぞ」

「がってんしょうたくん」

私は答え、きっぱりと口をむすびました。クラスの誰かが変な言葉を使うと、先生はしんちゃんを叱《しか》るのです。どうせお前が教えたんだろ、と。かわいそうな、しんちゃん。半分は先生の言うとおりなのですが。

ここからは歩き。鎮守様の石段です。

石段の両側の杉木立に月が隠れて、あたりはいっそう暗くなってしまいました。頭の上の真っ黒な杉の枝が私にのしかかろうとしているように見えました。それでなくても昼間でも一人で来るのは怖い場所です。なんとか足が前へ動いたのは隣にしんちゃんがいたからです。

しんちゃんは余裕たっぷり。ららら～。アニメの主題歌を歌っています。坂田のおばあを見ても驚かない、今夜のしんちゃんなら、怖いものなしなのかも知れません。

ららら～。

そうでもなさそうです。よく聞くとしんちゃんの歌声は震えていました。わたしも震える声でいっしょに歌いました。

ららら～。

ららら～。

ビブラートで合唱。

石段を登りつめた右手、杉木立の向こうに夜空より黒く見えるのが、おたま池です。真っ黒い水面に、空からぽとりと落ちたように月が映っています。

「月見うどんみたいだね」

「うん、でもまずそう」

しんちゃんが自分の言い出したことを後悔している声で言います。緊張のためか、おしっこを我慢している時の顔になっていました。

小島のような中洲に、ほこらの陰気な影が見えます。池は子どもの背丈より深くて、ふだんはとても中洲へは行けないのですが、この夏の台風で古い杉の木が倒れ、ちょうど橋のようにかかっているのです。先週の木曜日には、その杉の橋を渡りはじめて、たった三メートルのところで落っこちてしまいました。

杉の木に片足をかけてしんちゃんが言います。

「よし、いくぞ」

「がってんしょうたくん」

「こわくないぞ」

「うん、こわくない」

怖かった。月明かりしかない中で、夜露でつるつるすべる杉の橋を渡るのも、その向こうに見えるほこらも。

いまにもほこらの扉が開き、神主さんのミイラが飛び出してくるような気がします。しんちゃんも同じだったのだと思います。震える声で言いました。

「ほこらじゃなくて、冷蔵庫だと思えばいいんだ」

「なんで冷蔵庫？」

「なんとなく。たんすでもいいや」

私たちは、冷蔵庫冷蔵庫、桐だんす桐だんす、と呪文《じゅもん》みたいに唱えながら、杉の木にしがみつくようにして、進みました。このあいだみたいに落ちないよう、慎重に、慎重に。

ほこらの格子戸の中をしんちゃんがのぞきます。私は目を閉じて、しんちゃんの着物のすそを、ぎゅっとつかんでいました。しんちゃんの背中からは、ぷぅ〜んと土の匂《にお》いがしました。

「なにか見える？」

薄目だけ開けて聞きました。しんちゃんの坊主頭が、ぷるぷると横に揺れます。

「ねぇ、やっぱり帰ろうよ」

ぷるぷる。

「やめよう、バチがあたる」

私の言葉は逆効果でした。格子戸に足をふんばって開けようとしています。自分でも開くとは思っていなかったに違いありません。

ぎぃぃぃぃぃぃっ。

きしみをあげて扉が開くと、しんちゃんはカエルがつぶれたような声をあげました。

「ふぎゃ」

私はすばやく目を閉じました。

「わお」しんちゃんの声がします。

「なに？」

「わおわお」

「なに、なに、なに？」

私はありったけの勇気をふりしぼって目を開けます。

「なぁんだ」しんちゃんの声。

「なぁんだ」これは私。

ほこらの中にはなんにもありません。神主さんもいません。中にあったのは、月の光と、ひからびた蛾《が》の死骸《しがい》だけです。

ほこらはほこら。たんすはたんす。

池のほとりまで戻って、二人で大きく息をはき、そして、もう一度言いました。

「なぁんだ」

「なぁんだ」

さっきまで震えていたことなんて、お互いに忘れた顔をして。そして本当に、いつのまにかここが恐ろしい場所であることを忘れていました。しばらく二人で池のほとりでどんぐりを拾ったり、並んで座って裸足《はだし》になってぱしゃぱしゃと池の水をかきまわしたりしました。

小石を投げて、水面にいくつ波紋をつくれるかに熱中していたしんちゃんが、波紋が消えるのを見つめながら言います。

「このあいだは、ごめんな」

「え？」驚きました。しんちゃんが誰かにあやまるなんて。

「お前のこと、おぼれさせちゃってさ。俺、泳げないから、つい足にしがみついちゃって」

「気にしてないよ、ぜんぜん」

「どうだった、死にそうになった時って」

私は黙って首をかしげました。うまく答えられなかったのです。どんぐりを数えるのに忙しかったし。

「苦しかった？」

「よく覚えてない。でも、夢の中でお花畑を見た。春の花も、夏の花も、秋の花も、いっぺんに咲いてるお花畑。きれいだったよ」

いつも死の影に怯《おび》えていたくせに、あんなふうに花に囲まれて眠り続けていられるものなら、あんがい死ぬのも悪くないかも、なんて八歳の私は思ったものです。

「川がなかった？」

「あ、あった。お花畑の手前に。広い川だよ。でね、橋がかかってるの。牛若丸のお話に出てくるような橋。そこを渡れば、お花畑に行けるのがわかったから、私、そっちへ歩いて行ったんだよ」

「金色でぴかぴか光ってただろ」

「そう、金ぴかの橋……あれ、なんで知ってるの」

「俺も見たもん。花畑も見た。すげえきれえだった」

意外なことを言います。ふだんのしんちゃんにとって、おしろい花は落下傘《らっかさん》遊びの道具、サルビアの花は蜜《みつ》を吸うおやつです。

「不思議。同じ夢を見てたんだね」

「おどろきもものの木さんしょの木」

「ブリキにタヌキに蓄音機」

しんちゃんがまた石を投げる。今度はひとつしか波紋をつくれませんでした。

「俺、川のこっちにいたんだ。向こうがわにお前が見えたんだよ。でも橋の手前で帰っただろ」

「うん、なんだか急にこわくなって、引き返しはじめたら、目がさめたの」

「やっぱりなぁ」しんちゃんが言います。「あの時、俺、お前のこと呼ぼうとしたんだよ。でも、やめた」

なんと答えていいのか迷ってから、最初に思いついた言葉を口にしました。

「ありがと」

しんちゃんが死んだという知らせを聞いたのは、先週の土曜日。退院して、家に帰ってからです。私と同じ病院に運ばれた時、しんちゃんはもう息をしていなかったそうです。

「呼べばよかったな」

「もう遅いよ」

「なぁ、俺、臭い？」

「なんで」

「だって、お前、さっきから、こんな顔してるもん」しんちゃんが給食のピーマンを我慢して食べている時の顔をします。「鼻の穴が細くなってる」

「……別に」

「むりすんなよ。臭いんだろ」

「ちょっとだけ。でも気になんないよ。だって、しんちゃん、いっつも臭かったもん」なぐさめるつもりだったのに、しんちゃんはかえって傷ついた顔をして、泥だらけの白い着物のすその匂いをかいでいます。初めて気づいたように、頭に巻いた三角の布を手にとって、しばらく眺めてから、それで、ぷうとハナをかみました。

私はむりして、鼻の穴を広げてみせました。本当のことを言うと、しんちゃんは臭かった。生きている時よりずっと。あぜ道で見かける干からびたカエルのような臭《にお》いがしました。

ずりずり。しんちゃんがお尻を動かして私から体を遠ざけました。

ずりずり。私がむきになって近づくと、またお尻をずらす。

ずりずり。

「ねぇ、どうやって出てきたの」

そう聞くと、しんちゃんはようやくお尻を動かすのをやめて、空を見上げました。むずかしいことを考える時のいつものくせです。

「わかんないんだ、それが。自分でも。生命の神秘だな」

理科の時間に習ったばかりの言葉を使って、鼻の穴をふくらませます。

「でも、生命もうないよ」

「あ、そうか」

「お墓の中って暗いの？」

「うん、暗い。真っ暗い中で、ずっと考えてたんだ。おたま池のほこら、おたま池のほこらって。そしたら、いつのまにか外に出てた。きっとどこかに穴が開いてたんだな。おととい、地震があったろ」

「うん」

「あれのせいかもしんない」

「じゃあ、もし大きな地震があったら」

「すごいや」

あちこちに穴の開いた墓地を想像しかけたのですが、怖くなってやめました。本当のことを言うと、ずっと怖かったのです。さっき、しんちゃんが来た時も、息がとまるかと思ったくらい。しんちゃんだから、平気なふりができたのです。突然やってきたのが、坂田のおばあだったら、とっくに気絶しています。

だけど、もう怖くありません。まっすぐ顔を見ることもできます。しんちゃんは前とちっとも変わっていないから。顔の色は冬の畑の土みたいで、左の耳が何かにかじられたように欠けてしまっているけれど、しんちゃんはしんちゃんです。

「お墓の中ってどんな感じ?」

しんちゃんが首をあおむかせます。こきりと骨の音がして、もとに戻らなくなってしまいました。

「わたたた」

二人で大あわてで首をもとに戻しました。

「むずかしいことばっかし聞くなよ。首がとれちゃう」

「ごめん」

「あ、あれに似てるかも。押入れの中。俺、父ちゃんに叱られて、よく入れられるんだ。真っ暗でこわいけど、ふとんがつまってるからなんだか気持ちよくて、いっつも寝ちゃうんだよ。ま、そういう感じ」

「お腹はすかないの」

「ぜんぜんすかない」食いしん坊のしんちゃんは、初めて寂しそうな顔をしました。

「明日、俺のおそなえまんじゅう持ってきてやるよ」

「いらない」

「遠慮すんなって」

「ねぇ、一人でさびしくない」

私が聞くと、しんちゃんがまた夜空を見上げます。今度は慎重に、ゆっくり首を動かして。

「お、満月だ」

「おだんごみたいだね」

しばらく二人で月を眺めていました。まんまるいきれいな月でした。それっきり答えを聞くのを忘れてしまいました。しんちゃんも何も答えませんでした。きっと、答えるのが嫌だったのか、答えるのを忘れてしまったか、どちらかです。

「なぁ、明日はどこ行く」

帰り道です。息をはずませて自転車をこぎながら、しんちゃんが言います。私はじっとしんちゃんの着物のえりから這《は》い出てきた蛆虫《うじむし》を見ていました。いつもなら悲鳴をあげてしまうところですが、蛆虫がしんちゃんのうなじを上り、耳の穴に入りこもうとするまで眺め続けていました。蛆虫を手でつまんで捨てたのは、あとにも先にも、この時だけです。

なるべく明るい声で私は言いました。

「コスモスのお花畑を見に行こうよ」

そんなのつまんない、と文句を言うに決まってる。そう思っていたのですが、

「あ、いいね。コスモス」

しんちゃん、お墓の中で、少し性格が変わったみたい。

帰りは近道をしました。ちびり坂をいっきに駆けおります。

「ひゃっほ〜」しんちゃんが叫びます。

「ふわぁ〜」私も。

三十年たったいまでも思います。あれ以上素敵なジェットコースターに乗ったことはないって。ぜったい自転車に乗れるようになろう、怖いのか楽しいのか自分でもわからない悲鳴をあげながら、私はそう決めました。

「自転車、ちゃんと練習しろよ」

「がってんしょうたくん」

坂の下の曲がり角で、しんちゃんがちぎれるほど手を振っています。月が雲に隠れて、あれほど明るかった夜にカーテンが引かれてしまいました。しんちゃんの姿はもう影法師《かげぼうし》です。

私もいっしょうけんめい手を振り返しました。しんちゃんの右手が心配です。だって本当にちぎれそうだったから。

「もうやめなよ」と言いかけたとき、しんちゃんはくるりと背中を見せて自転車に乗り、ふいっと曲がり角の向こうに消えました。

追いかけて、後ろ姿を見送ろうかと思ったけれど、やめました。いくらしんちゃんでも、ちびり坂を最後まで自転車で登れるはずがありません。意地っぱりなしんちゃんは、自転車を歩いて押して登るところを、私にはぜったい見られたくないはずだから。

でも追いかければよかった。

あとになって、何度もそう思いました。

次の日、私は母にないしょで、物置にあったいとこの古い小さな自転車をひっぱり出して、練習をはじめました。誰か後ろを押してくれる人がいれば上達が早いのだろうけど、私には誰もいないから、一人でころんで、一人で立って、またころんで。

乗れるようになったのは、突然。

日暮れ近くでした。倒れそうになるのをけんめいにこらえて、手足をふんばっていたら、急に体のまわりの重力が消え、私と自転車が走りはじめたのです。

そのかわり、体中にすり傷。母からは大目玉。

その夜は、ふとんの中でどきどきしながら、坂から下りてくる自転車の音を待ちました。

しんちゃんには悪いけど、臭いがわからないように鼻の穴へメンソレータムを塗って。

自転車に乗れるようになったといっても、まだ停まり方がわからないから、ぶっつけ本番です。

でも、いつまで待ってもしんちゃんは来ませんでした。だんだん眠くなってきて、まぶたの上にもメンソレータムを塗ったのですが、結局、翌朝、ひりひりとまぶたを腫《は》らして目を覚ましました。

何日かたった午後、だいぶ上達した自転車に乗ってしんちゃんのお墓に行ってみました。

小さなお墓の前で、名前を呼んだり、「お～い、起きろ」「あそぼ」なんて声をかけてみたりしたのですが、何の返事もありません。お墓はお墓。

「もういないよ」

背中に声をかけられて、驚いて振り返ると、どこかのお婆さんが私を睨んでいました。いたずらを見つかったような気持ちになって、あわてて自転車へ戻り、こぎ出してから気づきました。そのお婆さんが、坂田のおばあだったことに。

いまではあの地方も、みな火葬になったそうです。お墓も自動車部品工場になってしまったとか。高校を卒業してからの私は、結局、母も父も選ばず、一人で暮らしはじめましたから、風の便りに聞くばかりですが。

そういうわけで、私は自転車に乗れるようになりました。いまでは二人の子どもを前と後ろに乗せ、ハンドルの両側にスーパーの買い物袋をさげて走る。そんな芸当も朝飯前。しんちゃんのおかげです。あれから誰かの自転車の後ろに乗ったことは、一度もありません。

オートバイだけは別。夫はわが家の三匹の猫よりオートバイのほうが可愛いという人で、ときどき言いわけがわりに私をタンデムに誘うのです。

もういい年なんだからやめたら、と呆《あき》れ顔をしても、バイクでコーナーを攻めていると、生と死のはざまを垣間《かいま》見るような気がする、なんて偉そうなことを言って。なんにも知らないくせに。

「しっかりつかまってろよ」夫が言います。

答える私。

「がってんしょうたくん」

「なんだそりゃ」

「なんでもない」

それは言えません。約束だから。

川崎船《ジャッペ》

熊谷達也

熊谷達也（くまがい・たつや）
一九五八年宮城県生まれ。東京電機大学卒。九七年『ウエンカムイの爪』で小説すばる新人賞、二〇〇〇年『漂泊の牙』で新田次郎文学賞、〇四年『邂逅の森』で山本周五郎賞と直木賞を受賞。その他に『相剋の森』『荒蝦夷』『氷結の森』『銀狼王』『バイバイ・フォギーデイ』など著書多数。最新刊は『光降る丘』。

凪《な》いでいた晩秋の海面が不意に騒ぎだした。

頬被《ほおかぶ》りしたふろしきの中で、栄吉《えいきち》は眉をひそめた。櫓《ろ》を漕《こ》ぐ手は休めずに、釜臥山《かまぶせやま》の山影を探す。しかし、晴れていれば、遠く東北東の空を背景にくっきりと浮かび上がる円錐形《えんすいけい》の稜線《りょうせん》は消えていた。かわりに、鉛色の煙霧が押し寄せてくる。

すぐに、ねっとりと絡みつく湿った冷気が、北東風に運ばれてやってきた。海と陸《おか》をくまなく覆う山背《やませ》の襲来だ。

全長五メートルに満たない磯船《いそぶね》が強く揺れはじめた。

栄吉は真上の空を見あげた。頭の上はまだ青い。再び海上に視線を落とし、取舵《とりかじ》側に見える鯛島《たいじま》と牛《うし》ノ首岬《くびみさき》の重なり具合からヤマメを立て、船の位置を確認する。今朝早くひとりで船出した脇野沢本村《わきのさわほんそん》の浜辺まで二キロとない。

大丈夫だ、なんとか間に合うべ。そう自分に言い聞かせ、栄吉は一丁だけの艫櫓《ともろ》を必死になって漕ぎはじめた。

腕もちぎれよと、どれくらい漕ぎつづけたか。いよいよ大きくうねりだした波間の先に、ようやく浜が見えてきた。避難が間に合った川崎船《ジャッペ》が数隻、家々から飛び出してきた村人たちの手によって浜に引き揚げられている。

それにしても、なぜこうも震えが止まらないのだろう。これだけ体を動かしつづけているにもかかわらず、潮に濡《ぬ》れそぼった全身が骨の髄まで冷えきっている。

だがあとわずかだ。もう少し踏んばれば、女房《ばっちゃ》が作ったあったかいジャパ汁にありつける。

しかし、そのわずかの距離を残して、船足が極端に鈍った。真正面から吹きつける風が厚い壁となって行く手を阻む。うねりばかりか、砕けはじめた波に翻弄《ほんろう》され、櫓脚《ろあし》の腹が時おり水を摑《つか》みそこねる。その度に、言葉にならない罵《のの》りの声が喉奥《のどおく》からせり出た。

ジャッペの引き揚げを終えた人々が、波間に見え隠れする栄吉の磯船に気づいた。頭上で手を振り回しながら、高波が押し寄せる浜の上で、さかんに声を張りあげている。

ごうごうと鳴る風の中に、栄吉は孫の叫びを耳にした。今年十歳になった栄二郎《えいじろう》が泣き叫ぶ声だ。

綿入れシャツの上に羽織ったチャンチャャの袖口《そでぐち》で顔面に降り注ぐ波飛沫《なみしぶき》を拭《ぬぐ》い、栄吉は孫の姿を探した。

嫁のタエに後ろから抱きかかえられ、手足をばたつかせている栄二郎が見えた。タエが手を離せば、そのまま海に飛び込みかねない様子だ。その光景が、萎《な》えかかっていた気持ちを奮い立たせた。孫たちに食《か》せようとして釣ってきたカレイが、浸水し、半ば沈没しかけている船底で跳ねている。何としてもこれを持ち帰らねば。

その時だ。ぶちりという嫌な音を発して、櫓の手応えが突如消えた。

手元を見ると、つなぎ目の縄が切れ、四尺ばかりの櫓腕《ろうで》を残して、その先の櫓脚が海中へと消えていた。

「畜生《つくしょう》！」

罵りながら役に立たなくなった櫓腕を放り出し、万一の時に備えて積んであった櫂《かい》に持ち替えて、栄吉は必死になって船を反転させた。

櫂では浜に船を漕ぎ寄せることはできない。いったん沖へと船を進めてヤマセが収まるのを待つか……。いや、半島の西側に面した九艘泊《くそうどまり》の浜に回り込めるかもしれない。あそこならば海岸線まで迫《せ》り出した山に阻まれ、本村の浜ほどには吹き荒れていないはずだ。点在する番屋のどれかに船を着けられれば命が助かる。

しかし、栄吉の思惑を嘲笑《あざわら》う風と潮が、背後で砕け散る波間へと向かって船を引きずってゆく。もはや前にも後ろにも動けない。

唐突に足下の船底がふわりと浮いた。

その直後、あっけなく小さな磯船は転覆していた。

「うんにゃ」

囲炉裏の前で不機嫌そうに茶碗《ちゃわん》から粥酒《ドンベ》を啜《すす》っていた栄治《えいじ》が、一言だけ言って首を横に振った。

「親父《おど》、何故《なして》だめなんだよ。村の船コは、だいたいが機械船になってんだ。来年には武田の家《え》も、それから山下の家でも新造のジャッペさ乗る予定だ。したら、手漕ぎのジャッペは俺家《おらえ》だけになっちまうど」

内心の苛立《いらだ》ちをこらえながら、栄二郎は栄治に訴えた。

目前にあるのは、潮に焼け、なめした革のように赤黒くなった漁師の顔である。その頬には胡麻塩《ごましお》の不精髯《ぶしょうひげ》が浮いていた。

「手漕ぎのジャッペで何が悪い。オラはずっとあの船コさ乗さってきた」

「いい悪いの問題でねえってば。時代《ずだい》が変わって来てるんだ。だいいち、手漕ぎのジャッペでは場《バ》トリに勝てねえ。そすたらタラが揚がんねべ」

「漁協では、全部が機械船にならねえ限り、場トリは手漕ぎで続けるって言ってる」

「そんなの、実際どうなっかはわがんねってば。それに、いづまでも手漕ぎのままだはあ、雇《やど》いの人が嫌がる。誰も乗さってくれねば、オラどオドだげで如何《なじょ》して漁さ出はる。二人だげで網は揚げらんねど」

「オラだって何も考えでねえ訳ではねえ」

「んだば、エンジン載せるんだな」

「三橋の所がら安く譲ってもらえそうだ」

「三橋って、まさが、大吾《だいご》家《え》の焼き玉のことじゃ――」

「んだ」

その返事に、栄二郎はあからさまな溜《た》め息を吐き出してみせた。港町にある三橋の家は祖父《じっちゃ》の代まで網元をしていた。跡継ぎの大吾は、栄二郎より三つ年上で、昔はこの辺一帯のガキ大将だった。

「オド、いまさら中古の焼き玉エンジン付けだって何にもなんねべ。あんまり故障《エンコ》が多くて塩梅悪《あんべえわり》いがら、大吾の家ではヤンマーに取っ替《け》ることにすたんだ。そんたな物貰《もら》うくれえなら、まだ手漕ぎの方がいい。絶対これがらはヂーゼルの時代だど」

「なんぼ掛がるど思ってる。松下のスパーツ焼き玉でさえ、新品は五万もするんだど。ヤンマーなんか付けられるわけがねえ」

「漁協さ頼めばなんぼでも貸してくれるってはぁ」

「うんにゃ、わがんね」

――このクソ親父！

出かかった悪態を呑《の》み込み、低い声で栄二郎は言った。

「機械船さ乗さってだら、ジッチャは死なずにすんだ」

底冷えのする部屋の空気がさらに凍りついたような沈黙が落ちた。

茶碗から口を離した栄治が顔をあげた。

「あのころは、機械船は無《ね》がったんだど」

「そんたなごど言ってんでねえ。オラは二度とあんな思いばしたぐねえだけだ」

栄治の唇が小刻みに震えはじめた。

怒鳴られるかと身構える。しかし、栄治の口許《くちもと》からは徐々に緊張が解け、ふうと白い息を吐き出したあと、囲炉裏に視線を落として訊《き》いてきた。

「栄二郎、おめぇ何年ジャッぺさ乗さってる」

「今年で五年目だ」

「オラァ三十年以上乗さってる」

そう言ったきり、栄治は黙りこくってしまった。そこに、気まずい空気を断ち切るかのように、母《かっちゃ》のタエの声が背後でした。

「さあさあ、その話はまたあとですればえがんべ。ほれ、アンチャ、そろそろビンソウさ行って来《き》さまい。酒《さげ》コ一本用意してあっから」

振り向くと、何事もなかったかのように呑気《のんき》そうな笑顔を浮かべ、タエが一升瓶と提灯《ちょうちん》を手にして佇《たたず》んでいた。

栄二郎がなおも躊躇《ためら》っていると、タエは板の間を横切り、一升瓶を差し出してきた。しぶしぶ立ちあがり、酒瓶とすでに灯が入れてある提灯を受け取る。

「んだば、行ってくる」

それだけ言い、囲炉裏端を離れた。

再びドンべを啜りはじめた栄治を残し、タエに押し出されるようにして、栄二郎はうっすらと雪が積もった表へと出た。


提灯を掲げ、しんと冷えきった村の路地を歩きながら、栄二郎はオドとの話を反芻《はんすう》していた。どうしても苦いものが込みあげてくる。

――なすてオラエのオドは、ああも頑固でケチくせえんだ。

栄二郎が暮らす下北半島南西の突端に位置する脇野沢村は、昔からタラ漁の本場である。十二月の産卵期、はるか北洋から陸奥湾《むつわん》を目指して、生後四、五年ものの真ダラが回遊してくる。遠く南部藩の時代に起源を持つタラ漁は、延縄漁《はえなわりょう》に始まり、明治の半ばから刺網漁へ、そして大正期からは底建網漁《そこだてあみ》へと変遷してきた。

沿岸漁業の小さな村のことゆえ、いつの時代も生活は楽ではない。漁師の家に生まれた子供《わらし》は、ほとんどの者が十三、四歳のころからタラ船のジャッペに乗る。栄二郎自身も、国民学校高等科の二年になった十四の時から乗るようになった。

最初は船になど乗りたくなかった。「板子一枚下は地獄」と形容される海が恐ろしかった。なぜかはわかっていた。十歳の時に目にした、荒れ狂う波に呑み込まれて海の藻《も》屑《くず》と消えてしまったジッチャの最期の光景が、脳裏にこびりついて離れなかったのだ。しかし、この村で漁師の子として生まれた以上、船に乗らない者は一人前の男《あんこ》とは見なされない。

嫌々ながらの最初のタラ漁だった。ところがその時、ああやっぱりオラも漁師なんだ、と思い知らされた。

海が時化《しけ》てさえいなければ、十二月一日の早朝、限られた漁場を狙って村中の船が一斉に行う網入れでタラ漁は始まる。

それが『場トリ』である。

初めて場トリのジャッペに乗った栄二郎は、オドや兄《あんちゃ》に目茶苦茶どやしつけられながら、必死で櫓を漕いだ。ただもう無我夢中で漕いだ。目の前が白くなり、気を失いかけても、櫓杆《ろづく》にしがみつき続けた。そして、訳がわからないでいるうちに場トリは終わった。

気がつくと、丸一日漕ぎつづけていたジャッペが浜に着いていた。膝の震えが止まらなかった。渾身《こんしん》の力を込めて櫓杆を握っていたせいで、手袋《テマカ》を着けていたのに、掌《てのひら》は赤剝《あかむ》けになっていた。

ふらつきながら船を降りると、オドやアンチャが、そして一緒に船に乗っていた雇いの衆が、口々に「よぐやったぬし！」と、背中やら頭やらを小突きながら誉《ほ》めてくれた。彼らの顔は、船上での凄《すさ》まじい形相が嘘《うそ》だったかのように穏やかだった。

海の男たちからの手荒くもあたたかい祝福に、十四歳の栄二郎は、不覚にも大声で泣いてしまった。その時の涙が、海に対する恐怖をきれいさっぱり洗い流してくれた。

オドに言われたように、自分がまだ五年しかジャッぺに乗っていないのは事実だ。半人前の息子に意見されれば、気分を害すのも当然だろう。しかし、初めてタラ漁に出た翌年に、アンチャの栄太郎《えいたろう》が戦争に行って帰らぬ人となってから、代わりにオドを助けてきた。それを少しは認めてほしい。そして、オドが何と言おうと、これからは間違いなく機械船の時代がやってくる。

二年前の終戦の年、日本中が先行きの不安に沈み、食うものもろくに食えない混乱と物資の不足に見舞われている最中《さなか》、暗い世相などどこ吹く風とばかりに、脇野沢は好景気に沸いた。未曾有《みぞう》の豊漁に恵まれたのである。

それに呼応して、この二年間で村のジャッペは次々と動力化された。多くは焼き玉エンジンを載せたが、最新のヂーゼルエンジンを備えた船もある。そして今日、栄二郎は漁協に寄った時に、来年になれば、山岡内燃機が新型のヂーゼルを売り出すという話を耳にした。今年発売された単発のＬＢ型のシリンダを二つ繋《つな》げた２ＬＢ型。出力は軽く十馬力以上出るという噂《うわさ》だった。

これだ、と栄二郎は思った。慌てて焼き玉など積まないでよかった。大吾の家がいち早く焼き玉を載せた時は羨ましくてしょうがなかったが、これからはヂーゼル船の時代だ。それが証拠に、当たりが悪かったのか、あまりにエンコの多い焼き玉エンジンに業を煮やし、大吾のオドはこの前、二年使っただけの焼き玉をヤンマーLB型に載せ換えた。しかし、それは焦りすぎというもの。来年まで我慢すれば二気筒の2LBを載せられたのを、みすみす逃してしまったことになる。

こうなったら、なんとしてもオドを説得して、来年どの家よりも早く、オラエの船に2LBを載せてやる。今は手漕ぎでやってる場トリも、いずれは動力船で競うことになるだろう。そうなれば、強力なエンジンを載せたジャッペが勝つに決まっている。オドにしたって嫌とは言うまい。そう思い、勇んで家に戻ったところが、オドのあの返事である。しかも、あろうことか、大吾の家のろくでなしの焼き玉を払い下げてもらうと言う始末だ。

収まらない腹立ちを抱えながら歩くうちに、いつの間にか、目指していたビンソウ宿に着いていた。家の中からは、楽しげな娘達《めらしど》の声が洩《も》れ出ている。

――まあいい、あとでもう一度オドを説得してみるべ。

気分を切り替え、栄二郎は提灯の蠟燭《ろうそく》を吹き消してから、目の前の引き戸に手をかけた。

栄二郎が土間に立つと、いち早く見つけた美樹《みき》が顔を綻ばせて駆け寄ってきた。一度も着ているのを見たことがない、花柄をあしらった洋服を身に着けている。たぶん、今年のビンソウのために用意しておいた、とっておきの晴れ着なのだろう。

「遅がったなっす。他のビンソウさ行ってしまったんでねえがって、やぎもぢっこ焼いでだんだのし。早ぐ上がってけさまえ」

そう言う美樹の上気した頬がなんとも可愛《かわい》らしい。ふだんは見すぼらしい野良着ばかり着ている娘《めらしこ》と同じとは思えないほど、美樹は大人びて見えた。

栄二郎はズボンのポケットから銭を包んだチリ紙を取り出して、一升瓶と共に手渡した。

「これ、少しだけんど花コだ。それがら酒《べっこ》コも」

いっそう華やかな笑顔になった美樹が、渡された一升瓶を抱えながら手招きした。

「酒コまでなんて、そんたに気ぃつかわねでもいいのに。んでも、せっかくだから、もらっておくね。さ、早く上がって飲まさまい」

いつの時代から始まったのか、この村では年に二度、早春と晩秋の農閑期に、気の合った娘たちが一軒の宿を決めて数日間泊まり込み、家々から持ち寄った材料でご馳走《ちそう》を作り、若いアンコたちに振る舞う風習がある。それがビンソウなのだが、特に秋のビンソウでは、いよいよ間近に迫ったタラ漁を前に、時には雇いでやって来た若者たちも呼ばれ、大いに賑《にぎ》わう。

普段、夜の外出などもっての外と厳しく躾《しつ》けられているメラシコにとっては、実に楽しい息抜きの一時であるし、アンコ連中にとっても同様だ。なにせ、美しく着飾ったメラシドにもてなされて夜更けまで飲み食いできるし、場合によっては、ビンソウをきっかけに恋も芽生える。

十五の時に、アンチャが秋のビンソウに初めて連れて行ってくれた。その時はまだワラシだったから、歓迎はされても、年長のアンコたちのだしに使われたようなものだった。

だが去年のビンソウの時、それまでとは違うことが、栄二郎の中に起きた。同い年の幼なじみにすぎなかったはずのひとりのメラシコが、どうにも気になって仕方がなくなったのである。それが美樹だった。もしかしたら、向こうも自分に気があるのかもしれない。なんとなくそんな感じもした。だから、今年のビンソウでは、あちこちの宿を行き当たりばったりに回るのはやめて、できるだけ美樹のいるビンソウに通おうと、栄二郎は密《ひそ》かに決めていた。

長靴を脱ぎ、座敷へと上がりかけたところで、すでに車座になって飲み食いを始めていたアンコたちの中に、大吾の背中を見つけた。

足をとめ、美樹の袖を引いて小声で尋ねた。

「大吾も来てるのが」

「んだ、一番早く来てだよ。それがどうすたの」

美樹が、問いかけの意味がわからない、という表情で小首を傾《かし》げた。

今はあまり顔を合わせたくない相手だった。しかし、踵《きびす》を返して他のビンソウ宿に行くわけにもいかない。

「うんにゃ、なんでもねえ」

そう答え、栄二郎は美樹に誘われるままに、賑やかな座敷へと上がり込んだ。

酒で顔を真っ赤に染めた大吾が、上機嫌で懐から一枚の紙片を取り出してみせた。

「どうだ、これば見でみせ」

栄二郎は他の連中と一緒に、畳の上に広げられた紙を覗《のぞ》いた。

一同を見回したあとで、大吾は得意げに説明しはじめた。

「わがっか？　こいづは漁船登録票っつうものだ。新聞さはまだ載さってねえけどよ、この間オラエのオドが県庁さ行った時、見本ば貰ってきたんだ。あど十日もすれば新聞さ載さる。せば、来年からは五トン未満の船コも、全部登録しなくてはならなくなる」

「んだば、オラエのジャッペもが？」

栄二郎の隣で、洋助《ようすけ》が目を見張った。浜町に住む木村の家の次男坊《おんじ》だ。

「んだ、オメダエのだけでねえ。ジャッペはだいたい四トン半からぎりぎり四・九トンだがら、今までは登録しなくていがったんだ。んでも、これがらはどの船コにも、必ず何々丸って名前コ付けねばなんねえんだ」

「よーし、んだば決めだ。オラエのジャッペはオラの名前コ取って大洋丸だ！」

洋助が膝を打つと、美樹がくすくすと笑いながら口を挿《はさ》んだ。

「タイヨウって、お天道様《てんとさま》の太陽が？」

「だあれ、そんたな。太平洋の大洋だあ」

「あれぁ、ここは陸奥湾だべし。八戸《はちのへ》の船コならぴったりだども、そんでは駄目だあ」

「んだべがな」

それをきっかけに、それぞれの家の船はこんな船名がいい、いやこうだ、そりゃまずいと、いっそう場が盛り上がりはじめた。

「貸してみせ」

そう言って、栄二郎は登録票なるものに手を伸ばし、畳の上から拾いあげた。よくよくそれを覗き込む。船質や寸法、機関の種類といった様々な記載項目が並んでいた。さらに、登録費用は、二十トン未満の動力船は六百円、無動力船は二百円。所定の登録料を添え、各漁業会を通して県に届け出ること、とあった。

票を手にして考え込んでいると、大吾が訊いてきた。

「どや、栄ちゃん。オメダエのジャッペの名前コはどうする」

「うんにゃ、まだ考えてねえけど」

すると大吾は、栄二郎の手からひったくるようにして登録票を取りあげた。電灯の下に大仰にかざして、ひとつ咳払《せきばら》いをしてから言った。

「んだば、オラが命名してやる。オメダエのジャッペの名前コは、オサガリ丸だ。どうだ、えがんべ？」

オサガリという言葉に、にわかに頬が熱くなる。

上町の源吉《げんきち》が怪訝《けげん》な顔をして大吾に尋ねた。

「なんじゃあ、そいづぁ」

「あんれ、知《し》ゃねがったのが？　やっと栄ちゃんのオドも船コさエンジン付ける気になったんだど。二、三日前、オラエのオドさ、今まで使ってた焼き玉を譲ってくれねべがって頼みさ来たんだ」

「あの腐れ焼き玉が」

「んだ、んだがらオサガリ丸。ぴったりだべ」

「なんぼなんでも、そいづはひどすぎねが？　栄ちゃん、黙ってねえでおめぇも何が言ってやれ」

源吉の言葉に、居合わせた十数人の視線が一斉に栄二郎に集まった。

恥ずかしさに嚙《か》んでいた唇を開き、栄二郎は憮然《ぶぜん》として言った。

「うんにゃ、オラエでは焼き玉なんか付けねえ。来年になったら2LBば載せる」

「なんと！　すたばヤンマーの新型でねえすか。SS型ならまだしも、本当に2LBすか。単発のLBは毎分八百回転がいいどごだっけ、双発の2LBだば九百回転は回るって話だ。こいづはすげえのっし！　んだば——」

源吉の感嘆の声を大吾が遮った。

「嘘まげろ！　オメダエさ、そんたな金あるってが」

「漁協で保証してける。せば、半金入れれば付けでもらえるべ」

むきになって栄二郎が言うと、大吾の瞳に嘲りの色が浮かんだ。

「オメダエのオドではだめだ」

「何故《なして》だ」

「博打《ばくち》コやるオドさなんか、誰も金貸さねべ」

「なにすたって！　いづオラエのオドが博打やったってや」

「時々青森さ行ってるのは、博打さ嵌《は》まってっからだって話だど。知ゃねがったのが？」

「そんたなごどねえ！」

栄二郎は声を荒らげた。体が勝手に動いて、気がつくと片膝立ちになっていた。

「やるってな！」

不敵な面構えで大吾が応じた直後、パカンと乾いた音が部屋中に響いた。

「痛《いで》じゃあ、なにするっけやあ」

頭を抱えながらそう漏らした大吾の背後には、お玉を持った美樹が仁王立ちになっていた。

「止《や》めれ！　ここがどこだと思ってんの。私《わだす》らのビンソウ宿は喧嘩《けんか》する場所でねえ！」

あまりの剣幕に皆が言葉を失う。

腕組みをして頬を膨らましている美樹に、すぐに大吾が手を合わせた。

「悪《わり》ぃがった、悪ぃがったがら拗《むつけ》ねえでけさまえ。な、これ、この通りだ」

「全ぐいづまで経ってもワラシと一緒なんだがら。大ちゃん、だいたいおめぇが悪ぃんだよ。あんたなごど言われれば、誰だって怒るべ。さあ、ちゃっちゃど仲直りすもせ」

美樹が言うと、頭をぼりぼり掻《か》いたあとで、大吾が右手を差し出してきた。

「栄ちゃん、ごめん、オラが悪ぃがった。許してけさまえ」

栄二郎は、仕方なく大吾の手を握り返した。しかし、居心地の悪さはいっかな消えない。

「わがった、もういい。んでも、オラァそろそろ帰《け》ぇる」

「栄ちゃん！」

引き止めようとする大吾の手を振りほどき、栄二郎は逃げるようにして履物が脱いである土間に向かった。長靴に足を突っ込み、そのまま引き戸を開けて表へ出る。

外へ出てから、提灯を忘れてしまったことに気づいた。しかし、うっすらと雪に覆われた村は、思いのほか明るかった。この時期としてはめずらしく風もない。綿入れの襟元を深く合わせ、ぶるっと身を震わせてから、栄二郎は歩きだした。

ひとつ目の角を曲がり、家の方角に少し歩いたところで、背後から呼び止められた。

「栄ちゃん、待ってけせ！」

洋服の上に綿入れを着込んだ美樹が、提灯をぶら下げて駆けてきた。傍らまで来ると、持っていた提灯を差し出した。

「はいこれ、忘れ物」

「あ、ああ――どうも」

口ごもりながら受け取った。

所在なく佇んでいると、美樹が訊いてきた。

「むつけだのすか？」

「うんにゃ、別にむつけたわけでねえけんど――」

「ねえけど、なに」

提灯のオレンジ色の明かりが、微笑《ほほえ》みを浮かべている美樹の顔を淡く照らした。その笑みに促されて、栄二郎は心中にあった凝《しこ》りを口にした。

「大吾のいってたごどは、ほんとがもわがんね」

「なんのこと？」

「オラエのオドが博打さ嵌まってるって話だぁ。確かに、しょっちゅうでねえけど、漁ば休んで、泊まりで青森さ行って帰《け》って来ることがあんだ。何しさ行ぐのって訊いでも、昔の仕込み親方に用事があんだってしか教《おし》ぇでけねし――やっぱす、博打コしてんのがもわがんね。んでねがったら、ヂーゼルは無理だとしたって、せめて新品の焼き玉ぐれえ買えるはずだ。儲《もう》げだ銭コ、博打さ使ってんだがもわがんね。大吾の奴ぁ、ほんとはオラば心配《すんぺえ》してんのがもな。あんたな言い方しか出来《でぎ》ねえ奴だがら、先たはオラも頭さきたけど」

「その話、栄ちゃんのオドさは訊いでみだの？」

「うんにゃ、そんたなごど訊げるわげねえべ」

「ふーん、困ったなっし」

美樹が眉を曇らした。憂いを帯びたその顔を見ているうちに、今まで他人には話したことのなかった思いを口にしたくなった。

「オラ、この村から出はりだぐなった」

「急になじょしたの？　いきなり村ば出はるなんて」

「オラのアンチャが戦争で死んでがらは諦めでだんだけど、オラにも夢コあったんだ。ジャッペさ自分でも乗さるようになってがら、オラァほんとうに船コが好ぎになった。タラ獲って暮らすのも面白《おもしえ》えけど、ほれ、オホーツクとか太平洋とか、そったな外洋ば走る、もっと大《お》っきな船コさ乗ってみてえ。しかも、航海士になってな。すたら、アンチャが出征する前、オラさ言ったんだ。栄二郎、おめぇはオラど違《つが》って頭《あだま》コいい。こんたな小《べ》っこい村でジャッペさ乗さって終わるんではもったいねえ。オラが戦争から戻ったら、いっぺえ稼いでおめぇば商船学校さ入れでやる。んだがら、オラが戦地さ行ってる間も、勉強ばちゃんとやってろよって。んだども、アンチャは帰《け》って来ながった。そしたら、オラがオラエを継がねばだめだべ。夢コは諦めでだ。んだども、ギーゼル載せるのもわがんねようなオドは、オラァすっかり嫌《や》んたぐなった」

美樹は黙りこくったまま俯《うつむ》いている。

唐突に妙なことが頭に浮かんだ。オラと一緒に駆け落ちするべ。そう言ったら美樹は自分について来てくれるだろうか。

しかし、一瞬よぎった空想を、栄二郎は頭を振って打ち消した。やはりそんなことなど出来るわけがない。

「ごめん、なんだが奇怪《おが》しねえことばっかり喋《しやべ》ってしまったのし。心配しねでけせ、村ば出はるなんてもう言わねがら。オラァ頑張ってがっぱりタラば獲る。そすたらオラ、自分の力で新造のジャッぺば造ってみせる。一等馬力の強《つえ》ぇエンジン積んだ船コさ乗さって、村一番の漁師になってやっからよ」

「うん、栄ちゃんなら、きっとなれるべ」

微笑みを取り戻した美樹に頷《うなず》き、栄二郎は夜空を見あげた。

満天を埋め尽くす冬の星空に吸い込まれそうになる。

「はぁ、ほれ、星コ、ギンカギンカッてらぁ」

「んだなあ、綺麗《きれい》だぬし」

しばらく二人で夜空を見あげたあと、栄二郎は努めて明るく美樹に言った。

「んだば、オラそろそろ帰っから。わざわざ提灯どうもな」

「明日もビンソウさ来てけさまえな」

「うん、わがった、必ず行ぐ。それがら、ほんとに今日はごめんな。むつけでしまって悪《わり》ぃごどした。帰ったら、大吾さも謝っておいでけさまえ」

頷いた美樹が、あたりを二、三度見回した。

何を探しているのだろう。そう訝《いぶか》しんでいると、向き直った美樹がついと駆け寄り、栄二郎の唇に柔らかいものが触れた。

ほのかな石鹸《せっけん》の香りを残し、美樹の唇はすぐに離れた。

「あ――」

言葉に詰まっているうちに、美樹はくるりと背を向け、ビンソウ宿に向かって小走りで駆けて行った。

路地の奥に消える間際、一度振り向いた美樹が、栄二郎に向かって小さく手を振るのが見えた。

栄二郎は村の奥山をひとりで歩いていた。里の積雪はまださほどではないが、さすがに山中はカンジキが必要だった。

すっかり葉を落とした一本のブナの巨木の前で足を止める。

大人の腕でも回りきらない灰白色の幹が、空に向かって真っ直《す》ぐに伸びていた。テマカを外した掌でブナの肌を叩《たた》きながら、栄二郎は満足して頷いた。周囲を見回して、見つけたブナの位置を頭に刻み込む。

――さてと、次は形コよいヒバを探さねばな。

そろそろ昼の時刻だったが、弁当に持ってきた握り飯を頬張る《まま》のは後回しにし、次の目的地に向かって、休む間もなく足を進めた。朝早くから、ずっと山に入っているものの、疲れは感じない。

栄二郎は、新造船の用材になりそうな樹木を探して歩き回っていた。

タラ漁がいよいよ間近に迫っていた。

今日は今年のタラ漁を占う御請《ごしょう》の日なので、オドは他の船頭《おやがだ》たちと一緒に、村の竜神様であるノリグラ様にお参りに行っている。そろそろ巫女《みこ》のエンヤ様によるご祈禱《きとう》と占いが始まるころだ。

陸奥湾に入ってくるタラの通り道には、おおむね三本の本通りがある。沖の方から、沖道《おぎみち》、中道《ながみち》、岡道《おがみち》の三本だ。ここに網を建てればまず外れることはないのだが、同じ道の中でも、やはり場所によって漁獲量に差が出る。いっぺんで千本のタラが揚がる網があったかと思えば、すぐ隣の網には一匹も入っていないということもあるのだ。

だから、一網を一ヶ統《いっかど》として数える手持ちの網を、平均して十ヶ統から十二ヶ統、どの場に建てるかが非常に重要になってくる。今年はどの道のどの場に網を建てるか、漁師としての経験と勘がものをいうが、もうひとつ重要なのがエンヤ様による占いだ。船頭の家一軒ごとに神降ろしをして、網の建て場や災難除《よ》けの占いをしてくれるのである。

弟《おんじ》の栄三《えいぞう》は、新制になったばかりの中学校で、占いなどは迷信だと教えられているらしい。確かにヂーゼル船の時代がやってこようかという今、非科学的と言われればその通りだ。しかし、栄二郎には、そうとばかりも思えなかった。遭難したジッチャがどこに沈んでいるか、あの時、エンヤ様がぴたりと言い当ててくれたからだ。

オドが御請から帰ってくるのは、占いのあとの直会《なおらい》が終わって暗くなってからだろう。それまでゆっくり林を歩き、目ぼしい樹を探すことができる。本当は、まだ釜煮《かまに》をしていない網が残っていたので、家の釜場でその仕事をしなければならない日だった。だが、場トリまでの数日間はもう網入れはしないので、釜煮は明日やっても間に合う。そう勝手に判断し、オドには内緒で山に来ていた。

午後もだいぶ日が翳《かげ》ってきたころには、栄二郎は足取りも軽く家路を急いでいた。まあまあの収穫だった。船底の敷ぎ用のブナは、今日見つけた巨木がよさそうだ。一枚板で舳先《へさき》から艫《とも》まで張り継ぐケゴ用のスギも、一本は目星がついた。もう数本探す必要があるが、たぶん見つかるだろう。

問題なのは、船の肋骨《ろっこつ》にあたる、トモアバラとオモテアバラ用のヒバだった。これだけは、真っ直ぐな樹であればよいというわけではない。造ろうとする船の形と大きさに合うような、ちょうどよい曲がり具合を持ったヒバが必要になる。昔から脇野沢が有数なヒバの産地とはいえ、ぴったりのヒバを探し出すのは、なかなか容易ではない。むろん、最初から簡単に見つかるとは、栄二郎自身も思っていなかった。これから何度も山に足を運ぶことになるだろう。そして、全ての樹の見立てが終わったとしても、すぐに船が出来るわけではなかった。まずは、営林署へ払い下げの申請をして許可を得なければならないし、伐採と挽《ひ》き割りのために、樵《きこり》や木挽師《こびきし》を雇わなければならない。

そうしてできた用材を十分に乾燥させ、それからやっと船大工に頼むことになる。したがって、新造船の完成までには数年の年月と、そして金がかかる。

費用の捻出のことを考えると、気分が重くなった。それには、どうしてもオドをその気にさせなければならないからだ。しかし、オラエのジャッペは、だいぶあちこち傷んできている。いくらケチくせえオドにしたって、いずれは船の新造に踏みきらなければならないはずだ。そしてその時は、オラが見立てた用材で造ったジャッペに最新のヂーゼルエンジンを載せて、いざ出漁だ。

艫櫓のかわりに舵を握り、エンジンの音も高らかに、真新しいジャッペに乗って大海原を突き進む自分の姿を思い浮かべ、栄二郎の心は自然に浮き立った。

紅殻色《ベンガラいろ》に染まった空の下に、村の家並みが見えはじめた時だった。

「アンチャ！」という声が家の方角から聞こえ、すぐに、薄暗がりの中を走ってくる栄三の影を認めた。

「なじょすた？　そんたに泡食ってはぁ」

「オドが大変だ！」

一瞬、ジッチャのことを思い出して血の気が引く。しかし、今日は出漁していないから遭難ではあり得ない。最悪の映像は脳裏から去ったが、栄三の慌てぶりはただ事ではなかった。

駆けてきた栄三は、凍りついた雪のために止まりきれず、栄二郎の脇を掠《かす》めると同時に、ずでんと尻餅をついた。

「痛《いで》じゃあ――」

そう呻《うめ》いて顔をしかめている栄三を立たせながら、栄二郎は訊いた。

「オドが大変って、いったいなじょすた」

「煮釜がひっくり返《げ》ってはぁ、下さ敷がれでしまった」

「なにすたってや！　湯コ、ぶっかがったのがっ」

再び悪寒に襲われた。綿糸の漁網を防腐液で煮あげるために使う大釜は、直径二メートルはある。その中の沸騰したお湯をかぶったとなると、ただではすまない。

肩で息をしながら栄三が言った。

「まだ煮《ぬ》だってなくて、温《ぬ》るけぇがったがらいがった」

「火傷《やけど》はしてねんだな」

「んだ。んでも釜さ押っ潰《つぶ》さって、右手の骨コが折っちょれですまった」

「すたば、なじょすた」

「運よぐ今日は診療所さ先生《しえんしえ》いる日だったがら、すぐに診でもらえだ。そすて、なんとか治療コ終わって、ちょうど先た家《え》さ帰《け》って来たどこだ。んでも、首コがら手ぇ吊《つ》ってはぁ、包帯でぐるぐる巻ぎだ。なじょする？　あの手では漁さ出はらんねど。しかしやアンチャ、今まで一体《いってぇ》どごさ行ってだのや。さっぱり見《め》っけらんねがら、みんなすて、やっきもっきてだったんだど」

「悪《わり》ぃがった。わがったがら、あんまり騒《ぐや》めぐな。んでも、なすてまだ釜コがひっくり返ったのや」

「早めに直会がら帰ってきて、残ってだ網ば煮る準備すてだんだ。カッチャは明日《あすた》やればいがすって言ったんだげど、うんにゃ今夜中にやんねばわがんねって、無理くり始めだんだど。すたけぁ、酒コ飲んで酔ってだんだべな。傾いてるのば直すべって釜の下さ突っ込んだ棒コが折っちょれで、その拍子に、釜と一緒にオドも転んだんだどや」

栄三の説明に、栄二郎はひどい後ろめたさを覚えた。おとなしく釜煮をしていれば、オドは怪我をせずにすんだ。自分の勝手な振る舞いに、竜神様かお稲荷《いなり》様のバチが当ったに違いなかった。

「まんずわがった。とにかく行《あ》べ」

栄二郎はそれだけ言って口を閉ざし、栄三と一緒に小走りで家へと急いだ。

しこたま怒られる。

家に着くと、そう覚悟して栄二郎は奥の寝部屋に入った。

栄治は、副木《そえき》を当てた右腕を三角巾で首から吊って、布団の上に胡坐《あぐら》をかいていた。シーツの上に広げた半紙を覗き込むようにして、何事か考えている。栄治が熱心に見入っていたのは、ノリグラ様の占いの結果を記した紙だった。

正座した栄二郎は、膝の上で拳を握りしめて叱責の言葉を待ち受けた。

占い紙の上に視線を落としたまま、栄治が言った。

「馬鹿たれが、全ぐどごをほっつぎ歩いでだのや」

「許してけせ、少し山《べっこ》の方さ——」

「山さ? なすて」

「あの——」

言葉を濁していると、栄治は布団の上に広げていた半紙をたたみ、栄二郎に向き直った。

「まあいい、釜コひっくり返《げ》ったのはおめぇのせいでねえ。んだども、この手では暫《すば》ぐの間、櫓は漕げねぐなっつまった。栄二郎、今度の場トリではおめぇが艫櫓《ともろ》ば持で」

思ったほど強く叱られなかったことに安堵《あんど》したのも束《つか》の間《ま》、その言葉に栄二郎はうろたえた。

「オド、そいづはなんぼなんでも無茶だ。オラにはまだ船頭《おやがだ》は務まんねえ。んだ、高橋のアンチャさ頼むべ」

「馬鹿この、オラエの船コの船頭を雇《やど》いの人さ頼めるわげねえべ」

「んだども」

「自信《ずすん》コねえのが」

「うんにゃ、そんなごどねえけんど——すたばオモデは誰がやるのすか」

「そいづを高橋のアンチャにやってもらえばいいべ」

一昨年の漁から、栄二郎は『オモデ』としてジャッペに乗っていた。

昔の伝馬船《てんません》から発展してきたジャッペには、普通、艫櫓の他に左右両舷《りょうげん》に、それぞれ二、三丁ずつの脇櫓が備わっている。それをひとりが一丁ずつ操るのだが、網入れや網起こしなどの作業は、必ず船の取舵側で行う。その取舵櫓の一番前、舳先側に位置するのがオモデと言われる役で、沖での漁労作業の指揮を執る。特に場トリでは、網入れの位置決めアンカーを海中に投ずる役割を担うので、漁労経験だけでなく、強靭《きょうじん》な体力が必要となる。したがって、その船の船頭の長男《あんちゃ》がオモデになることが多い。

オモデとしては、まだ年若い栄二郎であったが、体には恵まれていたし、肝心な場面では、艫に立った栄治が的確な指示を与えてくれるので、なんとかオモデの役割をこなしていた。しかし、船頭となると話は別だ。全ての責任が一身にのしかかってくる。

栄二郎は、おそるおそる尋ねてみた。

「オドも船コさ乗されねすか。櫓は持でねえにしても、オモデの方さ立って、指示コ出してけるとか」

「馬鹿吐《ばがぬ》がすんでねえ。だあれ、そんたな見苦《めく》せえごど出来ってや。人から指示コ受げでる船頭など、どごさもいねえど」

栄治の厳しい口調に、選択の余地はないと栄二郎は覚悟を決めた。

「わがった、オラが艫櫓ば持つ。んだげど、脇櫓がひとり足んなぐなるのはどうするべ。今から雇いば探しても、たぶん間に合わねど」

「栄三さ持だせればいい。面舵《おもかじ》櫓の一番後ろっ側《け》乗せで、おめぇが面倒コ見でやればいい」

「あいづはまだ中学生だ。ジャッペさ一度も乗さってねえのに、そいづは無理でねえすか」

「おめぇが最初に乗さった時は、なんぼだった?」

「十四で乗さったたった」

「栄三はもう十四だど」

これもまた栄治の言う通りだった。

栄二郎は、村の外れにある八幡《はちまん》神社の境内で、一心に場トリの成功と豊漁を祈っていた。

この数日荒れ模様だった空と海は、束の間の休息に入ったかのように、落ち着きを取り戻している。このぶんなら、時化で二日間延びていた場トリも、明日は間違いなくできるだろう。

豊漁と不漁が、天国と地獄のようにはっきりしているタラ漁は博打のようなものである。漁師たちが、あちこちの神様のご託宣に耳を傾けるのはあたりまえになっているが、今の栄二郎の心境は、正に、苦しい時の神頼み以外のなにものでもなかった。

不安でならなかった。わからずやの頑固親父と、いつもは辟易《へきえき》していたオドの存在がいかに大きいものか、船頭としてのオドを、自分がいかに頼りにしていたか、嫌というほど思い知らされた。

首から腕を吊っているオドの恰好《かっこう》を見た時の、雇いの面々の複雑な顔が、それを如実に物語っていた。前金で労賃をもらっているとはいえ、水揚げの本数で加算される歩合がろくに当てに出来なくなったと、内心落胆しているのは明らかだった。

思い描いていた、自分で見立てた新造ヂーゼル船を操って勇ましく出漁する姿。そんなものは青臭いワラシの夢想にすぎなかった。現実は、手漕ぎのジャッペの船頭すらまともに務まるかどうか怪しい半人前の漁師でしかなかった。ヂーゼルを載せろと、偉そうにオドに迫った自分が、今では恥ずかしくてならない。

結局、不安を拭いきれないままに拝礼を終え、栄二郎は重い足どりで石段を下りはじめた。

下りきったところで、もんぺと綿入れ姿のメラシコがひとり、鳥居をくぐって境内に入って来た。

姉さん被りの手拭いの下に覗く顔を見て、栄二郎は足を止めた。

「美樹ちゃん」

美樹が俯いていた顔をあげて目を丸くした。

「あんや、栄ちゃんでねすか。拝みさ来てだのすか」

「んだ。美樹ちゃんは何ば拝みさ？」

「少し別《べっ》こ──」

言葉を濁した美樹に、さらに尋ねた。

「なんだべ、教《おし》ぇらんねのすか」

躊躇っていた美樹が、はにかんだように口を開いた。

「栄ちゃんの場トリが上手《うま》く行きますようにって──」

なんということだろう。自分の家の船のためではなく、他の家のを拝みに来るとは……。

しかし、戸惑いながらも、美樹の気持ちが今の栄二郎には心底嬉しかった。

辺りを見回して人けがないかと様子を窺《うかが》う。

「ちょこっと、あっちさ」

美樹の手を引いて、手水舎《ちょうずや》の裏手に連れていった。

太い杉の木陰に身を隠し、もう一度人影がないことを確かめてから、栄二郎は小声で言った。

「忙すくて、さっぱり会ってやらんねがった。ごめんな」

「栄ちゃんのオド、怪我したったんだもの。気にしてねえのし」

ビンソウが終わってから、しばらく美樹とは会っていなかった。オドの怪我があってそれどころではなかったのは事実だし、常にどこかに人の目がある小さな村では、迂闊《うかつ》に逢い引きなど出来るものではない。

木陰に連れてきたのはいいが、何を話したらいいのかと戸惑っていると、美樹の方が尋ねた。

「場トリ、大丈夫？　今年は栄ちゃんが船頭《おやがだ》やるんだべ？」

「んだ。おめぇがせねばねえって、オドから言われた」

「心配《すんぺぇ》なのすか」

「正直言うと、心配でなんね」

栄二郎は本音を吐いた。他の連中の前では少しも動じていないふりを装っていたが、なぜか、美樹にだけは素直な気持ちになれる。

「栄ちゃんなら、絶対《じぇってぇ》立派に船頭ばやれるってば。村一番の漁師さなるって、この前言ってだべ」

あくまでも美樹の声は明るい。寒さに赤くなったほっぺたの上で、二つの瞳がきらきらと輝いて、栄二郎を見つめている。驚いたことに、たったそれだけの励ましが、栄二郎の胸に巣くっていた不安を嘘のように洗い流した。

「なじょしたの？」

首を傾げた美樹に栄二郎は言った。

「不思議なもんだなっし。美樹ちゃんにそう言われだら、なんだか力コ湧《わ》いできた」

「それでこそ栄ちゃんだぁ。頑張って一杯《いっぺぇ》タラば揚げでけさまい。陰コで栄ちゃんば応援してっから。それに――」

「それに、なにっしゃ」

「栄ちゃんが行ぎでえ所があればはぁ、私《わ》、どごさでも付いで行って栄ちゃんば助《す》けるつもりなのっし。もし――」とそこで言葉を切り、美樹は唇を噛んでうつむいた。

「栄ちゃんが迷惑でなければ、の話だけんど――」

気がつくと、栄二郎は強引に美樹を抱き寄せていた。しかし美樹は、抗《あらが》うことなく体の重みを栄二郎の胸板に預けてきた。

ごくりと唾を飲み込んでから、美樹の耳元に囁《ささや》いた。

「美樹、オラァ、おめぇどご好ぎだんじぇ」

返事をするかわりに、美樹は自分の頭に手を伸ばし、姉さん被りの手拭いを外すと、結っていた髪からピン留めを抜き取った。細い髪がはらりと肩に落ちる。

柔らかな体を抱きすくめたまま、栄二郎はぎこちなく美樹の唇を吸った。

――こんな場所でこんなごどすてだら、罰コ当だんねべが。

一瞬戸惑いを覚えたが、栄二郎に応えて軽く唇を開けた美樹の口中に舌を差し入れると、それ以外のことはすっかり頭の中から消し飛んでしまった。

「日和《シューリ》がいいがら支度《すたぐ》してけろ、用意はでぎだが！」

組合の係が家々の軒先で触れ回る声を聞いてから、小一時間が経《た》っていた。東の空がうっすらと白くなり、そろそろ夜が明ける頃合いだ。

「寒《さみ》ぃのが？　先たからずっと震えでってぁ」

栄二郎は、ジャッペの右舷、一番後ろの面舵櫓の脇でガタガタと震えている栄三に声をかけた。

「うんにゃ、武者震いだ」

歯を鳴らしながら栄三が答える。その気持ちは痛いほどわかった。自分とて、初めて場トリのジャッペに乗った時は、膝の震えが止まらなかった。

本村の全ての漁師と雇いの衆が浜を埋めているにもかかわらず、辺りは異様な静けさだ。砂浜に寄せる波以外は、ほとんど音がしない。時おり、闇《やみ》の中から呟《つぶや》くような男たちの声が聞こえてくるだけで、それすらもすぐに立ち消え、張り詰めた緊張が戻ってくる。

すでに艫綱《ともづな》が解《ほど》かれ、油を塗った軌条《シビリ》の上にずらりと並んだジャッペの周囲では、今や遅しと、漁師たちが合図の赤旗が振られるのを待っていた。その数およそ四十艘。間もなく、この数の船が一斉に海へとなだれ込む。

浜の空気が変わった。

男たちが自分の船に取りつきはじめた。

腰蓑《コシメ》の間に手を入れてぐいと股《また》ぐらを握り、自分に活を入れて、栄二郎は言った。

「よーす、もうそろそろだ、えがすか？」

「おうっ」

低い声で、雇いの面々が答えた。

取舵櫓、前の方からオモデを務める高橋のアンチャとそのオンジ。その後ろには高橋のオド。面舵側は、佐々木のオドとアンチャ。そして最後尾が栄三だ。栄三を除けば、皆手練《てだれ》の漕ぎ手ばかりである。

船によってはさらに二人、舳先で櫂を持たせて九人で乗り組むところもある。どうするかはその船の船頭次第だ。

栄二郎の家では、何年も前からずっと七人で場トリに臨んできた。雇いに払う賃金を節約するためではあったが、もうひとつ別な理由もあった。

長年雇いに来てくれて家族同然となっている漕ぎ手でやる方が、息の合わない余計な者を乗せて重くするより船足が速い。それが、オドが頑《かたくな》に七人漕ぎに固執している一番の理由だった。実際、去年の場トリでは、目指した漁場に一番乗りを果たしている。

つい最前までは闇が降りていた海が、微《かす》かに白く浮かびあがりはじめた。

浜に出ているカッチャたちの背中のひとつから、甲高い赤ん坊の泣き声が響いた。

その直後、待ち構えていた赤旗が振り下ろされた。

むん！　という呻《うめ》き声とともに、漁師たちの手で、二度、三度とジャッペが左右に揺すられる。栄二郎は背中を船尾に押し当て、渾身の力を込めて砂浜を蹴った。唐突に抵抗が消え、五トン近い船体が、するするとシビリの上を滑りだす。身を翻し、両手を船尾に当てて、ひたすら押しまくる。浜の空気が、男たちの雄叫《おたけ》びでびりびりと振動した。

勢いのついたジャッペの舳先が、飛沫をあげて海中へと突き刺さった。最後の一蹴りを加えながら、栄二郎は叫んだ。

「いいど！　乗され！」

両舷に取りついていた漕ぎ手が次々と船に飛び乗り、間髪《かんはつ》を容《い》れずに櫓を摑む。

艫の板間の上に一跳びで身を躍らせた栄二郎は、艫櫓に手をかけながら、漕ぎ手の数を確認した。

――畜生《つくしよう》、ひとり足りねえ！

見ると、栄三の両手が右舷の船縁《ふなべり》にかかっていた。這《は》いあがろうとしてもがく頭が、舷側の向こうに見え隠れする。

「馬鹿この、早ぐ乗され！」

怒鳴りつけながら櫓を操りはじめる。寄せる波が穏やかなうねりに変わったところで、ようやく栄三が船上に這いあがってきた。コシメから下が海水でずぶ濡れになっている。

半泣きになっている栄三を、栄二郎は容赦なくどやしつけた。

「もさっとしてねえで、早ぐ漕げっ」

呆然《ぼうぜん》としていた栄三が、弾《はじ》かれたように自分の櫓に取りついた。

栄二郎は、漕ぎ手に向かって気合を入れた。

「行ぐど！　オースコイ！」

声が応える。

「おうさ！　オースコイ！」

周りのジャッペからも、一斉に「オースコイ！」の掛け声が届いてきた。

この声を聞いて、隣の瀬野《せの》の集落のジャッペも動きはじめているはずだ。

すぐに、船の舳先が安定して波を切りはじめた。いい感じだ。栄三が危うく乗り損ねるところだったが、なんとか後れをとらずにすんでいる。

しかし、まだまだこれは前哨戦《ぜんしょうせん》だ。力強く櫓を漕ぎながら、栄二郎は、もう一度狙っている漁場の位置を頭の中に呼び起こしていた。


寄浪《きなみ》の集落がある牛ノ首岬の沖に、次々にジャッペが集結しはじめた。

本村以外の小沢《こざわ》、瀬野、新井田《にいだ》、寄浪、蛸田《たこだ》の各集落からそれぞれ漕ぎ出した船が、ここで集合して横一列に並ぶ。合計五十艘を超える船が揃《そろ》ったあと、再び合図があり、それからいよいよ場トリの本番が始まるのだ。

順調に出航できた栄二郎のジャッペは、今は櫓を休めて波に揺られながら、全ての船が集結するのを待っていた。遅れずにすんだおかげで、いい位置につけることができた。海上が明るくなってきたので、周囲にいる船が誰のものか、判別できるようになってきた。面舵側、すぐ隣につけているのは、大吾の家のジャッペだった。オモデの位置に立った大吾が、煙草《タバコ》の火を赤く灯《とも》らせて、にやりと笑いかけてきた。

「オメダエはどごを狙うのや！」

「さあな！」

正直に答えるわけがないのを知っていて尋ねてくるところが、いかにも大吾らしい。

今年、栄二郎が狙っているのは、中道《ながみち》に位置する漁場のひとつだった。エンヤ様の占いをもとに、オドと何度も検討した上で、今年の場トリの網はここに建てると決めた。他にも、まるで袋小路に入ったように魚が動かなくなる漁場がいくつかある。そういったよい漁場には、当然皆が殺到する。もちろん早い者勝ちである。

本村側の内海《うぢうみ》での場トリは、数日前に先に終わっている九艘泊側の外海《そどうみ》での場トリとは、少しやり方が違う。外海の方は、最初に型だけを入れておき、あとで網をつける『カダドリ』という形式だ。それに対して、内海の場トリでは、網入れをしながら、初日に三ヶ統《さんかど》だけ網を建てることが許されている。翌日からは自由に入れてよいのだが、それだけに、最初の三ヶ統をどこに建てるかで、その年の漁が大きく左右される。この位置で待っているとなると、どうやら大吾のジャッペも同じ漁場を狙っているに違いなかった。

背後から届いてきたエンジンの音を聞いて、体を休めていた高橋と佐々木の親子が、誰に言われるともなく、櫓に手をかけた。

栄二郎も櫓杆《ろづく》を握り直して海上を見渡した。

全てのジャッぺが揃ったようだ。

最後尾から近づいて来ている漁協の機械船が、隊列の前に進み出て大漁旗を振れば、それが開始の合図だ。しかし、気を抜くわけにはいかない。おうおうにして、待ちきれなくなったジャッペが、旗が振られる前に飛び出してしまうことがあるからだ。そうなったら、旗が振られるのを行儀よく待ってなどいられない。実質的にその時点で場トリが始まる。

案の定、隣の大吾の船が、少しずつにじり出はじめた。

「この野郎っ、まだ早《はえ》えどう！」

こちらのジャッペのオモデ、高橋のアンチャが口汚く罵る。

「そっつだって進んでってぁ！」

負けじと大吾が言い返す。

漁協の機械船のエンジン音が一段と高まり、全速力で隊列から抜け出した。その船上で大漁旗が翻るのと、待ち構えていたジャッペの群れが動きだすのは、ほぼ同時だった。

全てのジャッペから、うおっ！　と言葉にならない唸《うな》りがあがった。

ギシッギシッと櫓腕が軋《きし》む音と、ザッザッと櫓脚が波を切る音だけが、夜明けの海に響く。どの船も、掛け声をかける余裕すらない。時おり聞こえる人の声は「糞《くそ》っ！」という罵りだけだ。

全力で櫓を漕ぎながらも、栄二郎は周囲に視線を飛ばし、ヤマメを立てながら他の船の動向を窺いつづけた。

海上を突き進みはじめてしばらくすると、同じ場を狙っているジャッペの数は十艘あまりと見当がついた。われ先にと、見た目には何の印もない一点を目掛けて突進してゆく。その中の二番手に栄二郎の船はつけていた。わずか一艇身《ていしん》ばかり前を行くのは、やはり大吾の家のジャッペだ。九人の漕ぎ手が、必死になって櫓と櫂を動かしている。

大丈夫だ、追い越せる。そう思った矢先に船が右に寄りはじめた。すぐさま艫櫓の角度を変えて針路を修正するが、前との差が少し広がった。

原因は栄三だった。面舵側の漕ぐ力が弱まってきている。そのために、どうしても右へ流れてしまうのだ。しかし、だからといって、取舵側の力を緩めさせれば、いっそう船足は落ちてしまう。

「馬鹿野郎！　腰コ入れで、早早《ちやつちや》ど漕げ！」

栄三の背中に声を飛ばした。だが、言われた本人は、喉の奥からひいひいという悲鳴に似た声を絞り出すだけで、いっこうに船足は回復しない。

「何すてらっけな、叩《ふた》つけるでぁ！」

言うと同時に右足で栄三の尻を蹴飛ばした。すると栄三は、げえっという音とともに、今朝食った物を口から噴水のように吐き出し、ぜんぶ海へとぶちまけた。ところが、それがかえってよかったのか、櫓を握る栄三の腕に力が戻った。

「撒《ま》ぎ餌《え》すんのは、早《はえ》えどう！」

栄二郎が言うと、すっきりした顔になった栄三が、振り返ってえへっと笑ってみせた。

再び船は真っ直ぐに進みだした。

この間に、大吾の船に二艇身の差をつけられてしまっていた。後続の船は十分に引き離しているものの、このままでは、先に場をとられてしまう。

舳先の方で、高橋のアンチャが叫んだ。

「なじょするっ、こんでは、追《か》っつげねえど！」

「わがった。すたら、船コ揺すって追《と》っ越《こ》すど！　いいがっ」

「アエキタ！」

栄二郎の指示に一斉に応じた漕ぎ手たちが、板子の上で飛び跳ねるようにして櫓を漕ぎだした。

栄三が叫んだ。

「アンチャ、なじょすればいいのや！」

「佐々木のアンチャの真似コすろっ」

「わがった」

すかさず佐々木のアンチャが首だけ捩《ね》じって、栄三を励ます。

「いいが、オンジ、こうやって跳ねんだど！　そうれ、オイサ！」

すると、取舵側でも掛け声がはじまり、交互にあがる「オイサ！　オイサ！」の声に合わせて、ジャッペが左右に大きく揺れだした。それに伴い、ぐんぐん船足が増す。一歩間違えれば転覆してしまう危険な漕ぎ方だ。

滑るように走る栄二郎のジャッペは、大吾のジャッペとの差を瞬《また》く間に縮め、舳先を並びかけると、そのまま一気に抜き去った。呆気《あっけ》にとられた大吾の顔が背後に消えてゆく。

もう少しだ。

「まだがっ」

高橋のアンチャが声をあげた。

「あど少すだ、そろそろ行ぐど！」

ヤマメを立てながら栄二郎が言うと、高橋のアンチャは、櫓をマツケに持ち替えて舳先に立った。彼が手にしたマツケは、方形の石をくくり付けた木製のアンカーで、これを投じた位置から網を延べていく。

もう一度背後を振り返った。さっきとは逆に、大吾の船に二艇身の差をつけている。

これなら間違いなくこちらの勝ちだ。

ヤマメがぴたりと合った。すかさず叫ぶ。

「よーし、こっから行ぐどう！」

高橋のアンチャの腕が一閃《いっせん》し、重いマツケが波飛沫を上げて海中に没した。

同時にアンチャが吼《ほ》える。

「行ったどう！」

この場所は貰った！　と周りの船に高らかに宣言する勝利の雄叫びだ。

投じられたアンカーに結ばれたロープが、するすると海中に引き込まれていく。ところがすぐに、背中の方で別な「行ったどう！」の声が響いた。

ぎょっとして振り返ると、十メートルばかり離れた面舵側の海面を、大吾のジャッペが速度を落とさずに通過しかけていた。

「畜生、もっと漕げ！　追っ越《とこ》されんな！」

瞬時に状況を掴んだ栄二郎は、死に物狂いで櫓を動かしはじめた。

二つの網が交差した場合、早く網を延べた方がその場の権利を有する。つまり、このまま大吾のジャッペに前を横切られたら、こっちが譲らなくてはならなくなる。

普通はこんな真似はしないものだが、先を越されて悔しがった大吾が、オドの指示を無視して勝手にアンカーを投じてしまったに違いない。こうなったら食うか食われるかだ。

こちらの連中も熟練の漁師ばかりである。説明せずとも何が起きたかたちまち悟り、必死の形相で櫓を漕ぎだした。

二隻のジャッペが並走しながら、波を蹴立てて少しずつ間隔を狭めてゆく。

「避《よ》げろ、この腐れ童《わらす》っ」

「煩《うるせ》えこのっ」

「ぶっ殺すでぁ！」

「そっつごそ、おっ返《け》してやるでぁ！」

「なぬこの、やるってな！」

双方の船上では、目を血走らせての罵り合いが続く。

ついに船首がぶつかりあった。

ほんの僅《わず》か、三尺だけこちらの舳先が前に出ていた。しかし、こんな差では勝負がついたとは言えない。相手の船縁を蹴り飛ばしてでも、強引に船を進めた方が勝つ。

構わず進めろ！　そう叫ぼうとして息を吸い込んだ時、大吾のオドの声が海上に轟《とどろ》いた。

「オラ方の負げだ！　大吾、いいが、下がるど！　早ぐ別なアンカーの準備すろっ」

唐突な勝負の終わり方に、栄二郎は呆気にとられて立ち尽くした。

船が離れる間際、艫に立った大吾のオドが、半分怒ったような、そして半分笑っているような顔をして声をかけてきた。

「栄二郎ちゃん、知《し》ゃねでるうぢに、おめぇ、いい漁師さなったなあ」

心地よい疲れだけが残る清々《すがすが》しい気分で、栄二郎は船から降り立った。初日の場トリを終えたジャッペが続々と帰港し、巻き上げ胴を使って浜に引き揚げられている。

目の前では、一緒に乗った雇いの面々から、栄三が手荒い祝福を受けていた。まるで五年前の自分を見ているようだ。

あちこちで漁師たちが「やあ、やあ」と和やかに言葉を交わしながら、互いの健闘を讃《たた》え合っている。船上では鬼の形相で罵り合っていたどの顔も、今では憑《つ》きものが落ちたような、柔和な表情に変わっていた。

ぽんと背中を叩かれ、栄二郎が振り返ると、大吾がにこにこしながら立っていた。

「栄ちゃん、今日は、すっかりやらってしまったやあ。たいしたもんだな」

「なあに、そっつごそ。アンカー投げられた時は、こっつがやらったたって焦っちまったでぁ」

「んでもはぁ、これでは早ぐ機械船になってもらわねど困るなや。手漕ぎでは、おめぇさは、とってもかなわねえ」

「なんの、今回は運がいがっただげだあ」

うんうんと頷き「アバエ」と別れの挨拶《あいさつ》を残して立ち去った大吾の背中を見送りながら、栄二郎は、夕陽が沈む海から寄せる潮の香りを味わっていた。

その夜、初日の場トリの成功を祝う簡単な宴も終わり、雇いの衆が寝床に引っ込んだころ、大吾の家の宴に呼ばれて出掛けていたオドが帰ってきた。

栄治が尋ねた。

「まだ寝でながったのが」

「そろそろだ」

「んだば、その前に少し話《べっこ》がある」

話ってなんだべ？　そう思いながら栄二郎は、栄治のあとについて行き、神棚が祀《まつ》ってある板の間に腰をおろした。

栄治は、神棚に向かい、包帯を巻いた腕で難儀そうに柏手《かしわで》を打ったあと、奥から何かの包みを取り出すと、それを携えて栄二郎の前で胡坐になった。

栄二郎の目を見据えて、栄治が言った。

「栄二郎、おめぇ、今回のタラ漁が終わったら、村ば出はれ」

その言葉に頭の中が白くなった。

「で、出はれって――オラが何すたって――」

様々な考えがぐるぐると駆けめぐる。もしや、美樹との接吻《せっぷん》を誰かに見られたのか。しかし、それくらいのことでは、村を出ろとまでは言われないはずだ。となると、今日の場トリで、何か取り返しのつかない失敗をしでかしてしまったということか……。

「なすてや、オド。オラ、今日の場トリは上手ぐやったはずだど。そ、そりゃ、大吾の船コさ、べっこぶつけでしまったのは確かだけんど、んでも、あれは――」

しどろもどろに弁明をしはじめると、笑いながら栄治が遮った。

「何言ってんのや、そんなごどでねえ。そのことだったら、大吾のオドは、おめぇば誉めでだど。すっかり一丁前の漁師さなったなって、そう笑ってだった」

「んだば、なすて」

すると栄治は、手にしていた小さな布包みを栄二郎の前に置いて言った。

「開げでみせ」

訳がわからないまま、畳んである白布を開いて中身を取り出した。

あまりのことに驚き、栄二郎は手の中の物と栄治の顔を交互に見やった。

郵便貯金の通帳と印鑑だった。しかも名義は栄二郎のものになっている。慌てて通帳をめくると、そこには栄二郎が見たこともない桁の数字が書き込まれていた。

「オド――こいづはいったい」

「いいがら、黙って聞きさまい」

そう言って、栄治は話しはじめた。

「おめぇのアンチャは、いっつも言ってだ。栄二郎はオラど違って頭コ優秀だ。タラ船で一生を終わらせるのはもったいねえ。なじょしても、あいづば商船学校さ通わせてやりでえってな。そすて、アンチャが出征する前、泣いで頼まれだ。もし戦争がら帰《け》って来れなくても、栄二郎の夢コだけは叶《かな》えてやってけろ、頼むどオドってな。すたけぁ、やっと、アンチャどの約束ば果たすことが出来るくれぇの銭コ貯《た》まった。ほれ、青森の仕込み親方の梅屋はおめぇも知ってるべ。その梅屋の親戚が、商船学校がある富山さ居でな、そごでおめぇの身元ば引き受けてもらえるように、段取りはつけでおいだ」

「んだば——オドが時々青森さ行ってだのは——」

「博打コやるためだってが？　馬鹿この、博打はタラだげで十分だぁ」

優しい目で栄治が笑った。

じわりと目頭が熱くなる。

「んでも、オラだげ、そんたなごど出来るわげねえ。オラが家《え》ば出はったら、誰が船コさ乗さる」

「オンジが乗ればいい。あいづも今度中学ば卒業だ。まんずは、ジャッペさ乗せで、やっぱり上の学校さ行ぎでえっつうなら、まだ稼いで行がせでやる。オラはまだまだ船さ乗れるど。それぐれえ大丈夫だ」

「しかし——そすたら、この家ば誰が継ぐのすか。もし、オラも栄三も帰《け》ぇらねがったら——」

「その時はその時だ。なあ栄二郎、この前おめぇさ言ったべ。オラァ三十年以上、タラば獲ってんだど。この何年か大漁が続いているけんど、こんなものは、そうそう続ぐもんでねえのっし。いずれ、思うように獲れねぐなる時が必ずやって来る。んだがら、何も今焦って新品の船さ銭コつぎ込むよりは、おめぇが学校さ行ぐために使った方がなんぼいいがわがんね」

こらえていた涙が溢《あふ》れだして止まらなくなった。

「オド——ごめんな——オラ、今までオドのことば——」

「何も言わんでいい」

「んだたって」

「馬鹿この、海のアンコがぼろぼろ泣ぐもんでねえ、見苦《めぐ》せえど」

「そんたなごど言われだかて——」

オドに頭を下げたまま、通帳と印鑑を握りしめて嗚咽《おえつ》する栄二郎の声が、ひんやりとした板の間に、いつまでも響きつづけた。

●参考文献
『北の田舎の物語』　高橋金三　どうぶつ社
『脇野沢村誌』　高松敬吉　梟社

約束

村山由佳

村山由佳（むらやま・ゆか）

一九六四年東京都生まれ。立教大学卒業。九三年『天使の卵——エンジェルス・エッグ』で小説すばる新人賞を受賞。二〇〇三年『星々の舟』で直木賞を受賞。〇九年『ダブル・ファンタジー』で柴田錬三郎賞、島清恋愛文学賞、中央公論文芸賞をトリプル受賞。その他の著書に人気シリーズ「おいしいコーヒーのいれ方」、『放蕩記』などがある。

＊

そのころ僕《ぼく》らの町はまだとても小さくて、どの道を自転車で走っても、すぐに隣町《となりまち》との境界の川にぶつかった。お互《たが》いの親同士はもちろんのこと、さらにその親同士までが古くからの知り合いだった。ほんのしばらく前まで〈町〉じゃなくて〈村〉だったのだから、まあ無理もない。

僕らが生まれた昭和五十一年、つまり一九七六年というのは、歴史に残る事件が相次いで起こった年だった。一国の首相まで務めた人間が収賄容疑《しゅうわいようぎ》で逮捕され、ソ連のミグ戦闘機《せんとうき》が函館《はこだて》の空港に強行着陸した。中国では天安門事件が起こり、南アフリカではアパルトヘイトに反対する暴動が起き、そして南ベトナムと北ベトナムはついに統一されて社会主義共和国となった。

もちろん、当時の僕はまだ一人で寝返《ねがえ》りも打てない赤《あか》ん坊《ぼう》だったのだから、それらの事件をリアルタイムで覚えているわけじゃない。ずっと後になってから、テレビや本や学校の授業《じゅぎょう》で知識を補充《ほじゅう》しただけだ。

ちなみに、僕自身の記憶《きおく》に焼き付いている一番古いニュースは何かというと、どこかの大きなホテルの窓《まど》から炎《ほのお》がごうごう噴《ふ》き上がっている映像《えいぞう》……それと、空港から目と鼻の先で海に突っ込んだ飛行機の姿《すがた》も何となく。どちらも、僕が小学校に上がる前の年の出来事だった。

東京にディズニーランドという巨大な遊園地ができたと聞いて、連れていってくれとさんざん駄々《だだ》をこねたのが一年生の春。一粒《ひとつぶ》三百メートル、の江崎グリコ社長が誘拐《ゆうかい》されたのはその翌年のことだった。僕は、本気で社長の身の上を心配した。万一社長が無事に戻《もど》らなかったら、グリコのお菓子がすべてこの世からなくなってしまうものと思いこんでいたからだ。

三年生になると、初めてのクラス替《が》えが行われて、僕には仲のいい――というか、生涯《しょうがい》の――友だちが三人できた。

ヤンチャと、ノリオと、ハム太。

家も近所だったから、僕らはいつでもつるんで遊んだ。通学途中の家の塀《へい》によじのぼって柿《かき》を盗《ぬす》むのも一緒《いっしょ》なら、その家のおじいさんに見つかって叱《しか》られるのも一緒だった。

叱られるといえば、その年の夏、僕らは担任《たんにん》の千代子先生からひどく叱られた。いつも目尻《めじり》にしわを寄せて笑っている千代子先生がそんなふうに怒《おこ》るのを見るのは初めてで、僕はものすごくショックを受けた。恥《は》ずかしい話だが、この年になった今でも……そう、三年に一回くらいは、泣きながら先生に謝《あやま》っている夢を見る。自業自得だと思う。なぜならその時僕らは、水ぼうそうが治《なお》って学校に出てきた友だちの肌《はだ》に残るボッボツの跡《あと》をからかって「やーいエイズだエイズだ」とはやしたてていたからだ。

当時、その新しい、恐《おそ》ろしい病のニュースは、正しい知識よりもデマのほうが先行する形で日本中を震撼《しんかん》させていたのだったが、何もわからない僕らにとっては正直なところ、ただの流行語でしかなかった。でも……。

「あなたたち、恥《はじ》を知りなさい！」

千代子先生は体を震《ふる》わせて僕らを叱りつけた。

「冗談《じょうだん》にしていいことといけないことがあるでしょう。それがわからないとしたら、あなたたちは、人としていびつです！」

――悪気がなくても許されないことがある、ということを僕らが学んだのは、あの時が最初だった気がする。

翌年の、たしか春先、いや初夏のころだったろうか。イギリスから、皇太子夫妻がやってきた。女優みたいに華《はな》やかな雰囲気《ふんいき》のダイアナ妃《ひ》に比べると、だんなの皇太子はやけに地味で、顔も間延《まの》びして見えた。メガネをかけさせたらそのまんま、桃屋《ももや》のコマーシャルに出られそうだった。

「きっとセイリャク結婚だぜ」

とノリオは言い、

「違《ちが》うよ、女は金持ちに弱いんだよ」

とハム太は言い、僕はといえば一人、うちの母親からの受け売りで、

「愛さえあれば何だって乗り越えられるさ」

と言って大いに二人からバカにされた。うちの本棚《ほんだな》にぎっしり詰《つ》まっているのが全部アメリカ製のロマンス小説であることを、そのころ僕は知らなかったのだ。いつもなら僕の味方をしてくれるヤンチャまでが、

「ワタルらしいよなあ」

と腹をかかえて笑いころげるのを見ながら、僕はひそかに母親を恨《うら》んだ。

ヤンチャが原因不明の病気で緊急入院《きんきゅうにゅういん》したのは、それから三か月後だった。

みんな、ぶっ飛んだ。おてんとさまが西から昇《のぼ》ることはあっても、ヤンチャが病気になるなんて絶対にありえないことだったから。

これは、そんな僕らの秋から冬にかけての物語だ。

昭和六十一年。

僕らは、田舎《いなか》の町の四年生だった。

1

すぐにでもお見舞《みま》いに行きたかったのに、実際に行ってもいいとお許しが出たのは、入院から半月もたってからだった。ヤンチャの病気が何なのかはっきりわかるまで、家族以外は会ってはいけないと主治医の先生が決めたのだ。

ヤンチャのお母さんは食事ものどを通らなくて、やせ細ってふらふらになってしまった。やせたい、やせたいと口ぐせのように言っていた人だったのに、いざやせてみると少しもうれしそうじゃなかった。僕らにしても、ぽっちゃりしていた時のおばさんのほうがずっと好きだった。おばさんの丸っこい体の中には、何だかわからないけれども幸せなものがいっぱいつまっているような気がしていたからだ。

その日、僕らは学校が終わるのを待ちかねて、ランドセルをしょったままお見舞いに行くことにした。

半月前、ヤンチャが入院したのと同じ頃《ころ》に夏休みは終わってしまっていて、気の早い木々の葉はもううっすらと秋の色に染《そ》まり始めていた。はじけるような夏の盛《さか》りに病気になるのはもちろん嫌《いや》なものだろうけれど、こんな季節に入院しているというのも、なんだか淋《さび》しすぎる気がした。

ヤンチャの病院は、僕らの小学校の近くにあった。コンクリートの古い建物は、前に僕のおじいちゃんが入院していた隣町の病院ほどには大きくもなければきれいでもなく、入り口からそっとのぞくと廊下《ろうか》はひどく薄暗《うすぐら》くて、学校の理科室みたいな湿《しめ》ったにおいがした。

待合室の長椅子《ながいす》は、山盛りのお年寄りで埋《う》まっていた。ランドセル姿で前を通るとひそひそ話をやめてこっちを見るので、僕らは思わずそこで足がすくみそうになった。

「オレ、病院って苦手《にがて》なんだよ」

ハム太が情けない声を出した。ハム太の本当の名前は〈公太《こうた》〉というのだが、歩くより横に転がったほうが速《はや》いくらい太っているので、そんなあだ名がついたのだ。

「『病院ッテ苦手ナンダヨ』」ノリオが容赦《ようしや》なく口まねをした。「バーカ。女みたいな声出すなよな。いやならお前だけ帰ったっていいんだぜ。誰《だれ》も無理に来いなんて言ってないんだから」

クラスの連中から時々「ガリオ」と陰口《かげぐち》をたたかれることのあるノリオのお母さんは、ひと昔前のギャグマンガにでも出てきそうな、筋金入《すじがねい》りの教育ママだ。同じ「勉強しなさい」と言うのでも、うちの母さんなんかとは迫力《はくりよく》からして違う。ノリオがハム太につらく当たるのは、たぶん、いつもぎゅうぎゅうやられている反動なんだろうと思う。

看護婦《かんごふ》さんに教えられたヤンチャの病室は、三階の端《はし》にあった。いちばん奥《おく》が大きな窓になっていて、左側と右側の壁《かべ》に二つずつ、全部で四つのベッドが置いてある。

右側のベッドに横になっているのは、二人ともおじいさんだった。それぞれの枕《まくら》もとにある小さなテーブルの上には、とっくの昔にしおれてしまった花が申し合わせたみたいにそのままになっていた。長いこと入院している人たちなのかもしれない。

どちらのおじいさんも、ここではないどこか遠くを見ていて、おまけにひどくやせていた。まるでガイコツの標本《ひょうほん》にストッキングをかぶせたみたいな感じのやせ方で、そのせいかお互いとてもよく似ていた。たとえばベッドを取りかえっこしていたとしても、たぶん誰も気がつかないだろうと思うくらいによく似ていた。このおじいさんたちは、隣の人と自分と、どちらがどちらだかわからなくなってしまうことはないのだろうか？　それどころか、もしかしたらもう、自分が誰かってことさえもわからなくなってるんじゃないだろうか？　死んでしまう少し前の、僕のおじいちゃんみたいに……。

「おい、ワタル」

腕《うで》をひっぱられて我《われ》に返った。

「お前、また立ったまま寝てたな？」

と、ノリオが言った。

「寝てなんかいないよ」

「ぼうっと夢見てたじゃないか」

「ちょっと考えごとしてただけだよ」

ノリオは肩をすくめて、やれやれ……と大人みたいな首の振り方(ふかた)をした。

彼に言わせると、僕には〈クウソウヘキ〉というのがあるらしい。ひとつのことを、人が考えないようなずっと先の方まで考えたり、現実にはありえない夢のようなことをいろいろと想像したりするクセをそう呼《よ》ぶのだそうだ。

たしかに授業中、担任の先生――もう千代子先生じゃない、男の先生だ――の言った何でもない一言が気になって、ぼんやりしてしまうことはよくある。目を開けたまま夢を見ているような感じであれこれ空想しているうちに、だんだん悲しくなってきて、とうとう泣き出してしまったことまである。

そんな僕を、先生や母さんは神経が細すぎると言って心配したり、集中力がないと言って怒ったりするけれど、それなら先生のほうだって、僕が空想にふけるひまもないくらい面白い授業をしてくれればいいのにと思う。思うだけで、もちろん、口に出しては言えない。僕にもヤンチャのような勇気があればいいのに。

ヤンチャ……。

そうだ、ヤンチャのお見舞いに来たんだった。

左側の奥、窓のそばのベッドで、ヤンチャはあっちを向いて寝ていた。おばさんは、どこかへ出かけているみたいだ。手前の、入り口に近いほうのベッドで寝ているはずの人も今は留守《るす》だった。しわくちゃのシーツの上に古ぼけた上着がぬぎすててある。

僕らはなんとなく息《いき》をひそめて、忍び足で病室へ入っていった。

ヤンチャは眠《ねむ》っていた。

「起こさないほうがいいのかな」

と、僕。

「でも、やっと会いに来たのにさ」

とハム太。

ノリオがそっと、むこう向きの頭に声をかけた。

「おい、ヤンチャ」

返事がない。頭のかっこうは確かにヤンチャなのに、ぴくりとも動かない。

「ヤンチャ、オレだよ。見舞いに来たぞ」

ノリオよりも少し大きな声でハム太が言った。それでもヤンチャは動かない。

「なあ、これってヤンチャだよなぁ？」

ハム太が心配そうにノリオの顔をうかがう。

「見りゃわかるだろ」

ノリオがあごで指したベッドの頭のところには、ちゃんと「鈴木康明《やすあき》」と名札が差し込まれている。

僕は、ベッドの足もとをまわって、ヤンチャの顔の側へ行った。ヤンチャはいつものくせで、毛布をおでこの上までかぶって寝ていた。

僕は、耳のあたりまで口を近づけて言った。

「ヤンチャ、ねえ、起きてよ。みんな来てるんだよ」

ぴくん、と、毛布の中のヤンチャの体がはねて、それからゆっくりと動きはじめた。最初に中から出てきたのは、スリコギみたいな細い右腕だった。こほっこほっと咳《せき》をしながら、その手が何度か空《くう》を切り、ようやく顔にかかっていた毛布をつかんでめくったとたん、僕はびっくりして思わず息をのみこんでしまった。

それは、ヤンチャではなかった。いや、もちろんヤンチャはヤンチャなんだけれど、僕らのよく知っているヤンチャではなかった。

僕らの知っているヤンチャは、イガグリ頭で、色が黒くて、負《ま》けず嫌《ぎら》いだってことが一発でわかるようなキュッとつり上がった目をした、近所で知らない者のない腕白坊主《わんぱくぼうず》だった。ケンカは誰よりも強かったし、かけっこだって誰よりも速かった。

でも、いま目の前にいるヤンチャは……胸元《むなもと》なんかまるで向こう側がすけて見えるくらい白くて、あちこちに赤い発疹《ほっしん》がぽつぽつ浮《う》き出し、目は白っぽく濁《にご》っていた。やせ細った腕は今にもぽきんと折れそうで、ちょっと動くだけでもすぐ息が切れて苦しそうだ。

左腕に刺《さ》さった点滴《てんてき》のチューブを引っ張らないようにしながら、どうにか体を起こしてベッドの上に座《すわ》ったヤンチャを見ても、みんな、しばらくは何も言えないでいた。ハム太なんか半分逃げ腰だ。

ずいぶん間があいてから、ヤンチャが、クスッと笑った。以前のような、真夏のお日さまみたいな笑顔《えがお》じゃなくて、どちらかというと昼間のお月さまみたいな、青白い、弱々しい笑い方だった。

「そうビビんなよ、ハム太」ヤンチャは小さい声で言った。「うつる病気じゃないんだってさ」

「な……なんだよ、けっこう元気そうじゃんか」ノリオが、なんとか笑おうとしながら言った。「心配して損したよ」

「ばぁか」ヤンチャは頰《ほお》をゆがめて、また咳をした。「無理しないでいいよ。オレ、ひどい顔してるだろ？」

僕らは黙《だま》っていた。

「食欲が、全然ないんだ」口を動かすのもしんどそうに、ヤンチャは言った。「前のオレだったら、考えられないよな。晩飯《ばんめし》に、ハンバーグが出ようが、カレーが出ようが、さっぱり食べる気がしないんだぜ」

ハム太ののどが、病院じゅうに響《ひび》きわたるような音でゴクリと鳴った。

「オ、オレが来て代わりに食ってやろうか？」

「バカ、病人の食いもの奪《うば》ってどうすんだよ」

言いながら、ノリオがまたハム太をこづく。

僕は、そっと訊《き》いてみた。

「何の病気か、わかったの？」

ヤンチャはため息をついた。

「先生は最初、アレルギーの一種じゃないかって言ってたんだけど」

「けど？」

「うん。原因がさ。はっきりしないんだ。薬も効《き》かない。のんでも、ちっとも楽にならないんだ」

「………」

「あんなにあっちこっち検査しといて、やっぱりわかりませんってのはあんまりだよな」

そう言ったヤンチャの顔が一瞬《いっしゅん》泣きそうにゆがんだのを見て、

「痛い検査だったの？」

と僕は訊いたけれど、彼は口を結んでそれには答えなかった。

「このポツポッさ」と、ヤンチャは言った。「めちゃくちゃ痒《かゆ》いのに、掻《か》くと痛いんだ。発作が起きると咳が止まらなくて、息が苦しくて、体もだるくて、寝てても、背中《せなか》からベッドにズブズブめり込みそうな感じがするんだ。底なし沼で溺《おぼ》れるみたいにさ」

ヤンチャの病気が、思っていたより重そうだということは僕らにもわかった。

「大きい病院に移ったほうがいいんじゃないのかな」とノリオが言った。「隣町の病院とかなら、もっとはっきりしたことがわかるんじゃないのか？」

でも、ヤンチャは首を横に振った。

「あっちからもえらいお医者さんが来て調べてくれてるんだけど、やっぱり原因はわからないんだ。これまでに無かった新しい病気らしいや」

疲《つか》れてきたらしく、ヤンチャは座っているのをあきらめてズルズルとまた横になってしまった。気まずい沈黙《ちんもく》が僕らの間を流れる。

「えっと……じゃあオレたち、そろそろ帰るからさ」

ノリオが気をきかせて言うと、苦しそうな咳がそれに答えた。

「また来るからね」

と、僕も言った。

「今度は、晩飯の時に来ようかな」

ハム太が言うと、ヤンチャはようやくおさまった咳のかわりに、乾《かわ》いたクスクス笑いをもらした。

「いいぜ。でもこのごろは、出るものといったらおかゆばっかりだけどな」

ランドセルを背負いなおして、じゃあね、と手をふる。ノリオとハム太の後に続いて病室を出ようとした時、

「ワタル……」

ふり向くと、ヤンチャは枕の上で口を半開きにして、僕の顔を見つめていた。何を言うつもりだったのか、ヤンチャ自身もわからなくなって困っているみたいに見えた。

「明日、また来るよ」

と僕は言った。

ヤンチャは、黙ってうなずいた。

うちに帰る間じゅう、僕らはほとんど口をきかなかった。

土手の上を歩いていく間に、夕日が僕らの背丈《せたけ》と同じくらいのところまで沈んできた。見おろすと、川も、ススキの原っぱも、遠くの橋も、そこを渡《わた》っていく車も、ありとあらゆるものが真っ赤に染まっていた。世界中が血を浴びたみたいだった。

半ズボンの裾《すそ》から、すきま風がぴゅうぴゅう通って背中へ抜けていく。この帰り道をいつでも一緒に歩いていたヤンチャがいないなんて、なんだかとても変、というか、理

屈に合わない感じがした。奥歯が一本抜けてしまったようで、どうにもうまく力が入らないのだ。

土手の道を町のほうへおり、もうすぐ家、という頃になって、僕はふとつぶやいた。

「タイムマシンがあればいいのにな」

頭に浮かんでいたのは、『ドラえもん』の一場面だった。

「なんだよ、いきなり」

と、ハム太。

「だってさ。タイムマシンさえあれば、十年でも二十年でも先の世界へ行ってこられるわけだろ？」考え考え、僕は言った。「それぐらい先の世界ならきっと、今よりずっと進歩してるんじゃないかと思ってさ。ヤンチャの病気なんか、ただの風邪《かぜ》みたいに簡単に治せるようになってるかもしれないじゃないか」

「バッカじゃねえの」見下したようにハム太は言った。「そんな先の世界でヤンチャの病気が治せたって意味ないじゃん。ヤンチャが病気になってるのは今なんだぜ、バーカ」

そのとたん、

「バカはお前だ」

ノリオがまたしてもハム太の頭をこづいた。

「ワタルが言っているのはなあ、もしタイムマシンがあったら、未来の世界からヤンチャを治せる医者を連れてくることだってできるし、反対にヤンチャを未来へ連れて行って治してもらうことだってできるってことなんだよ。そうだろ、ワタル」

僕はうなずいた。さすがはノリオだ。

「だぁけどさあ」ハム太が頭をさすりながら言った。「ジッサイモンダイとして、タイムマシンなんかありっこないじゃないかよ。そんなのが本当にあったら、病気で死ぬ人なんて今ごろ一人もいないはずだろ」

たしかにその通りだった。実際問題として、今のこの世界にタイムマシンなんてものは存在しない。いつもの僕の〈クウソウヘキ〉は、現実から逃げ出すには好都合だけれど、現実に立ち向かうためにはまったく役に立たないのだ。

僕らは、肩を落として別れた。

○点のテストを返されて家に帰る時より、はるかに気が重かった。

2

それから一週間ほどが過ぎた朝のことだ。

学校に着いた僕を、めずらしく先に来ていたハム太が、二階の廊下の窓から身を乗り出して、「おーい」と手招きした。

上履《うわば》きのかかとを踏《ふ》んだまま階段を一段抜きで駆《か》けあがると、まだ生徒の半分も来ていない教室で、ノリオとハム太は机にかがみこんで何かの本を読んでいた。

そばまで行って横からのぞき込む。窓を背に立っていたハム太がちょっと左へずれただけで、白いページに反射《はんしゃ》していた朝日がさえぎられて読みやすくなった。でかい図体《ずうたい》も、こんな時ばかりは役に立つ。

「何、その本」

と訊くと、ノリオはページの真ん中へんを指さした。

「……『それじゃ博士は、この方法で本当にあれを作り出すことができるっておっしゃるんですね？』」

声に出して読んでみたけれど、さっぱりわからない。

「何だよ、あれって」

すると、ノリオは、ちらりと僕を見あげて言った。「タイムマシン」

「えっ？　なに？」

「タイムマシン」

ぽかんとしている僕に、

「オレが見つけたんだからな」と、ハム太が自慢《じまん》げにおっぱいを、もとい、胸をつき出してみせた。「図書室で借りた本なんだけどさ、あぶなく読まないで返しちゃうところだったよ」

「お前らしいよな」とノリオ。「だいたい、返却日《へんきゃくび》なんかとっくに過ぎてるぜ」

「細かいこと言うなって。なくすよりかマシだろ？」

ハム太の言葉に、僕は首をすくめて小さくなった。いつものごとくぼんやりしていて、せっかく借りた本をどこかに忘れてきてしまった前科があるのだ。

「で、この本読んだの？」急いで話を変える。「どうだった？」

「おもしろかった」

とハム太。

「そうじゃなくてさ、タイムマシンの作り方だよ。使えそうなの？」

「あのなあ、ワタル」あきれ返ったようにノリオが言った。「これは、ＳＦだぜ？　ほら前に観《み》たろ、『Ｅ．Ｔ．』って映画。あれみたいなもんさ」

「どういうこと？」

「つまり、ありそうだけど絶対ありっこない話、ってこと」

「そうそう、ただの作り話」ハム太までが調子に乗る。「こんなの本気にしちゃうバカなんて、世界中でお前くらいだろうなあ」

「どうせバカだよ」と、僕は言った。「だけど、ほんとに作り話だと思うんなら、どうしてわざわざ持ってきて見せたりするのさ」

「こないだタイムマシンの話が出たからにきまってるだろ」とハム太は言った。「見せたらお前らが面白がるかなと思って」

「………」

がっかりした。というか、正直、ものすごく傷ついた。信じていた相手からいきなり足を引っかけられて転ばされて、おまけに指さして笑われているみたいな、いやな気分だった。

あの土手の道でタイムマシンのことを話した時、僕は心の底から真剣《しんけん》だったのだ。そんなものがこの世に存在しないということくらい、もちろんわかってはいたけれど、それでもなお、どこかにあってくれたらと祈《いの》らずにいられなかった。その気持ちだけはきっと、ノリオもハム太も同じだと思っていた。なのに……。

その日一日じゅう、僕は二人と口をきいてやらなかった。

放課後、それでもなんとなく連れだって病院へ行くと、ヤンチャは僕らを見るなり言った。

「どうしたんだよ、お前ら。何かあったのか?」

「ないよ」

「何にも」

ノリオとハム太の声がぴたりとそろって、な、と同時に僕の顔を見る。

「……うん。ない」

と、僕も言った。ヤンチャによけいな心配をかけたくなかったのだ。

でも、ヤンチャは全部お見通しだった。

「また下らないことでケンカでもしたんだろ」

「ケンカじゃないよ！　それに下らないことなんかじゃない！」

言ってから「あ」と口を押さえたけれど、後の祭りだった。

「へへ、自分からばらしてやんの」

と言ったハム太の脇腹《わきばら》を、ノリオがひじでこづく。

「ケンカじゃないなら、何だよ」

ヤンチャは、落ちくぼんだ目で僕らを順番に見つめた。まるで、どこかの国の飢《う》えた子供みたいな目だ。

「なあ、何だよ」

僕らは顔を見合わせた。

それから、仕方《しかた》なく話しだした。この間の土手の道での話から、今朝《けさ》の本の一件に至るまで、洗いざらい、順番にだ。

ときどき咳をしたり、目を閉じたりしながら耳を傾《かたむ》けていたヤンチャは、全部聞き終わると意外なことを言った。

「オレもさ。読んだことあるよ、その本」

「えっ、ほんとに？」

「うん、背表紙の赤いやつだろ。なんかちょっとあぶない博士の作った機械に入って、江戸時代に旅したはいいけど、その時代にいないはずのそいつらが現れたせいで歴史が微妙《びみょう》に狂っちゃってさ。もとの世界に戻れなくなっちゃうやつ……」

「それそれ！」

興奮したハム太が大きな声を出して、病室の前を通った看護婦さんにシーッと注意された。

「それだよ、それ」慌《あわ》てて声をひそめる。「そいでさ、やっと戻ってきたと思ったらさ、今度は機械の故障《こしょう》で未来に飛ばされて、みんなに原始人扱《あつか》いされちゃってさ」

ヤンチャはうなずいて、何を思い出したのか、おかしそうに笑った。

「けっこう面白かったよな、あの本。タイムマシンを作っていく手順が詳《くわ》しく説明してあったろ。使う材料とか、組み立てるコツとかさ。オレ、あの一番最後にみんなで叫《さけ》ぶとこ……ええと、何つったっけ？」

ハム太が答えた。

「『発進！　僕らのタイムマシン！』だろ」

「そうそう。オレ、あそこんとこが好きだったな。なんかこう、スカッとしてさ。そういえば、前にテレビで言ってたけど、タイムトラベルって理屈の上ではほんとに可能なんだってよ。嘘《うそ》かほんとか知らないけど」

僕らはベッドの横に立って、ヤンチャの顔を見下ろしていた。ヤンチャのこんなに楽しそうな顔を見るのは久しぶりだというのに、なぜだか胸が苦しかった。

「タイムマシン、かぁ……」

うっとりと満足げな表情を浮かべて、ヤンチャはつぶやいた。

いつだったろう、ちょっと前にも同じ顔を見た気がする。そう思って、すぐに思い出した。夏休み、学校のプールの帰りに、四人でアイスを買って神社の境内《けいだい》でこっそり食べた時と同じ顔だ。あの時ヤンチャはまだ元気だった。あれは、ついこの前のことだったはずなのに……。

「そうだ」急にヤンチャが目を開けた。「お前らさあ。作ってみろよ、タイムマシン」

「ええっ？」

僕らはそろって、へんな声を出した。

「無理だよ、そんなの」

と僕。

「大丈夫、できるって。だいたいの作り方は、あの本に書いてあるんだからさ」

「だけどヤンチャ、ええと、わかってるよな？」と、ノリオが不安げに言った。「あんなの真似《まね》して作ったたって、本物のタイムマシンなんかできっこないぜ？」

「そうだよ、いったいどうしちゃったんだよ」とハム太。「いきなり変なこと言い出したりしてさ。ワタルじゃあるまいし」

カチンときた。よっぽどノリオがするみたいにこづいてやろうかと思ったほどだ。

でも、ヤンチャはふっと寂《さび》しそうな顔になって笑った。

「いいんだよ、本物じゃなくたって」と、ヤンチャは言った。「あれが作り話だってことくらい、もちろんわかってる。でもさ、なんか面白いじゃん。オレはこんなだから、お前らと一緒に作ることはできないけど、お前らから話を聞くだけでも、なんかさ、楽しそうじゃん」

僕らは顔を見合わせた。ノリオの顔にも、ハム太の顔にも、そっくり同じ戸惑《とまど》いが浮かんでいる。

「なあ、作ってみろって」とヤンチャは言った。「お前らならきっと、けっこうすごいのができると思うぜ？ノリオは頭いいしさ、ハム太はプラモとかラジコン組み立てるのうまいしさ。ワタルだってほら、あの本に書いてないことがあっても想像力でカバーできそうだし。それに……」

口ごもったヤンチャの顔を、僕らは見つめた。

「それに、もしかしてもしかしたら……その、ついうっかり本物ができちゃうことだってさ、絶対ないとはいえないだろ？　そりゃ可能性としては、○・○○○○一パーセントくらいかもしれないけど、すっごい偶然《ぐうぜん》がいくつも重なったら、もしかしてさ」

言いながらヤンチャは、自分で自分の言っていることが照《て》れくさくなったのか、くしゃくしゃと顔をゆがめて笑った。

「な、作れよ、お前ら。そんで、できあがったらオレを一番に乗っけてくれよ」

3

学校の帰りに通る土手を、家のほうに下りないでそのままずっと歩いていくと、ススキだらけの原っぱのはずれに、使われていない倉庫がある。はずれたままの裏口のドアからは自由に入れるし、中には鉄パイプや板きれなんかが置きっぱなしになっている。

僕らは前からそのことを知っていたけれど、毎日遊ぶには少し遠かったから、今まではあまり行くことがなかった。

でも、いざこうなってみると、家から遠いことがかえってありがたかった。親に見つかってあれこれうるさく訊かれなくて済《す》むし、近所の悪ガキたちから妨害《ぼうがい》される心配もないからだ。

僕らはその倉庫を、〈秘密基地《ひみつきち》〉と呼ぶことにした。

ヤンチャと約束を交わして以来、三人とも、これから作ろうとしているタイムマシンが本物かどうかなんてことをわざわざ話題にしなくなった。ヤンチャがああして一緒に面白がってくれるなら――薬臭《くすりくさ》いベッドで寝ているしかないヤンチャが、ほんの少しでも元気を出してくれるなら、タイムマシンが本物だろうがニセ物だろうが、そんなことはどうでもよかったのだ。

とはいえ、僕らはお互いになんとなくわかっていた。あのヤンチャの言葉を信じたがっているのが、自分だけではないということを。

〈○・○○○○○一パーセントの可能性〉

たとえそれがバカげた夢物語に過ぎないとしても、最初から何もかもあきらめてしまったら、○・○○○○○一パーセントはたちまち完全な○になってしまう。すべてをあきらめたやつのもとに、奇跡《きせき》は起こらない。

毎日毎日、時間が許すかぎり秘密基地に通いつめて、僕らは一生懸命《いっしょうけんめい》に作業を進めた。親から変に疑われたりしないように、暗くなる前には全速力で家まで走って帰り、さらには成績が下がって文句を言われたりしないように、宿題も前よりきちんとやるようになった。

倉庫の片《かた》すみに捨《す》てられていた古いポリのバスタブが、タイムマシンの胴体《どうたい》になった。

そこに、五寸釘《ごすんくぎ》と金づちでいくつも穴《あな》をあけ、それらしく見えるようにネジやボルトを差し込んでいく。何のために必要かはわからないけれどタイヤも四つくっつけてみたし、ハンドルだって取りつけた。そういう部品は、ほとんどがハム太の持ってきたものだった。

彼の家は自動車の修理工場をやっていて、いらなくなった部品が裏庭にたくさん積みあげてあったのだ。

例の本のさし絵にあった設計図によると、タイムマシンにはまるでクリスマスツリーの飾《かざ》りみたいな電球がたくさんついていた。問題は、この倉庫に電気が来ていないことだった。そこでノリオは、家の裏に置いてあったお父さんの古い自転車をくすねてきた。ヘッドライトにつながる電線を分岐《ぶんき》させるのはハム太の仕事で、自転車をこいで発電させるのは僕の仕事というわけだ。

「お前がこげよ、ハム太」と、ノリオは意地悪《いじわる》そうに言った。「そうすりゃやせるぞ。うちのオニババなんか、部屋ん中で自転車こいでる」

僕はといえば、いつも使っている目覚まし時計（小学校の入学祝いに買ってもらったやつ）を家からこっそり持ってきて、ハンドルの横に取りつけた。そのせいで、翌朝ずいぶん母さんから問い詰められたけれど、ゴッコ遊びに使うために持ち出してなくしてしまったのだと言い張った。

まるっきりの嘘とは言えないかもしれない。ほかの人から見れば、これはやっぱり〈ゴッコ遊び〉に過ぎないのだろうから。

それでもやっぱり、気はとがめた。

僕らはみんな、嘘をついてはいけません、と教えられて大きくなる。でも、嘘をつかなければ一番大切な約束を守れないのだとしたら——いったい、どうすればいいんだろう?

千代子先生だったら何て言うだろうな、と僕は思った。

大人は、そういう肝腎《かんじん》なことを教えてくれない。

4

十一月が終わりに近づくと、河原《かわら》の土手に霜《しも》がおりるようになった。半ズボンじゃ風邪ひくよ、と近所のおばさんは心配してくれるけれど、寒いだなんてぜんぜん思わなかった。

朝もやの立つ川を左手に、町を右手に見下ろして、白い息を吐《は》きながら土手の道を歩いていくと、町全体の上にゆっくりと昇ってくる太陽がまぶしく僕の顔を照らした。家々の屋根からは、やっぱり朝もやが立っていた。

十二月に入ったある晩。

僕は、掘《ほ》りごたつで漢字の書き取りの宿題をしていた。母さんは台所で夕食の後片付けをしていて、父さんは僕のそばに寝転がってテレビのニュースをつけたところだった。ボリュームを絞《しぼ》ったテレビから、男の声が流れ出す。

〈……というわけで、原因は決して一つではないんですね〉

なにげなく目を上げると、画面に背広姿の男の人が映っていた。隣にはいつものニュースキャスターが座っていて、説明に使ったらしいボードを下ろしたところだった。

〈しかしそれはショックですねえ〉と、キャスターが言った。〈ということはですよ。恵みの雨などと言いながら、我々が浴びているのはレモンジュースほどの濃度《のうど》の酸っぱい水であると。あるいは健康のために甲羅干《こうらぼ》しをしているつもりで、じつは皮膚《ひふ》ガンをせっせと増殖《ぞうしょく》させているだけであると。そういうことですか?〉

〈そういうことになりますね、残念ながら〉

と、ゲストの男の人は言った。組んだ両手のすぐ横に、なんとか大学の教授と書かれた名札が置かれている。

〈それから、このところ日本でも少しずつ症例《しょうれい》が報告され始めたのが、当初はアレルギーの一種かと思われた例の症候群ですが〉

教授は、僕にはよくわからない外国語の病名を言った。

〈体じゅうに赤い発疹が出て、咳が止まらず、日に日にやせ細って衰弱《すいじやく》していく。接《せつ》触《しよく》などでは感染しませんが、恐ろしいのは肺炎を併発《へいはつ》しやすいことと、それに、発病してから死に至る期間が比較的短いことです〉

心臓がばくばく暴れはじめた。言葉の全部は理解できなくても、とんでもないことを言ってるらしいことだけはわかった。

〈それで、治療法《ちりようほう》は見つかったんでしょうか〉

〈いや、残念ながら、これといったものはまだ見つかっていません。対症療法が精一杯、というのが実情です。じつはですね……私は、この新しい病気には、近年の地球環境《かんきよう》の激変が何らかの形で関係しているのではないかと考えているんです。げんに、ＷＨＯの調査を見ましても……〉

教授はごそごそとテーブルの下から別のボードを出して、いろんな国の名前が並んだ表を指さした。

〈ご覧《らん》のように、大気や水、あるいは土壌《どじよう》などの汚染が問題になっている地域の人々のほうが、明らかに発病率が高いんですね。乱暴な言い方かもしれませんが、あえて誤《ご》解《かい》を恐れずに言いますならば、これは、我々に対する自然からの罰《ばつ》なのかもしれないと……〉

〈罰、とおっしゃいますと?〉

〈つまり、人間のおごりが招いた強烈《きょうれつ》なしっぺ返しと申しますか〉

何だよそれ、と、思わず声に出してしまった。

父さんが、え? と首をもたげて僕を見る。

「何でもない」

僕は、漢字のドリルをぱたんと閉じた。

その拍子に、はさんでおいた写真が一枚、こたつ布団《ぶとん》の上に落ちた。あっ、と思うより先に、父さんの手が伸びる。

「なんだ、こりゃ」見るなり父さんは噴きだした。「ずいぶん派手な車だな」

それは、ノリオのポラロイドカメラで撮《と》ったタイムマシンの写真だった。ハンドルと、タイヤがやっと一つだけついたところで、とりあえずみんなで記念撮影《さつえい》をしたのだ。三人ともがバスタブにぎゅうぎゅう詰めになり、オートタイマーのカメラに向かってピースをしている。心の中ではもちろん、カメラじゃなくてヤンチャに向かってピースをしたつもりだった。

「公太くんのところのガレージか」父さんはピントのずれたことを言った。「遊ぶのはいいがケガするなよ。それと、働いてる人の邪魔《じゃま》にならないようにな。ははは、こりゃなかなかいい車だ」

返された写真を、僕は黙ってドリルにはさみ、ノートをたたんだ。鉛筆を筆箱にしまって、消しゴムのかすをゴミ箱に捨てにいく。戻ってきて勉強道具を手に持った……その時だった。自分でもびっくりするくらい何の前ぶれもなしに、うわっと涙《なみだ》があふれ出た。

「ど、どうした」僕の泣き声を聞いて、父さんが慌てて起きあがった。「おい、ワタル、どうしたんだ。……おい秀子。秀子！」

「何よ、大声出して」

台所のスポンジをつかんだまま飛んできた母さんが、僕を見るなり言った。

「あらやだ、またなの？」

またなの、と言われても、どうしようもなかった。二人ともが僕をもてあましているのがわかったけれど、それでも本当にどうしようもなかった。僕自身が、自分をもてあましていた。体じゅうの血管がどくどく脈打って、息が苦しくてたまらなかった。

困ったように立っていた母さんは、やがてかがみこみ、両手の泡《あわ》がつかないようにして僕を抱きかかえてくれた。そうしながら小声で、いったい何があったのよ、と父さんに訊く。知らないよ、テレビを見てたら急に、と父さんがもごもご言う。だから宿題の時はテレビつけないでって言ったじゃないの。いや、そういう問題じゃないだろ。

頭の上でくり返されるやり取りを聞きたくなくて、僕は赤ん坊の昔に戻ったみたいに母さんの胸に顔をうずめた。母さんは額を僕のそれに押しあて、「ちょっと風邪気味なのかもしれないわね」とささやいた。「今夜は早く寝なさい。お布団しいてあげるから、ね」

結局僕は、お風呂にも入らずに寝ることになった。暗闇《くらやみ》で天井をにらんでいると、隣の部屋で母さんと父さんがぼそぼそと何か話しているのが聞こえた。

涙はもう引っこんで乾いていたけれど、わけのわからない苛立《いらだ》たしさのほうはいつまでも消えなかった。心臓が痛くて、奥歯を食いしばっていないと今にもわめきだしてしまいそうだった。

閉じこめたはずの言葉がのどの奥のほうで暴れまわり、隙《すき》さえあれば口から飛び出そうとする。

〈何だよ、しっぺ返しって！〉

〈何なんだよ、罰って！〉

〈そんなこと、ヤンチャといったい何の関係があるっていうんだよ……！〉

5

「あとはこれに、頑丈《がんじょう》なフタをつければ出来上がりかな」

おばさんが病室を出て行った隙に、ノリオはランドセルから前の日撮った写真を取り出して報告した。

「くそう、早く本物を見たいなあ」

ヤンチャは悔《くや》しそうに言った。

僕らから作業の経過を知らされるようになって以来、ヤンチャはずいぶん元気を取り戻したように見える。咳が出るのも、食欲がないのも、赤くて痛痒いポツポツが出てるのも相変わらずだったけれど、少なくとも気持ちだけはしゃんとしてきたみたいだ。

「いいなあ、オレも一緒に作りたかったなあ」

「治ったら、また何だって一緒にできるよ」

と僕が言うと、

「うん……」ヤンチャは窓に目をやった。「けど、いつになったら治るんだろうな」

窓辺には、きれいに飾りつけられた小さなモミの木が置いてあった。もうすぐクリスマス・イヴ。ヤンチャの入院から、もう四か月がたとうとしている。

「さてはお前、オレたちを信用してないな？」ノリオが、わざと怒ったようなふりをして言った。「タイムマシン、お前のために作ってやってるんだぞ。あれが完成してみろ、お前の病気なんかすぐ治る」

「うん。そうだよな」

ヤンチャがにっこりした。その時、

「タイムマシンか……」

聞き覚えのない声に、僕らは慌ててふり返った。

さっきまで横になって寝ていたはずの隣のおじさんが、起きあがって僕らを見ていた。これまで僕らがここへ来た時、おじさんはたいてい待合室でたばこを吸《す》っているか、ベッドにいても一言も話したことはなかったのに。

うちの父さんよりだいぶ年上のように見えるその人は、〈おじさん〉というより〈おっちゃん〉という感じの人だった。前にヤンチャから聞いたところによると、仕事は大工さんらしい。

でも、その人も今は、やっぱりガリガリにやせてしまっていた。顔や胸に赤い発疹があるのも、しょっちゅう咳をするのもヤンチャと同じだ。

「タイムマシン、か」と、おっちゃんはもう一度くり返した。「いいな。おめえらが作ってんのかい？」

ハム太がノリオを、ノリオは僕を、僕はヤンチャを見た。みんな黙っている。

理由もたぶん一緒だった。「そうだよ」と認めたりしたら、大笑いされそうな気がしたのだ。ヤンチャの前で、あれのことを馬鹿《ばか》にされるのは我慢《がまん》ならなかった。というより、怖《こわ》かった。ヤンチャがどれほどあれを気持ちの支えにしているか、僕らがどんな思いであれを作っているか……大人はどうせわかっちゃくれない。あの晩の父さんがそうだったように。

「関係ないだろ」

とうとう、ノリオが言った。すごくつっけんどんな口調だったのに、「関係なかぁねえさ」おっちゃんは怒った様子もなかった。「もしもこの世にタイムマシンなんてもんがあるんなら、一番先に乗せてもらいてえからね」

「一番はヤンチャだよ」

つるっと口をすべらせたハム太を、ノリオと僕が両側からこづく。

「なら二番目でもいいやね」

と、おっちゃんは言った。少し笑ってはいたが、馬鹿にしているふうではなかった。

僕は思いきって訊いてみた。

「どうしてタイムマシンに乗りたいの？」

ノリオが袖《そで》を引っぱるのがわかったけれど、無視《むし》して続ける。

「やっぱり、未来の世界へ行って病気を治したいから？」

「いんや」と、おっちゃんは言った。「そんな見たこともねえようなとこなんざ行きたかねえね。俺《おれ》が行くとしたら、過去のほうさ。そうさな、二十年か三十年くれぇ前の世界へ、ひょいっと飛べたらありがてえね」

「さん・じゅう・ねん？」とノリオ。「そんな大昔へ行って、いったい何をしようっていうのさ」

「何をって、おめえ……そりゃ、いろいろやり直せるんじゃねえかと思ってよ」

そう言って、おっちゃんは苦笑いしながら窓の外を見やった。やり直したいことがいっぱいあるのかな、と僕は思った。

「それよか、いっそのこと、怒鳴《どな》りこんでやるってのもいいな」と、おっちゃんは言った。

「三十年後の世界が、どれっくれぇひでえことになってるか、連中に思い知らせてやるのさ。『どうしてくれんだ、てめえらが好き勝手してくれたせいで俺らが尻拭《しりぬぐ》いさせられてんだぞ』ってね」

〈尻拭い〉

僕は口の中でつぶやいた。

——しりぬぐい。

「そ……そりゃないよ」とハム太が言った。「だってさ、そんなのってフコ……ええと、不公平じゃないか」

するとおっちゃんは窓から僕らに目を移して、へっと頬をゆがめた。

「そうさな。そりゃ、おめえらの言う通りなんだろうけどよ。ただ、このごろ俺ぁ思うようになったよ。『不公平』ってのはもしかして、『人生』ってやつの別の呼び方なんじゃねえかってね。へへっ、こりゃ我ながら名文句だ」

ごそごそと布団をたくしあげ、しんどそうに横になると、おっちゃんは低くかすれた声で言った。

「ま、気にすんな。おめえらには、まだわかんなくていいこったよ」

学校と病院と家とを結ぶこの道を、もう何回通ったことだろう。

（なんだか、時代劇でみたお百度参りみたいだな）

河原の土手を歩きながら、僕は思った。何度も何度もくり返し通うことで、神様に思いが通じてヤンチャが退院できるのだとしたら、お百度どころか、五百度だって千度だって通ってみせるのに。

病院からの帰り道、僕はノリオとハム太に、この間のテレビの話をしようとした。さっきおっちゃんが「尻拭い」と言うのを聞いたら、なぜかあの教授の話を思い出して、ついでにあの時のいやな気持ちまで思い出してしまったからだ。

でも、何から話せばいいのかわからなかった。

いったいどう言えば、今のこの、胸の奥へ奥へと食いこんでいくようなイライラや割《わ》り切れなさをわかってもらえるんだろう。

なんだか、夢の中で正体の見えないものに追いかけられている時のようだった。焦《あせ》れば焦るほど、思うことがうまく言葉にできなくて地団駄《じだんだ》を踏みたくなる。そのへんに落ちている石を片っ端から拾って、めったやたらに投げつけたくなる。

僕は、大きく深呼吸した。

真冬だというのに、風はいつもよりなまぬるく、ドブの臭《にお》いがきつく感じられた。

立ち止まって土手から下を見る。曇《くも》り空《ぞら》のもと、川はよどんでのっぺりと平べったく見え、汚《きたな》い泥《どろ》の色ばかりが目立っていた。

そういえば、ずっと前に父さんから聞いたことがある。父さんたちが子供の頃は、この川の水がそのまま飲めたのだそうだ。でっかい魚もいっぱいいて、時には釣《つ》って食べたりしたのだそうだ。

もしもこの世に本物のタイムマシンがあって、せっかく未来に行けたとしても、未来の世界は今よりもっと汚くなってるんじゃないだろうか。ヤンチャのような病気だって、もっともっと沢山《たくさん》の人に広がってしまっていて、病気じゃない人を見つけるほうが難しいくらいなんじゃないだろうか……。

僕にはそれが、ただの〈クウソウヘキ〉だとは思えなかった。

6

僕らのタイムマシンが完成したのは、クリスマス・イヴの前の日のことだった。できあがったタイムマシンに、僕らは大きなリボンをかけて、記念撮影をした。三人でいっせいに、

「はっしーん！」

と叫んでいる瞬間の写真だ。

タイムマシン本体を病院まで運んでいくことはできないけれど、せめて写真だけでも、ヤンチャへのクリスマス・プレゼントにするつもりだった。

二日ぶりに会うヤンチャに早く写真を見せてやりたくて、僕らは秘密基地から病院までヨーイドンをした。ヤンチャがいたらダントツで一番だったろうけれど、僕とノリオはいい勝負だった。見えないくらい後ろから、ハム太がぜいぜいのどを鳴らして追いかけてきた。

息を切らしたままヤンチャの病室にかけ込むと、窓際のヤンチャのベッドはきちんと整頓《せいとん》されて、誰も寝ていなかった。

一瞬、部屋を間違えたのかと思った。でも、右側のおじいさんたちも、ヤンチャの隣

のおっちゃんも、確かに同じ顔ぶれだ。

ものすごくいやな感じが僕を襲《おそ》った。首筋の毛が、ぜんぶ逆立つ。

「……ヤンチャは？」

と、僕は言った。自分の声が、どこか遠くから聞こえるような気がした。

やっと追いついてきたハム太が、空のベッドを見て、

「あれ、ヤンチャのやつ、退院したのか？」

と言った。

おっちゃんは黙って僕らを見た。それから、ゆっくりと首を横に振った。

「そ……んな……」

（信じない、そんなこと絶対に信じないぞ）

思うのに、勝手に口が動く。

「……いつ？」

「今朝だよ」と、おっちゃんは言った。「明け方、ひどい発作を起こしてね。あのやろ、ずいぶん頑張《がんば》ったけど——だめだった」

僕は、じりじり後ずさりした。からっぽのヤンチャのベッドに背中を向けたが最後、何もかもが本当のことになってしまう気がした。

と、ノリオが突然ウッと変な声をもらし、そのまま廊下を走り出した。

「待てよ！」

ハム太が後を追う。ばたばたと遠ざかっていく足音を聞きながら、おっちゃんは僕の顔をじっと見て口元をゆがめ、とても静かに言った。

「間に合わなかったな。おめえらのタイムマシン」

そのとたん、我慢が限界にきた。僕は二人を追いかけて病院の外へ飛び出した。

たったいま笑いながら走ってきたばかりの土手の道を、僕らはうつむいて歩いた。涙でまわりのものがみんなぼやけ、道端《みちばた》の小さな石ころに何度も蹴《け》つまずいた。

悔しかった。こんな仕打ちがあってたまるかと思った。どうしても納得《なっとく》できなかった。ヤンチャのやつにしたって、あんまり水くさすぎる。おととい会った時は普通に話していたのに、なんでこんなに急にいってしまうんだ。なんで僕らに一言のあいさつもなく消えたりできるんだ。ひどいじゃないか。あんまりじゃないか。

これからどうすればいいのか、自分では何も考えられなかった。先に立って早足でどんどん歩いていくノリオの後を、よろよろと追いかける。

たどりついた先は、やっぱり秘密基地だった。裏口から入るなり、ノリオはセーターの袖口で顔をぬぐって、結んであったリボンを荒々《あらあら》しくほどいた。

「おい、何する気だよ」

とハム太。

フタを引き開けながら、ノリオは振り向きもせずに言った。

「きまってるだろ。これは何だよ。オレたち、何を作ったんだよ」

「え……えええっ？」ハム太の声が裏返った。「け、けど、こんなもんが今さら何の役に立つのさ」

ノリオが黙って中に入る。

「おい、ノリオってば！」ハム太は必死になって言った。「たとえこれが本物だったとしたってさ、ヤンチャはもう……もう、いないんだぜ？　未来から誰を連れてきたって手遅《ておく》れじゃないか」

「そんなことない！」ノリオは怒鳴った。「今日より前の世界に戻ってくればいいんだから」

「何言ってんだよ、さっぱりわかんないよ」ハム太が泣き声を出す。「ちゃんと説明してくれよ」

「だから！　ヤンチャが死んじまうより前の世界に戻ってくればいいんだ。そうすれば、ヤンチャにはもう一度チャンスがある。もしかしたら今度は死なないですむかもしれないじゃないか」

「そうか！」

思わず叫んだ僕の声に、ハム太がびくっとなる。

「そうだよ、何もわざわざ『今日』めがけて戻ってこなくてもいいんだ！　『昨日』にだって、その前にだって、ヤンチャが元気な頃や、僕らが赤ん坊の頃にだって、好きな日や好きな時間をめがけて戻ってくることができるんだ。なんたって……なんたってこれは、タイムマシンなんだからな！」

「何言ってんだよ、おい、落ち着けよ。どうしちゃったんだよ二人とも」

ハム太がおろおろと止めるのもきかずに、ノリオはばたんとフタを閉めてしまった。くぐもった声が中から叫ぶ。

「こげよ、ワタル！」

その時にはもう、僕は自転車に飛び乗っていた。スタンドを立てたままの自転車のペダルを踏み込む。力いっぱいこぐ。ヴゥゥゥイィィインンン、という音とともに、薄暗い倉庫の中に色とりどりの電球がぴかぴか灯《とも》っていく。自転車の振動が伝わって、タイムマシン全体が小刻《こきざ》みに揺《ゆ》れ始める。

〈発進！　発進！　行け！　行け！　行けッ！〉

一心に唱えてこぎ続けながら、僕はノリオの閉めたフタを凝視《ぎようし》した。ハム太も、口をあけて固まったまま見つめている。ノリオはもう未来の世界に着いたのだろうか。僕らはどうすればそれを知ることができるのだろう。その瞬間——

ぎょっとなった。

いったいノリオは、どうやってあっちの世界から戻ってくるつもりなのだろう？　タイムマシンはここに一台あるだけで、あっちの世界にはないというのに……どうしてそのことに、今まで誰も気がつかなかったのだろう！

僕は、ハム太を見た。ハム太がおびえた目で僕を見ている。

僕が自転車から飛び降りるのと、ハム太がフタに飛びつくのは同時だった。

「ノリオッ！」

僕らは力まかせに引き開けた。中には――

中には……あたり前の話だけれど、出発した時と同じかっこうのノリオがしゃがみこんでいた。

薄汚《うすよご》れたバスタブの底から、ノリオが唇《くちびる》を変な形にゆがめて僕らを見あげる。

「………」

僕らは、気まずく目をそらした。ほこりと涙の筋でまだらになったお互いの顔を、今は見たくなかった。

だんだんと、車輪の回転がゆるやかになっていく。

チキチキチキ、カラカラカラ……。

みるみるうちにライトの輝《かがや》きが薄れていく。

ありったけのネジや電球にまみれ、無意味なハンドルや時計やタイヤをごちゃごちゃと取りつけられたポリのバスタブは、こうしてあらためて見ると、ひどくグロテスクな姿をしていた。〈派手な車〉どころか、何だか、たちの悪いジョークみたいだった。

チキ……チキ、チキ……。

弱々しいオレンジ色の光が天井近くの高窓から斜《なな》めにさしこんで、僕らの無残な失敗作を照らしだす。

僕は、高窓を見上げた。

ひび割れたガラスの向こうに、空が広がっていた。

見たこともないほどきれいな夕焼けだった。

7

ヤンチャのお葬式《そうしき》に、僕らは出なかった。前におじいちゃんが死んだ時、焼かれた後の白い骨《ほね》を箸《はし》で拾った話をしたら、ノリオもハム太も絶対に出たくないと言ったのだ。

その日、太陽がすっかり沈《しず》んでしまうまで、僕らは秘密基地のそばの河原にぺたんと腰《こし》をおろし、ときどき小石を水に投げこんだりして過ごした。昼間のうちよく晴れていたせいで、あたりはこの前よりさらにドブ臭かったけれど、お尻の下の丸い石はどれも温かかった。

「ハム太……」

あたりがだいぶ薄暗くなってから、ノリオが言った。

「お前んちの修理工場さ。お前が継《つ》ぐんだろ」

「そんなの、まだわかんないよ」ハム太は、鼻のつまりきった声で言った。「でも、まあたぶんな。……なんで？」

「オレさ。今、決めた」と、ノリオは言った。「オレはこれからうんと勉強して、将来はきっとすごい発明家になってみせる」

「発明家？」

「うん。それで、いつか絶対、本物のタイムマシンを発明してみせる。正真正銘《しょうしんしょうめい》、本物のやつをさ」

「お前、まだあきらめてないのかよ」とハム太は言った。「ヤンチャみたいな病気を治したいんなら、医者になったほうが早いんじゃないの？」

「だめなんだ、それじゃ」と、ノリオは言った。「今から医者になったって、ヤンチャを助けるのには間に合わない」

答えようがなくて黙っていると、ノリオは僕らのほうに向きなおった。

「なあハム太、オレを信じろよ。オレ、絶対頑張って作りだしてみせるからさ。そした

ら お前、お前んちの工場の機械全部使って、それを組み立ててくれよ。そうすれば、みんなで今の時代に戻ってきて、ヤンチャのやつに会える。病気だって治してやれるかもしれない」

「で……できるのかな、そんなこと」

とハム太。

「できるのかな、じゃなくて」ノリオはきっぱり言いきった。「やるんだよ」

「……うん」

もう、誰も泣いてはいなかった。何か大きなものが——ひとかたまりの時間というか、ひとつの時代とでもいうべきものが終わりかけているのを、そのとき僕らは感じていたのだと思う。どんなに泣いたところで、ヤンチャはもう帰ってこない。四人は、永久に三人になってしまった。これから先、僕らは何とかして、ヤンチャ無しでやっていかなくてはならないのだ。

「それで、ワタルはさ」ノリオは僕に目を向けた。「お前は、いろいろ想像すんの得意だし、作文もうまいだろ？　だから、これまでのことをちゃんと書いといてほしいんだ。オレたちや、それからもちろん、ヤンチャのことをさ。いつかオレたち、今日のことをはっきり思い出せなくなるかもしれない。そんな時でも、書いたものがちゃんと残ってたら、それを読んで、今のこの気持ちを思い出すことができるんじゃないかと思うんだ。

何ていうか……ほら、押し入れから出てきた日記みたいにさ。わかるか？」

「うん」と、僕は言った。「わかるよ」

実際、僕にはノリオの言おうとしていることがよくわかった。

僕らはもう、たとえば七歳だった頃のことを忘《わす》れている。四歳ごろの記憶ともなれば、すでに霧《きり》の彼方《かなた》だ。これだけは絶対に覚えておこうと心に決めたことでさえ、僕らはころりと忘れてしまう。やがては、ヤンチャのことも。あるいは、ヤンチャがどうして死ななければならなかったかということも。

「いつか、本物のタイムマシンが出来たらさ」と、僕は言った。「あのおっちゃんが言ってたみたいに、ずっと昔の世界にも行こうな」

「うん」

「きっと行こうな」

「うん！」

「絶対……ぜったい行こうな……！」

＊

あれほど固く交わしたはずの約束が、やがて力を失っていくのはなぜなんだろう。

あんなに強い思いが、いつしか薄れていってしまうのはどうしてなんだろう。

あの頃――僕は何度も、何度も、何度も……指の節が白くなるくらい強く鉛筆を握《にぎ》りしめてノートに向かった。

でも、宿題の作文を書くような具合にはいかなかった。それどころか、一行も書けなかった。ちょうど、病院からの帰り道、ほかの二人に気持ちを伝えようとして言葉が見つからなかったあの時と同じように、何から書き出せばいいのか見当もつかなかった。何が大事なことで、何がどうでもいいことなのか、迷いはじめたらどんどん深みにはまってしまって、結局いつも最初の一文字すら書きつけることができなかった。

早く書きあげて読ませろよ、と他の二人から急《せ》きたてられるたびに、僕は、もう少しだからとか、最初からもういっぺん書き直してるんだとか言ってごまかし続けた。僕が人より得意なことといったら作文を書くことくらいしかないのに、それさえもできないでいるなんて言えるわけがない。

やがて僕らは五年生になり、再びクラス替えが行われて、今度は三人ともばらばらになった。

ノリオやハム太がどうだったかは知らないが、僕は正直、ほっとする思いだった。

書けないでいたせいばかりじゃない。彼らと一緒にいる限り、何をしていても〈一人足りない〉という感じから逃《のが》れられなかったからだ。

柿どろぼうもセミ捕《と》りも、缶けりも高オニも戦争ごっこも、前ほど面白くなかった。三人でいる寂しさよりは、一人でいる寂しさのほうがまだましに思えるほどだった。

そうしていつしか、あの日の約束はうやむやになっていった。

皮肉なものだ。〈約束を守らなければ〉という、使命感にも似た強い気持ちがあった頃は、経験を言葉にする能力が足りなかったというのに、ようやくその能力が身についた頃には、気持ちのほうがなしくずしに薄らいでいる。時とともに色褪《いろあ》せていくのは、記憶ばかりではないのだ。

そして僕は、ひとつ学んだ。

〈約束を果たすには力がいる〉

どれほど固く交わされた誓いも、どんなに強い思いでさえも、それだけでは何の意味もない。

実現させるには、実現させるに足るだけの力が必要になる。あの頃の僕にはその力がなかった。なぜって……子供だったから。

いや――わかっている。こんなのは、ただの言い逃れにすぎない。

そういう具合に、僕が自分の身に降《ふ》りかかるほとんどのことから逃げ、残りをのらりくらりとやり過ごしている間に、世界はいつのまにか新しい時代を迎えてしまった。

ひとつの世紀の終わり。

ひとつの千年紀の始まり。

何がそんなにめでたいのか、お祭り気分で沸《わ》き返っている世間を、僕は醒《さ》めた気分で眺《なが》めていた。何もかもが大きく変わるように見えて、そのじつ、変わるのはせいぜい年号くらいじゃないかと思えたからだ。昨日とよく似た今日が、今日とよく似た明日が、ただとめどなくくり返されていくだけじゃないか、と。

あるいはこんなふうな諦《あきら》めも、一種の逃げなのかもしれないけれど。

ノリオ――大山紀夫は、僕と同じく東京の大学に進んで、今は研究室で量子力学の研究をしている。
量子力学というのは、なんでも、電子や陽子や中性子、あるいはもっと細かい基本粒子のレベルでの現象を解き明かす学問なのだそうだ。光の放出と吸収がどうしたとか、水素原子内の運動量がどうのこうのとか。説明されても、さっぱりわからない。
ちなみに、彼のタイムマシンは今のところまだ完成していない。道のりは遠そうだが、僕は気長に待とうと思っている。いつかそれが完成した暁《あかつき》には、待っていた歳月の長さなどまったく関係なくなるのだろうから。
ハム太――橋本公太は、今もあの町で暮らしている。

親父《おやじ》さんの自動車修理工場を継いだ彼には、うそみたいな話だが、子供が二人いる。高校を出てすぐに、びっくりするほど美人の嫁さんをもらったのだ。なるほど人生は不公平というか、案外公平というか。

遠く離れているからめったに会う機会はないけれど、たまに同窓会なんかがあると、ハム太は懐《なつ》かしそうにあの頃の話をする。僕らのうちで、ヤンチャのことをいちばん屈託なく話せるのは彼かもしれない。ついでに言うと、体型は当時とほとんど変わっていない。酔っぱらうと僕にだけ威張《いば》り散らすのも相変わらずだ。

そうして、僕はといえば——。

人のことは言えない。相も変わらずはっきりしない性格のまま、〈クウソウヘキ〉に身をまかせて毎日を送っている。一度は会社勤めもしてみたのだが、結局、一年ともたなかった。それきり定職にはついていない。気の向くままにあちこちの国をふらふらして、目にしたことや心に引っかかったことを書き留めてはみるものの、他人に読ませたことなどないし、どこかに発表しようという気もない。このごろは親もあきらめているらしい。

それでも僕は——そんな日々の合間を縫《ぬ》うようにして、少しずつこれを書きつづった。あの日から数えるとずいぶん時間がたってしまったけれど、とにもかくにも最初の一行を書き始めることには成功し、あとは最後まで書きあげようと努力した。

ただし、あの頃のような使命感からじゃない。果たせないままの約束をずっと引きずって歩くのが、いつからか、しんどくてたまらなくなってきたからだ。逃げるのをやめた、というよりは、正直なところ、もはや逃げきれなくなった、というのに近い。

けれどこれは、今まで僕が書きためてきたようなものとはずいぶん趣《おもむき》が違っている。だから、この先たどる道筋も、違っていくんじゃないかと思う。少なくとも、書いたものを自分以外の誰かに読んでもらいたいなんて思ったのは、これが初めてだ。

そう、誰よりもまずは、あの二人に読ませてやらなくちゃならない。

僕らがあの日、河原で交わした約束を思い出すために。

そして、ヤンチャがあんなふうになるまで僕らが考えてみようともしなかったことを、もう一度確認するためにだ。

歴史に〈もし〉はない、というあの有名な言葉どおり、いっぺん起こってしまったことは二度と変えようがない。タイムマシンを持たない僕らに許されているのは、過去の上に今を、今の上に未来を積み重ねていくという地道な方法だけだ。後戻りはできない。でも、過去をくり返し見つめ直すことで、未来を変えていくことならたぶん、できる。簡単ではないにしろ、可能ではあるはずだ。

その意味において言うなら、あるいはこれは僕にとっての――いや、僕ら四人にとっての、〈タイムマシン〉第一号と言えるのかもしれない。

なんだか、大海原《おおうなばら》に向かって手紙入りの小瓶《こびん》を投げるみたいな気分になってきた。あの二人のほかにいったい誰が読んでくれるのかはわからないけれど、これを手にしたその人が、きっとまた別の誰かに手渡してくれることを信じて……。

〈発進！　僕らのタイムマシン！〉

ヤンチャ。
聞こえてるか?

〈初出〉

かみさまの娘　桜木紫乃
「小説すばる」二〇〇八年七月号

ゆがんだ子供　道尾秀介
「小説すばる」二〇〇七年八月号

ここが青山　奥田英朗
「小説すばる」二〇〇六年十月号
単行本『家日和』〇七年四月刊、一〇年五月文庫化

じごくゆきっ　桜庭一樹
「小説すばる」二〇〇六年五月号

太陽のシール　伊坂幸太郎
「小説すばる」二〇〇四年五月号
単行本『終末のフール』〇六年三月刊、〇九年六月文庫化
チヨ子　宮部みゆき
「小説すばる」二〇〇四年一月号
文庫『チヨ子』（光文社文庫）一一年七月刊
ふたりの名前　石田衣良
「小説すばる」二〇〇二年八月号
単行本『1ポンドの悲しみ』〇四年三月刊、〇七年五月文庫化
陽だまりの詩《シ》　乙一
「小説すばる」二〇〇二年六月号
単行本『ZOO』〇三年六月刊、〇六年五月『ZOO 1』として文庫化

金鶏のもとに　浅田次郎
「小説すばる」二〇〇二年三月号

しんちゃんの自転車　荻原浩
「小説すばる」二〇〇一年三月号
単行本『押入れのちよ』（新潮社）〇六年五月刊、〇九年一月文庫化（新潮文庫）

川崎船　熊谷達也
「小説すばる」二〇〇〇年三月号
単行本『山背郷』〇二年九月刊、〇四年十二月文庫化

約束　村山由佳
「小説すばる」二〇〇〇年三月号
単行本『約束』〇一年七月刊、一一年三月『約束――村山由佳の絵のない絵本――』
として文庫化

特にことわりのないもの以外はすべて、集英社より刊行されました。

本書は、「小説すばる」創刊25周年を記念して集英社文庫編集部が編んだ短編アンソロジーです。

集英社文庫の好評既刊

短編復活

集英社文庫編集部 編

浅田次郎、東野圭吾、宮部みゆき、唯川恵……「小説すばる」に掲載されてきた膨大な数の短編小説を、厳選してお届け。ミステリから恋愛小説、はたまた爆笑ユーモア小説まで、とっておきの16編を集めました。

集英社文庫の好評既刊

恋のトビラ　好き、やっぱり好き。

石田衣良　角田光代　嶽本野ばら
島本理生　森絵都

素敵な出会いがない、好きな人はいるのにもう一歩が踏み出せない……そんなあなたのために、人気作家5人が描く、切なくいとおしいラブストーリー。心の鍵を開けてくれる物語が詰まっています。

集英社文庫

短編工場《たんぺんこうじょう》

2012年10月25日　第1刷
2019年11月12日　第47刷

定価はカバーに表示してあります。

編　者　集英社文庫編集部《しゅうえいしゃぶんこへんしゅうぶ》
著　者　浅田次郎《あさだじろう》　伊坂幸太郎《いさかこうたろう》　石田衣良《いしだいら》　荻原《おぎわら》 浩《ひろし》
奥田英朗《おくだひでお》　乙《おつ》 一《いち》　熊谷達也《くまがいたつや》　桜木紫乃《さくらぎしの》
桜庭一樹《さくらばかずき》　道尾秀介《みちおしゅうすけ》　宮部《みやべ》みゆき　村山由佳《むらやまゆか》
発行者　徳永　真
発行所　株式会社 集英社
東京都千代田区一ツ橋2-5-10　〒101-8050
電話　【編集部】03-3230-6095
【読者係】03-3230-6080
【販売部】03-3230-6393(書店専用)
印　刷　凸版印刷株式会社
製　本　加藤製本株式会社

フォーマットデザイン　アリヤマデザインストア　　マークデザイン　居山浩二

ISBN978-4-08-746893-9 C0193